LA SAISON DES AMÉRICAINS

Née en 1930 à Budapest (Hongrie), Christine Arnothy, tout en faisant de solides études classiques, se passionne dès l'enfance pour la littérature et la langue françaises. C'est ainsi tout naturellement en France qu'elle vient se fixer quand, avec ses parents, passant la frontière à pied, elle quitte la Hongrie en 1948. Le seul bien qu'elle emporte avec elle sont, cousus dans son manteau, les feuillets qu'elle a écrits tandis qu'elle vivait le siège de Budapest. Ces feuillets du temps du siège, les voici dans J'ai quinze ans et je ne veux pas mourir. *Le Grand Prix Vérité a couronné en 1954 ce récit unanimement célébré par la critique, traduit dans le monde entier et devenu livre scolaire dans plusieurs pays. En 1957, paraîtra une suite autobiographique :* Il n'est pas si facile de vivre.
Christine Arnothy commence alors une brillante carrière d'écrivain français, notamment avec ses romans : Le Cardinal prisonnier, *qui s'inspire aussi des événements de Hongrie,* La Saison des Américains, Le Jardin noir, Aviva...
Christine Arnothy a écrit également pour le théâtre, ainsi que des œuvres originales pour la radio et la télévision.

La Normandie est parsemée de cimetières où reposent les soldats tombés lors du Débarquement. Gardien d'un de ces cimetières, un Américain, John Farrel, silencieux et mystérieux, vit enfermé en lui-même, entre ses souvenirs de New York où il était journaliste et les légendes hongroises racontées autrefois par sa mère. Son meilleur ami, Fred Murray, journaliste comme lui et dont il admirait le talent, gît là, et John ne peut se défendre de l'obsession que c'est lui qui aurait dû être tué à sa place.
John est, un jour, tiré de ses rêveries par un choc brutal. Américaine venue au moment de la « saison », Ann Brandt qui était la maîtresse du mort et qui conserve pour le disparu une haine bien proche de l'amour, veut démonter, désintégrer l'amitié qui unissait les deux hommes. Fred nous apparaît alors sous un autre éclairage.
Un médecin ████████████ l'évolution du gardien qu'il a pris d'abord ██████████████
Antiquaire à ██████████████████████ onde, s'attache de son côté ██████████████████████ voudrait faire échapper l'h████████████████████ce destin qu'il s'était lui-mê██████████████
Ce roman ██████████████████████r. Chacun des personnages ████████████████████ai est donc la vérité de ch████████████████bsorbés par leur propre recherche, tendus ve██████████████e : la paix de l'âme.

CHRISTINE ARNOTHY

La Saison
des Américains

ROMAN

JULLIARD

A Claude,
à nos fils
Pierre et François,
à Christiane.

CHAPITRE PREMIER

Le docteur Laffont accompagna sa dernière cliente jusqu'au perron; quand la porte se referma sur la frêle jeune femme qui venait de partir, il poussa un soupir de soulagement et, revenant à son cabinet médical, jeta machinalement un coup d'œil dans la salle d'attente.

Désagréablement surpris, il y trouva un visiteur. L'inconnu, dont il pouvait à peine distinguer le visage dans la pénombre, se leva. Le docteur entrevit sa silhouette élancée.

« Pourquoi vous a-t-on laissé dans l'obscurité ? » demanda Laffont d'un ton de reproche.

Il tourna le commutateur; le lustre rustique inonda d'une lumière jaune la pièce meublée d'une table et de quelques chaises bon marché. Sur la cheminée, une lionne en bronze, épuisée par les trois lionceaux accrochés à son flanc, s'étirait. Les clients avaient mutilé et éparpillé de vieilles revues jetées pêle-mêle sur un guéridon. Quelqu'un avait dessiné une moustache sous le nez d'une vedette; celle-ci, monstrueuse, souriait chaque fois au docteur. « Il faut que je déchire cette couverture, pensa-t-il; les gens sont des brutes, de sales brutes. »

« Merci, je n'avais pas besoin de lumière », dit le visiteur.

Après ces quelques secondes de silence, sa réponse semblait insolente. Voulait-il se défendre contre le décor peu engageant qui l'entourait ? Laffont constata, sans pouvoir en définir l'origine, que l'inconnu avait un accent. Et cet accent l'agaçait d'autant plus qu'apparemment l'autre parlait un français impeccable. Laffont se força à sourire.

« Il est tard, mais je vous recevrai, dit-il.

— Si vous êtes pressé, docteur, je pourrais vous demander rendez-vous pour un autre jour. »

La voix de l'étranger était calme, presque indifférente. Entre eux, l'atmosphère devenait pénible. Laffont le dévisagea. Très mince, il paraissait grand. Il offrait un regard d'un bleu profond. Ses cheveux blonds grisonnants lui prêtaient un type nordique. Laffont s'écarta de la porte.

« Passez devant, je vous prie. »

L'autre obéit, mais s'arrêta aussitôt dans le couloir sombre.

« Passez, passez, s'impatienta le docteur.

— Je préférerais vous suivre; je ne connais pas le chemin. »

Le docteur éprouva une antipathie violente. Il se méfiait de ses compatriotes, mais, avec une férocité voulue, il condamnait d'emblée tout ce qui était étranger. Et puis, l'inconnu ne valait pas la peine d'un effort — un homme de passage ne ferait jamais partie d'une clientèle fidèle —; pourtant, Laffont ne pouvait pas lui refuser une consultation.

« Je n'ai pas pu venir au début de l'après-midi... Voulez-vous que je m'en aille ? »

Sans répondre, d'un pas rapide, Laffont pénétra dans son cabinet, alla vers son bureau et alluma la lampe ancienne à abat-jour vert. L'inconnu le suivit et referma soigneusement la porte derrière lui. Laffont désigna d'un geste le fauteuil en face de son bureau.

« Prenez place, monsieur.

— Vous ne voulez vraiment pas que je revienne un autre jour ? »

Laffont était sûr que l'étranger aurait préféré se sauver.

« J'ai tout mon temps », répondit-il...

L'homme s'avança vers lui.

« Auriez-vous l'amabilité de tirer les rideaux ? » demanda-t-il doucement.

Le malaise de Laffont s'accentua.

« Le rideau ? Pourquoi ?

— On pourrait nous voir.

— Nous voir ? dit le docteur agacé. Qui ? »

L'autre fit un geste.

« Les passants, les curieux, le monde qui nous entoure. Chez moi, dès que le crépuscule arrive, je tire les rideaux, je m'enferme. Au milieu d'un paysage obscur, dans une pièce éclairée, on se sent comme sous une loupe; les gestes s'amplifient, le silence s'accroît, ceux de l'extérieur vous examinent; je préfère être un homme caché qu'un insecte livré aux curiosités des chercheurs. »

Le docteur considérait ce plaisantin si peu gai; il se méfiait. Lentement, en soulignant de chacun de ses mouvements qu'il n'était pas pressé, il se leva et s'approcha de la fenêtre. Une brume blanche enveloppait les arbres et les buissons ruisselants de pluie. Le mur opaque qui les entourait se transformait en un globe noir. Il tira le rideau.

« Voilà, dit-il en se retournant.

— Je m'excuse vraiment », dit l'autre, d'un ton poli.

Laffont reprit sa place devant son bureau et tira légèrement un des tiroirs du côté droit. Sans baisser le regard, en tâtonnant, il s'assura que son revolver était à sa place.

« J'ai donc un air si suspect ? » s'inquiéta l'homme.

Laffont rougit :

« Seriez-vous extra-lucide ? »

L'autre hocha la tête :

« Une arme à feu a son rayonnement; elle représente une présence redoutable; on appuie sur la gâchette, la balle part... Le mouvement d'un doigt peut ôter une vie humaine... c'est démesuré comme possibilité. A l'époque où j'étais obligé de manier des armes, je me sentais comme un futur criminel...

— Qui êtes-vous ? Et que désirez-vous ? interrompit Laffont.

— Je m'appelle John Farrel. »

Le docteur tira du fichier un carton jaune, dévissa son porte-plume et se mit à écrire : John Farrel.

« C'est-à-dire Jean Farrel, pour mes rares amis français.

— Farrel, répéta le médecin, c'est un nom...

— ...américain, compléta le visiteur, serviable. Pourquoi vous méfiez-vous de moi ?

— J'allais dire que c'était un nom anglais. Je ne me méfie pas de vous. »

John hocha la tête.

« Je suis Américain.

— Vous êtes né ?

— Le 10 novembre 1916.

— Vous avez juste quarante-huit ans, dit le médecin; vous êtes de passage en Normandie ?

— Je vis ici. »

« Un original, pensa Laffont; il vit de ses rentes et, au lieu de s'installer à Tahiti, il vit en Normandie. »

« Et de quoi vous plaignez-vous, monsieur Farrel ?

— J'ai failli mourir cette nuit, répondit l'autre.

— Vous avez eu l'impression de mourir cette nuit, rectifia le docteur. Voulez-vous me décrire les symptômes ? Vous avez été réveillé par...

— J'ai failli mourir en dormant, docteur. »

Laffont pianotait sur le bureau.

« Pour vous rendre compte que vous avez failli mourir, il fallait que vous soyez éveillé.

— Non, docteur, expliqua Farrel; je dormais profondément et j'étais conscient du fait que je dormais. Au début de mon rêve, j'aurais pu, même, faire un effort pour m'arracher à l'aventure, pour me retrouver chez moi; mais le rêve était plus puissant; il m'entraînait; à la fin, il fallait que je meure.

— Qu'avez-vous eu comme maladies, jusqu'ici ?

— Rien, docteur.

— Quand vous étiez enfant ? »

L'Américain se mit à sourire; il traînait un peu les mots.

« Je n'ai pas de souvenirs précis.

— Au cours de ces dernières années, avez-vous eu des ennuis avec votre cœur ? Avez-vous éprouvé des palpitations, des étouffements, des douleurs ? »

Il détourna son regard, avec l'espoir que l'autre, ne se sentant pas observé, parlerait peut-être mieux. Il connaissait bien ce genre de malades qui nient tout chez le médecin, qui viennent presque se vanter de leur santé, afin de pouvoir partir rassurés.

« Aucun ennui avec mon cœur, docteur.

— Déshabillez-vous, dit le docteur, impatient; défaites votre veste, ouvrez votre chemise. »

Le regard de John se heurta à une table de gynécologie.

« Non, pas là, dit le docteur en haussant les épaules; sur le divan. »

Il se précipita pour changer le papier qu'il avait l'habitude de poser sous les pieds et sous la tête des clients. Le torse dénudé, John se coucha sur la toile cirée, posa délicatement ses pieds sur le papier. Au contact du stéthoscope, un frisson le parcourut.

« Vous êtes nerveux, constata le docteur avec une certaine satisfaction.

— Je ne crois pas », protesta l'Américain.

Le docteur se pencha sur lui; il écoutait le battement régulier du cœur de son visiteur nocturne — ce bruit sourd et lointain qui évoquait les coups frappés par des mineurs enfouis sous les décombres.

« Vous avez un cœur de jeune homme, dit-il en se redressant; voyons la tension. »

Il était ravi à l'idée que ce malade n'avait rien et qu'il pourrait, lui, partir rapidement pour Caen où il devait dîner.

« 15-7 », dit-il, victorieux.

Il se voyait déjà au Rabelais, place Malherbe.

« J'ai failli mourir cette nuit et vous dites que je n'ai rien, s'exclama John Farrel, agressif; vous dites n'importe quoi, pourvu que je parte ! »

Le docteur se réfugia de nouveau derrière son bureau et, pendant que l'Américain se levait, il lui expliqua d'un ton calme, s'appuyant sur ces phrases onctueuses dont il se servait souvent, dont il connaissait les intonations et les effets comme un vieil acteur :

« Cher monsieur, vous avez rêvé; cela arrive à tout le monde; il suffit d'un repas plus lourd, d'une digestion plus pénible; ne confondez pas cela avec la vraie maladie. Combien de gens souffrent comme vous, et deviennent facilement centenaires ! Rien que dans cette région, j'ai plusieurs malades que leur famille était prête à enterrer depuis longtemps; or, malgré leur imagination et leurs prétendues douleurs, ces « victimes », guillerettes, courent toujours... »

Il reprit la fiche.

« Je n'ai pas noté votre adresse; où habitez-vous ?
— Au cimetière. »

Laffont se redressa.

« Quoi ? »

L'Américain s'approcha de lui :

« Depuis dix-huit ans, j'habite au cimetière américain de Saint-Laurent; je suis gardien. »

Laffont se mit à sourire.

« Vous m'avez surpris, monsieur. J'ai cru un instant
que vous vouliez me faire croire à une obsession de la
mort, à une idée fixe. »

Le docteur .reprit :

« Sur le plan de la médecine générale, je ne crois pas
que vous ayez grand-chose. Evidemment, cet examen
rapide ne me permet pas de vous donner une opinion
définitive quant à votre état de santé; en tout cas, je
ne vois rien de grave. Pourtant, je pourrais vous indi-
quer un psychiatre à Caen. Ne seriez-vous pas victime
de votre métier de gardien ? Peut-être rien ne vous
prédestinait-il à une vie recluse dans un cadre qui
n'est guère rassurant ? Partez un peu; vous avez besoin
de voyages. Nous sommes entre hommes, écoutez-moi,
je m'expliquerai franchement : oubliez vos morts,
changez de métier; si vous n'êtes pas marié, mariez-
vous; si vous en avez assez de votre femme, changez-la. »

Mécontent, l'Américain l'interrompit :

« Quel dommage, docteur, que vous me compreniez
si peu. Je ne suis ni nerveux, ni triste, ni obsédé. Je
vis dans un calme moral et physique parfait. J'ai eu
ce grave ennui cette nuit, mais je regrette d'être venu.
Après ce que vous venez de me dire, comment pourrais-je tenter de vous expliquer ce qui s'est passé
réellement ? Il faut que je m'en aille, je n'aurais pas
dû venir. On imagine qu'un médecin peut voir plus
loin qu'un fichier... J'ai supposé qu'un médecin de
campagne se donnerait peut-être la peine de m'écou-

ter. Vous êtes moins occupé qu'un médecin de la ville !

— Moi, je guéris les angines, les rhumes, je ne suis pas psychiatre.

— Si vous étiez architecte, je pourrais vous poser la question : pourquoi tel immeuble s'est-il effondré ? Mais à vous, docteur, je ne peux même pas demander pourquoi j'ai agonisé cette nuit près du mur de Berlin ?

— Le mur de quoi ? répéta le médecin, désorienté.

— De Berlin, la capitale de l'Allemagne. A Berlin, se trouve un mur qui partage le monde en deux; ne me dites pas que...

— Ah ! fit le docteur, gêné, oui, le mur de Berlin, oui. Remettez votre veste, vous allez attraper froid, mon chauffage marche mal aujourd'hui. »

La chemise ouverte, la tête penchée vers le docteur, l'Américain s'appuyait sur le bureau; ses yeux lumineux gardaient captif le regard du docteur. Laffont n'osa plus bouger; il avait laissé ses mains sur la table pour assurer l'autre qu'il ne cherchait pas à être réconforté par son revolver désormais inutile.

« Cette nuit, reprit l'Américain, j'étais un ouvrier de Berlin-Est. J'attendais le moment de revoir ma fiancée. Elle était allée à Berlin-Ouest rendre visite à ses parents, le jour même où le mur était apparu comme un sous-marin qui quitte les profondeurs et prend soudain une place démesurée sur la surface d'une mer nue. Le mur avait jailli d'une terre doulou-reuse. Le mur avait cloîtré notre vie. J'avais écrit à ma fiancée pour lui demander de revenir. Elle ne pouvait

plus quitter ses parents et me suppliait de la rejoindre.
J'ai couru pendant des jours interminables, d'immeuble
en immeuble, de bureau en bureau, afin d'obtenir un
papier qui m'aurait autorisé à franchir officiellement
le barrage. Dans chaque bureau, on me disait que je
devais attendre. Des employés aimables me persua-
daient, en m'accompagnant dans de longs couloirs
sombres où nos pas résonnaient, que j'aurais un jour
la permission, mais personne, en aucun service, ne
pouvait me dire quel serait ce jour. Emporté par ma
jeunesse, brûlé d'amour, j'avais décidé de vaincre le
mur. Je le regardais comme un sportif, j'étais l'alpi-
niste solitaire en face d'une montagne vierge de toute
empreinte humaine. La puissance du rêve me per-
mettait d'imaginer que je franchirais, inaperçu, l'obstacle
et qu'ensuite, ramenant ma fiancée avec moi, comme
au retour d'un autre monde, je raconterais l'histoire
d'un grand amour à tous ceux qui voudraient y
croire encore.

« Pour escalader le mur-montagne, j'avais choisi
l'heure du déjeuner; les gardes allemands déjeunaient
à midi et les gardes américains, en face, à douze heures
trente. Pendant un court moment, ils étaient tous
inattentifs. C'est alors que je m'élançai vers le mur;
j'étais un aviateur sans avion, un Don Quichotte sans
cheval, un homme dont le cœur battait loin de lui;
il battait de l'autre côté. Je ne savais pas comment
j'allais affronter le mur, je n'avais ni échelle, ni
corde, ni ailes. Je me heurtai violemment à lui et
ressentis une douleur déchirante, mais, en même temps,
c'était comme si devant moi s'ouvrait la porte des

sortilèges. Le mur, inaccessible et lisse, se transformait
en un mur amical; c'était un mur de n'importe où,
de n'importe quelle époque; ce mur ne séparait que
deux jardins, deux villages, deux querelles. Un miracle
à la fin se produisit : je grimpai; mes pieds et mes
mains trouvaient des appuis insoupçonnés; j'étais le
funambule qui réussissait le plus audacieux numéro
de sa vie. J'ai alors entendu crier que je devais
m'arrêter : Halte !... Halte !... Je m'aplatis contre le
mur avec l'espoir que je deviendrais sinon invisible,
du moins aussi petit qu'une fourmi qui se réfugierait
dans les fissures du béton. Je continuai à grimper. Le
mur, qui n'avait jusqu'ici reflété que des images familières — mur d'usine, l'usine où je travaillais — devenait un mur hostile. Il se mit à grandir. Le silence
d'un espoir fou s'installa dans l'univers, un silence
si réconfortant que la certitude me saisit qu'on m'avait
oublié. Je crus que, dans ce silence, je n'existais plus
pour personne sauf pour celle qui m'attendait de
l'autre côté. Et puis, ils ont tiré. J'ai senti deux balles,
comme deux coups de poing dans le dos, et je suis
retombé, tel un fruit mûr, sur ma terre natale. La
chute, à dire vrai, fut longue; je flottais, je virevoltais,
je tournoyais auprès du mur. Soudain, j'ai atterri;
j'étais immobile; le fruit mûr, tombé par terre, saignait. Un Américain blond apparut en haut du mur.
Il était petit comme une marionnette; il se penchait :

« — Qu'as-tu, camarade ? a-t-il crié.

« — Je saigne, ai-je répondu; pourrais-tu me jeter
« une corde et m'aider à monter ? Ma fiancée, à
« Berlin-Ouest, m'attend.

« — Je regrette infiniment, a-t-il dit. Comment
« pourrais-je te jeter une corde ? Je n'en ai pas. Et
« je dois garder mon poste; tout le monde déjeune,
« je n'ai pas le droit de m'éloigner d'un mètre.

« — Je saigne trop, camarade.

« — Que veux-tu que je fasse ? m'a-t-il dit. Les
« ordres sont les ordres. Je te jette mon mouchoir,
« mets-le sur ta blessure. »

« Il a fait un geste et le mouchoir est tombé en
flottant. Il flottait comme un papillon. Il effleura mon
visage; ce mouchoir était en papier. Est-il possible
d'arrêter le sang qui coule avec un mouchoir en
papier ?... Je tournai la tête vers l'Est, et je criai à
un gardien allemand qui me regardait :

« — C'est toi qui as tiré sur moi, camarade.

« — Ah ! oui, dit-il, c'est moi; j'avais des ordres.
« Je t'ai demandé de t'arrêter; je t'ai prévenu; tu n'as
« pas voulu m'écouter.

« — Eh ! camarade, ai-je crié, ne me laisse pas
« mourir. Je voulais simplement aller de l'autre côté
« pour retrouver ma fiancée; si je meurs, je ne la
« reverrai plus jamais, et je saigne. Voudrais-tu pan-
« ser ma blessure ?

« — Je ne le puis pas, répondit le garde qui m'avait
« tiré dessus; je n'ai pas le droit de quitter mon poste;
« il faut que j'attende la relève. »

« Je saignais abondamment; couché dans une
mare de sang, je comprenais que j'allais mourir, et
le ciel descendait sur moi comme un immense cou-
vercle de plomb. Il s'approchait; cette surface bleue,
métallique, ressemblait au plancher de fer d'un ascen-

seur. L'univers se rétrécissait autour de moi, à la mesure d'une cage d'ascenseur; le ciel, transformé en ascenseur, s'approchait de moi; je savais que je serais broyé entre ce ciel-ascenseur et la terre rude, métallique. J'étais conscient que je serais broyé entre ces deux plaques de métal. J'ai hurlé au secours, au secours, et puis c'était fini, il ne restait plus rien de moi, plus rien. »

Le docteur Laffont repoussa sa chaise et se leva.

« Vous avez besoin d'un psychiatre, dit-il à voix basse.

— J'ai été blessé cette nuit, docteur; je vous en supplie, croyez-moi.

— J'écrirai une lettre à un psychiatre de Caen, répéta Laffont.

— Ainsi donc, attaqua l'Américain, il vous faudrait voir les plaies elles-mêmes pour admettre que j'ai vraiment ressenti ces douleurs, que j'ai saigné...

— Inutile de vouloir me faire jouer le rôle de Thomas, ce n'est pas la peine, cria le docteur; je ne suis en tout cas pas croyant.

— Si vous pouviez sortir de votre routine, dit l'Américain, si vous pouviez élargir votre esprit, si vous pouviez comprendre qu'il ne s'agit ni de religion ni d'opinion, mais d'une blessure... »

D'un geste brutal, il enleva sa chemise, la jeta par terre et se tourna vers le médecin.

« Regardez mon dos. »

Le médecin s'approcha et aperçut des traces rugueuses, des cicatrices boursouflées. Vers le côté gauche, en deux endroits, il y avait des hématomes presque suppu-

rants. Il voulut y porter la main. L'Américain fit
volte-face.

« Ne me touchez pas; j'ai eu assez mal cette nuit.

— Ce sont d'anciennes blessures, dit le docteur.

— Sont-elles anciennes, les blessures qui resaignent ?
cria l'Américain.

— Ces deux hématomes, continua le médecin, pro-
viennent d'un choc moral; votre dos meurtri offre
peu de résistance; vous accumulez sur cette surface
toute votre tension nerveuse. Blessé aux yeux, vous
auriez éprouvé des troubles de vision. Mais pour que
ces blessures soient prêtes à saigner, vous avez dû vous
cogner très fort ? »

Farrel ramassa lentement sa chemise, la remit et se
reboutonna.

« Mes anciennes blessures saignent de nouveau, docteur, et vous trouvez cela normal...

— Mais non, dit le docteur, je ne trouve pas du
tout cela normal; il s'agit d'une réaction hyper-ner-
veuse, d'une coloration de la peau due à un choc psychique. Vous avez sûrement été très éprouvé par ces
blessures, et ces endroits restent, à fleur de peau,
livrés à vos cauchemars. Parce que votre dos est l'endroit le plus délicat de votre corps, dès que vous
allez mal, vous croyez ressentir ces mêmes douleurs;
si je voulais employer un terme technique, je dirais
que je suppose une stigmatisation hystériforme; le
rêve n'est qu'un prétexte.

— Le rêve n'est qu'un prétexte ! répéta l'Américain.
Comment ai-je pu être assez imbécile pour venir vers
vous et me plaindre ? Pourquoi et comment ai-je pu

céder à cette tentation de m'exposer à votre regard indifférent ? Je ne me sens pas seulement meurtri, mais, aussi, ridicule.

— Non, non ! » Laffont essayait de le calmer : « Non, gardez votre calme. Il y a beaucoup de possibilités de vous rendre votre équilibre intérieur, mais laissez-moi un peu de temps. Revenez.

— Je ne suis qu'un pauvre imbécile, reprit l'Américain. Etes-vous lié par le secret professionnel, docteur ?

— Oui, répondit celui-ci.

— Donc, docteur, — et là, je vous en prie solennellement —, oubliez ma visite, vous ne m'avez jamais vu. Je ne voudrais pas qu'à un confrère quelconque vous racontiez cette entrevue si pénible pour moi. Je n'ai pas besoin de psychiatre; j'ai besoin de l'oubli. Je ne voudrais pas, en plus, supporter le poids de cette idée que je me suis livré si bêtement.

— Au nom du Ciel, cria le docteur, vous n'allez pas être obsédé par une simple visite rendue à un médecin ! Vous ne voudriez pas cacher vos blessures comme une maladie honteuse; il n'y a pas de maladies honteuses, il n'y a que la maladie !

— Je vous dois combien ? » demanda l'Américain.

Fébrile, il cherchait dans son portefeuille.

« Vingt francs », dit le docteur.

Farrel posa deux billets sur le bureau.

« Voilà, docteur; ces deux billets terminent notre entrevue. Je me suis livré à vous, vous m'avez trouvé ridicule; j'ai payé, c'est fini. Voulez-vous bien déchirer ma fiche.

— Je ne déchire jamais une fiche, monsieur Farrel.

— Si », dit l'Américain.

Et, avant que le docteur puisse l'en empêcher, il prit la fiche jaune, la déchira en deux et sortit du cabinet médical en laissant la porte entrouverte derrière lui.

CHAPITRE II

Les essuie-glace luttaient contre la pluie tenace; celle-ci couvrait le pare-brise comme une pellicule de poussière humide. Les phares de la voiture ouvraient un puissant sillage sur la route huileuse. Le goudron luisait dans le faisceau lumineux. Les dix kilomètres qui restaient encore jusqu'à Caen n'étaient qu'une question de minutes. Irrité, le docteur crut entendre le chuchotement de l'Américain : « Je ne suis pas nerveux, docteur, ni obsédé par la mort; j'ai eu simplement mal cette nuit, très mal. » « Un dingue », dit Laffont à mi-voix.

Il appuya sur l'accélérateur. Il en avait vu des déséquilibrés dans sa vie. Il se considérait lui-même comme un raté; il était loin des espoirs délirants de sa jeunesse. Fils de menuisier, il aurait aimé faire, autour de lui, éclater le monde comme une coquille de noix. Pour que son avenir soit assuré, sa mère l'avait destiné à la prêtrise : « L'Eglise n'abandonne jamais ses enfants », avait-elle dit. Grâce aux démarches de leur curé, il avait pu entrer dans le monde clos d'un collège de jésuites. Il avait longtemps connu le laby-

rinthe faiblement éclairé des couloirs interminables
où la lumière fade des ampoules se posait avec indifférence sur les crucifix accrochés aux murs blanchis
à la chaux. Quarante ans plus tard, au volant de sa
voiture dont il connaissait le rythme et l'odeur, roulant sur une route noire, il ressentait encore les peurs
de son enfance... Et puis, à l'issue d'une crise de
conscience, il avait décidé de son destin : il serait
médecin à tout prix.

Laffont arrêta sa voiture devant l'hôtel Malherbe.
Un chasseur courut vers lui; quand il aperçut le
docteur, il s'arrêta. Il savait que Laffont était un client
fidèle du restaurant *Le Rabelais*, qui se trouvait
dans l'hôtel même. En se dirigeant vers l'entrée du
restaurant, Laffont jeta un coup d'œil à sa montre;
il était neuf heures moins le quart. Il se plongea avec
joie dans l'atmosphère agréablement tamisée de la salle.
Il avait abandonné son manteau au vestiaire; le
maître d'hôtel venait à sa rencontre.

« Bonsoir, docteur.

— Bonsoir, bonsoir », répéta-t-il.

Et il découvrit Elisabeth assise près d'une table
qu'éclairait une petite lampe à l'abat-jour rouge. Elle
semblait aussi précieuse et fine qu'un bibelot en opa-
line; paisiblement, elle attendait; ses mains nues aux
doigts fins reposaient sur la nappe; un rang de perles
aux reflets opaques animait sa robe noire.

« Bonsoir », lui dit Laffont.

Et il prit une des mains élégantes d'Elisabeth dans
la sienne. Il n'avait pas l'habitude du baisemain, et
il croyait qu'Elisabeth n'attachait pas d'importance à

une habitude qu'il jugeait aussi inutile que démodée.

« Pardonne-moi pour ces trois quarts d'heure de retard, dit-il en s'asseyant; tu commences à connaître les joies de mon métier. »

Elle aurait préféré qu'il lui dise qu'elle était jolie. Elle sourit et dit d'une voix légère :

« Pourquoi serions-nous pressés un samedi soir ?

— Moi, je suis pressé, dit-il, tu sais bien pourquoi. »

Un hâle à peine perceptible colora les joues et le front d'Elisabeth.

« Prendrez-vous des tripes ce soir ? demanda le maître d'hôtel.

— Pour moi, un poussin à l'estragon, répondit Elisabeth.

— Et pour moi, oui, des tripes », ajouta le docteur. Il fit signe au sommelier.

« Donnez-moi donc le chambertin de la semaine dernière.

— Le Charmes-Chambertin ! C'est vrai qu'il est d'un velouté... » reprit celui-ci en s'éloignant déjà.

Laffont se mit à sourire. Le dîner commandé, il pouvait enfin contempler Elisabeth tout son soûl et la redécouvrir avec bonheur; il débordait du sentiment qu'elle lui appartenait. Mettant sa main sur celle d'Elisabeth, il apprécia ce contact fugitif; elle avait des mains racées; ses ongles ovales, recouverts d'un vernis rose clair, évoquaient la finesse soyeuse de la nacre. En s'appuyant contre le dossier de son fauteuil, elle se dégagea. Elle semblait absente. Ses yeux clairs, dont la couleur changeait selon les éclairages ou ses humeurs, représentaient, dans l'esprit de Laffont, un mur impénétrable de verre multicolore. Pour capter son attention, il se pencha vers elle :

« J'ai eu la visite d'un nouveau malade; c'est lui qui m'a mis en retard.

— Oui », dit-elle, polie.

Il cherchait désespérément le détail qui amuserait Elisabeth.

« A sept heures moins le quart, j'ai découvert dans ma salle d'attente un personnage sorti d'un autre siècle, aussi distingué qu'un aristocrate qui se laverait les dents avant de se faire décapiter. Il était mince et blond... et complètement dingue. »

Elisabeth s'anima. Le sommelier versa le vin. Le velours rouge du chambertin effleura les lèvres du docteur.

« Parfait, dit-il.

— Pourquoi dis-tu qu'il était fou ? » s'enquit Elisabeth.

Le ballet élégant du service interrompit le docteur. Quand les garçons disparurent, il continua :

« Parce que je voulais simplifier mon diagnostic. Ma première idée était de l'envoyer chez un psychiatre de Caen.

— A ta place, dit Elisabeth, je préfèrerais garder mes malades. Tu es à Mosles seulement depuis un an; il faut davantage pour te faire apprécier. Je les connais, tes clients; je suis normande aussi; si tu es impatient avec l'un d'eux, ils iront tous ailleurs, sans exception. »

Laffont faillit se brûler avec les tripes.

« Le dingue d'aujourd'hui était un étranger.

— De quelle nationalité ?

— Américain.

— Pourtant, ce n'est pas la saison encore, dit Elisabeth.

— Celui-ci est un « Stammgast », constata le docteur.

Pendant sa captivité, il avait appris quelques mots d'allemand et les utilisait volontiers.

« Un quoi ?

— Un habitué. On appelle ainsi, dans les restaurants germaniques, ceux qui reviennent toujours, s'installent à la même place et lisent les mêmes journaux.

— Donc, ce nouveau malade est un habitué de la Normandie ?

— Et pour cause, il est gardien au cimetière américain de Saint-Laurent; depuis dix-huit ans, il vit là-bas; tu te rends compte... »

Laffont admirait la façon dont Elisabeth décortiquait son minuscule poulet; elle détachait avec délicatesse les parcelles de chair, et faisait un petit tas minutieux des os fragiles.

« Continue. »

Laffont haussa les épaules.

« Son comportement était si bizarre qu'il m'a même poussé à m'assurer que mon revolver était à portée de la main.

— Pourquoi bizarre ?

— Il était gêné à l'idée qu'on puisse nous voir; il voulait que je tire les rideaux de mon bureau. »

Elisabeth but une gorgée de vin.

« Dans ce cas-là, je suis bizarre aussi. Combien de fois je t'ai demandé de ne pas m'embrasser avant que j'aie tiré les rideaux. »

Laffont haussa les épaules.

« Si tu crois qu'il y a un reporter installé sur la place Saint-Martin, muni d'un téléobjectif pour découvrir ton décolleté, tu te trompes. Enfin, je ne devrais pas parler de tout cela avec toi; le secret professionnel... »

Curieuse, elle se fit câline :

« Tu n'as pas confiance en moi ? » demanda-t-elle.

Presque soulagé, il se mit à sourire.

« Si, mais le silence est aussi une question de principe.

— Si j'attachais une importance démesurée aux principes, tu ne serais pas mon amant, répliqua-t-elle.

— Depuis six mois, je te demande ta main le samedi soir; ça fait vingt-six demandes en mariage, répondit le docteur.

— Nous nous marierons peut-être en septembre, répondit-elle sans conviction.

— Nous ne sommes qu'en février, Elisabeth !

— Le temps passe vite, Roger... Hier, j'étais adolescente, et aujourd'hui, j'ai trente-deux ans. Donc, ton Américain ? »

Ravi d'avoir éveillé son attention, le docteur continua :

« Il m'a raconté une histoire abracadabrante, un rêve qu'il aurait vécu : une sorte d'agonie tout près du mur de Berlin. Il croyait mourir dans son sommeil; tout se mêlait en lui; tout ce qu'il a pu lire dans des journaux ou dans des ouvrages politiques; il parlait des communistes, des Américains, des Allemands... Par moments, il ressemblait à un vieux gosse illuminé; il tenait sa tête si haute que j'avais toujours l'impression d'avoir quelqu'un derrière moi. »

Il s'interrompit. Impatient, il aurait voulu déjà être chez Elisabeth.

« Et comme dessert ? demanda le maître d'hôtel.

— Un soufflé pour deux, répondit Elisabeth avec une douce cruauté.

— Un soufflé ! s'exclama Laffont désespéré. Tu aurais pu le commander au début du repas ! »

Elisabeth jouait avec son collier.

« L'idée m'est venue maintenant; j'ai si envie d'un soufflé. »

Le maître d'hôtel les réconforta.

« Ce ne sera pas long, docteur; vingt petites minutes... »

Laffont se voyait condamné à parler et à écouter. La table, couverte d'une nappe blanche, s'étirait devant lui. Il avait l'impression qu'Elisabeth s'enfuyait.

« J'ai hâte de te voir en tête-à-tête », dit-il.

Comment aurait-il pu l'approcher ? Elle se tenait si droite, si sûre d'elle-même dans le fauteuil rouge.

Elisabeth se mit à sourire.

« Nous avons toute notre soirée à nous. »

Elle réfléchissait; il fallait qu'elle sache la fin de l'histoire; elle voulait tout savoir de l'Américain. Elle posa sa main sur celle de Laffont.

« Il a quel âge ?

— Qui ? demanda Laffont.

— L'Américain.

— J'étais loin de penser à lui.

— Moi aussi, dit Elisabeth; mais j'aimerais savoir son âge.

— Il doit avoir quarante-huit ans.

— Donc, il est plus jeune que toi, constata Elisabeth.

— Pourquoi le compares-tu à moi ?

— Oh ! dit Elisabeth, moi-même je me compare toujours à tout le monde et je sors de mes comparaisons avec un déficit. Mais, reprit-elle, ton Américain n'a tout de même pas passé ses meilleures années dans un cimetière ?

— C'est le cadet de mes soucis, dit le docteur. En tous les cas, je sais qu'il ne reviendra plus jamais.

— Pourquoi, dit-elle en s'accrochant à cette phrase, pourquoi veux-tu désorienter les gens ? Même moi, tu me désorientes. Dès qu'on ouvre la bouche, on te sent hostile; tes malades doivent sentir que tu ne les aimes pas.

— Et toi, tu sens que je t'aime ? » questionna-t-il pour changer de conversation.

Après une attente qui sembla interminable à Laffont, un garçon leur apporta le soufflé. Le docteur détesta cette bosse dorée. Enfin servis et restés seuls, il prononça d'un ton désabusé :

« Tu sais, Elisabeth, moi, je connais les gens, je les connais bien; je les ai explorés dans toutes les classes de la société.

— Je parlais des malades, fit-elle.

— Des malades ? Il y a deux sortes de malades :
les condamnés à mort et les dingues. Je ne peux rien
pour eux; ni pour les uns, ni pour les autres.

— Et l'avenir ? répliqua-t-elle, timide. Quel peut
être ton avenir en partant de cette base négative ? »

Il eût aimé répondre qu'il ne voyait pas plus loin
que le lendemain, que son seul projet d'avenir était
de se retrouver le plus tôt possible chez Elisabeth.
Il régla l'addition. Ils prirent leurs manteaux. Frissonnante, elle s'arrêta un instant devant l'hôtel. Laffont
se dirigea vers sa voiture.

« Tu viens ? » lança-t-il à la jeune femme.

Elle s'arracha difficilement à ses pensées. S'attar-
dant, elle respirait profondément l'air mouillé. Enfin,
silencieuse, elle se glissa dans la voiture. Le docteur
détacha sa main droite du volant et la posa sur les
genoux d'Elisabeth. Une sensation violente, plus proche d'un malaise que du plaisir, la parcourut. Ils
quittèrent bientôt les artères larges et bien éclairées et
la voiture arriva rapidement devant l'ancien hôtel
particulier qu'habitait Elisabeth. Pendant que le médecin fermait les portières de la voiture, Elisabeth ouvrit
la porte cochère de l'immeuble. Une ampoule accrochée au mur éclairait les pavés anciens; plus loin,
s'étendait un jardin intérieur; à droite, une petite
porte, peinte en vert foncé, menait vers la boutique
d'antiquités d'Elisabeth, qui occupait, avec ses deux
vitrines, toute la partie droite de la façade. A gauche
d'un petit hall, l'escalier montait vers les étages.
Elisabeth habitait au premier. Elle s'envolait presque

de marche en marche sur la pointe des pieds. Les
pas du docteur résonnaient dans le silence.

« Chut ! » fit-elle en se retournant.

Elisabeth glissa lentement la clef dans la serrure.
Ils entrèrent dans un vestibule. Laffont tourna le
commutateur, et, comme presque toujours, il sursauta
en se trouvant face à face avec un miroir sorcière;
il vit sa tête déformée, grotesque, le crâne aplati, la
bouche épaisse, largement étirée; il ressemblait à un
crapaud.

« J'ai horreur de cette glace, dit-il; tu pourrais
la vendre à ton meilleur ami.

— Je n'en ai pas », répondit-elle du salon.

Laffont la suivit. Il retrouva avec plaisir le cadre
précieux où elle vivait. Les parquets étaient recouverts
de tapis d'Orient anciens. Ce salon, avec ses fauteuils
profonds et ses lumières adoucies par des abat-jour
délicats, incitait aux bavardages et aux aveux qu'on
regrette ensuite. Non sans une certaine ironie, Laffont
salua les portraits du père et du grand-père d'Elisabeth, tous deux avocats. « Je pourrais plaider ma
cause, pensa-t-il. Je pourrais leur sortir une drôle
de plaidoirie : Messieurs les juges, nous ne croyons ni
à la vérité ni à la justice; nous croyons à l'habileté, au
mensonge, à la corruption, aux rapports malfaisants,
à tous ces détails vicieux et précieux qui font condamner si facilement un innocent et glorifier les salauds;
nous croyons à la fin du monde et à la pourriture
terrestre... »

« A quoi penses-tu ? demanda Elisabeth.

— Je continue mon dialogue avec tes aïeux hono-

rables », dit-il, et il la prit dans ses bras. Il était à
peine plus grand qu'elle.

« Je me trouve laid près de toi. Tu me désorientes
avec ton miroir. Comme si tu l'avais mis là exprès.
Après m'être regardé, je me sens presque timide.
J'ai peur, aussi, de te casser... Chaque samedi, je fais
l'amour à une statuette en verre de Murano, à un
objet en ivoire, à un vase en porcelaine, à un lustre
en cristal. »

Elle se dégagea en riant.

« Pourquoi dis-tu des choses affreuses, Roger ? »

Celui-ci partit à la recherche de sa serviette; il la
retrouva dans le vestibule, l'ouvrit, et prit ses affaires
de toilette. Il traversa la chambre à coucher, installa
son rasoir et son blaireau dans la salle de bain et, en
revenant, jeta son pyjama sur le lit. Elle le suivait
du regard.

« Tu ne te déshabilles pas ? » demanda Laffont.

Elle le sentait pressé. Il préparait sa nuit comme un
chirurgien une opération; il fallait que tout soit à
sa place : le rasoir dans la salle de bain, la brosse à
dents accrochée à côté de celle d'Elisabeth; la bouteille d'eau minérale par terre; le pyjama sous l'oreiller
— il le mettrait plus tard —, les pantoufles presque neuves sous le lit.

« J'ai l'impression que tu es fatigué, dit-elle soudain. Je dormirais aussi bien dans la petite chambre,
celle qui donne sur le jardin. »

Il se déplaça rapidement; il était déjà en manches
de chemise.

« Tu es folle, non ! »

Il l'embrassa; elle sentit le goût de la pâte dentifrice. Comme une invitée timide, elle s'assit au bord du lit; elle se força à sourire :

« J'imaginais autrement une liaison », dit-elle.

Il vint près d'elle, et prit entre ses mains le visage d'Elisabeth.

« Je ne t'aime pas assez ? » demanda-t-il.

Il percevait sur sa peau, comme un courant électrique, la nervosité d'Elisabeth.

« Si nous parlions de nous », dit-elle.

Il se pencha sur elle et l'embrassa. Elle découvrit maintenant le goût véritable de ses lèvres. Elle se laissa aller, s'oublia pendant de longues minutes, les yeux désespérément fermés. Elle imaginait autour d'elle plusieurs hommes inconnus, plusieurs hommes attentifs, des hommes sans visage, prêts à intervenir pour augmenter son plaisir.

« Si tu voulais te déshabiller... »

Sa voix avait brisé le sortilège. Elle quitta le lieu de ces bacchanales secrètes; elle abandonna avec tristesse la foule de ces hommes serviables à la beauté immatérielle. Dans la salle de bain, elle s'interdit de ranger ses sous-vêtements et les laissa en petits tas sur le carrelage, près de la baignoire.

« Tu viens ? » réclama encore Laffont.

Les draps étaient froids. Laffont la prit dans ses bras; les paupières closes, elle s'offrit. A peine dégagée, elle se mit à analyser leur liaison. Laffont avait sommeil et répondait par de petits « oui » et « non ».

« A quoi bon nous marier ? » interrogea-t-elle, couchée dans le lit qu'ils venaient de refaire.

Elle était aussi lisse et soignée qu'une jeune mère qui attend l'heure des visites; il ne manquait qu'un berceau à portée de la main. Laffont bâilla.

« Parce que je t'aime. »

Il ajouta :

« Parce que tout Caen est au courant de notre liaison; avec ton passé irréprochable, je suis comme la tache noire de ta vie. Et les provinciaux sont vindicatifs.

— Je suis provinciale, donc vindicative, dit Elisabeth froidement; je suis Caennaise depuis quatre générations.

— Tu me l'as déjà dit souvent, chérie... Ecoute, j'ai eu une journée difficile, nous bavarderons demain. »

Ils éteignirent les lampes de chevet au même moment. Elle fit semblant de respirer profondément pour qu'il la croie endormie.

« Pourquoi ne dors-tu pas, Elisabeth ? » demanda-t-il au bout d'un moment d'un ton de reproche.

Elle se glissa près de lui et posa sa tête sur l'épaule du docteur.

« Je pense à ton Américain. »

Irrité, il haussa les épaules. Elisabeth sentit le mouvement.

« Ne me parle pas de mes malades, dit-il; surtout pas de celui-ci.

— Il a peut-être vraiment besoin de toi », chuchota Elisabeth.

Elle écarta légèrement le pyjama de Roger et posa son visage sur la peau tiède de son amant.

« Il a besoin d'un psychiatre, marmonna-t-il.

— En es-tu si sûr ? » continua Elisabeth.

Et Laffont sentait sur sa peau le mouvement des lèvres de la jeune femme.

« Il a peut-être besoin de parler à quelqu'un.

— Je n'aime pas écouter, répondit Laffont. Ils disent la même chose, de la même façon, tous; aucune surprise possible avec eux; c'est le néant qui pullule, le néant de ces êtres qui se croient quelque chose ou quelqu'un.

— Et si l'Américain se suicidait ? »

La phrase l'atteignit; il devint lucide. Il garda les paupières closes, mais il ne put s'endormir avant l'aube.

CHAPITRE III

Comme un animal écorché par un coup de fouet, John Farrel se réveilla en sursaut. Sur le cadran phosphorescent de son réveil posé par terre, la petite aiguille dessinait un V renversé : il était cinq heures moins vingt. Allongé sur le drap chiffonné, son corps, endolori, gisait en sueur. Son âme, pareille à un vagabond indocile, parcourut encore un moment les lieux interdits, les réserves malfaisantes de son imagination, les endroits secrets où le rêve amène sa proie et où il la livre aux multiples tortures raffinées. Farrel partageait son existence avec ces horreurs quotidiennes et presque familières. Il sombrait, désespéré, dans ses rêves, comme un voyageur qui s'engage sans réserves d'eau, la gorge déjà sèche, sur les chemins vite recouverts par le sable d'un désert. Au début de cette période interminable de souffrances, il avait cherché à éviter le sommeil. Alors, à dix heures du soir, il buvait de forts cafés odorants, dont « le parfum, disaient les autres gardiens, aurait pu réveiller les morts ». Enfermé dans les deux pièces de son pavillon, il écoutait son cœur qui battait au rythme du galop d'un cheval fou. Il lisait; il écoutait la radio, mais, vers minuit, les voix des speakers devenues déjà presques amicales, disparaissaient, ne laissant derrière elles qu'un silence malveillant. Depuis deux ans, il avait abandonné ses disques de musique classique; les concertos de Bach, les symphonies tumultueuses de Prokofiev et de Stravinsky contribuaient trop à l'entraîner sur les plages désolées de son monde clos, et le mettaient trop vivement aux prises avec ses souvenirs.

En ce moment, il respirait profondément pour lutter contre son malaise. Il constatait que son oreiller était également trempé de sueur. Sans pouvoir s'en empêcher, il s'imaginait de nouveau chez le médecin prétentieux de Mosles, à qui il s'était livré pieds et poings liés. « Comme un imbécile, comme le dernier des imbéciles », marmonna-t-il. En se retournant, il se heurta au meuble qui encadrait le lit. Ce cosy chargé d'objets, de livres, de revues, lui donnait souvent l'impression qu'il se réveillait dans un cercueil ouvert. L'idée qu'il avait pu montrer son dos meurtri le mettait en rage.

Pour se calmer, il se leva; il alla dans la salle de bain et tourna le commutateur. Il aperçut le visage d'un étranger dans la glace de l'armoire à pharmacie. Il observait attentivement ce sosie de lui-même, les traits creusés de ce spectre, ses cheveux hirsutes, sa barbe naissante, presque blanche. Chaque matin, il se transformait; il lui suffisait de se raser et son visage lisse ramenait à la surface un homme sensiblement plus jeune... Il emplit son verre à dents, il but de l'eau au goût fade, puis il éteignit, revint dans sa

chambre, s'approcha de la fenêtre et écarta légèrement les doubles rideaux. Les croix blanches, pareilles
aux feux follets, jaillissaient de la terre noire. Il en
voyait plusieurs rangées. Ces croix étaient presque
lumineuses dans la nuit; un halo opaque les enveloppait à l'aube; le jour les rendait inoffensives; lors
des premiers rayons du soleil, elles ressemblaient à
de minuscules jouets alignés par un enfant géant; la
pluie les transformait en un alignement d'ivoires, et les
ombres chargées de lumières mortes qu'entraînait le
crépuscule les changeaient en ébène.

Le rideau retombé, il prit place devant son bureau
et alluma la lampe. Il leva la tête et contempla longuement une haute photo agrandie et soigneusement
encadrée. Elle était accrochée sur le mur nu. De nouveau, ce matin, il avait besoin de la revoir pour se
représenter le visage de Fred. Depuis un certain
temps, quand il s'agissait de ce visage, sa mémoire
le trahissait. Il se souvenait d'innombrables détails;
il était sûr, grâce à sa volonté tenace, d'avoir su
conserver, intégral, son passé. Il n'avait même pas
effacé ses propres fautes qui resurgissaient dès qu'il
se rappelait certaines étapes de sa vie. Il n'avait rien
déformé ni fait appel au truchement complaisant de
l'oubli. Il entendait respecter chaque parcelle de ce
monde disparu. Pourtant, le visage de Fred lui échappait souvent. Quand, les yeux fermés, il voulait le
retrouver, les traits de Fred se décomposaient en fragments élémentaires; c'était comme un masque en plâ-
tre qui se serait cassé en mille morceaux. Ce visage
devenait mobile, se déplaçait; il reculait; il avançait;

il virevoltait dans tous les sens, et, si John voulait le saisir, il se cachait derrière le lourd rideau poussiéreux des souvenirs défaillants.

Fred était si amicalement accessible sur la photo, si prêt à être accueilli, si péremptoirement présent ! Derrière ses lunettes à monture d'écaille, ses yeux trahissaient son esprit vif, jamais en repos; les pattes d'oie d'un rire continu soulignaient une expression malicieuse. Son front bombé, ses cheveux noirs, ses lèvres à peine figées — il n'avait pas cessé de parler entre les prises de vues — lui donnaient un air de franchise contagieuse. John l'avait accompagné chez le photographe. Fred avait plaisanté; il ne se tenait pas tranquille sur sa chaise posée dans un espace nu, au centre des projecteurs. Il plissait les yeux, et il avait appris, en une demi-heure, d'innombrables renseignements concernant le métier de photographe. Avant de partir, celui-ci leur tapait déjà sur l'épaule. Fred avait failli photographier le photographe avec ses propres appareils. Il était irrésistible.

John prit une feuille blanche; mais, dans l'instant même où il saisit son stylo, il abandonna l'idée d'écrire au docteur Laffont. Il eût aimé le supplier, le menacer presque, pour qu'il oublie sa visite chez lui. Il ne trouvait pas les phrases dont il avait besoin. Humilié, se mordant les lèvres, il tournait en rond. Sa chambre devint une cage; autour de cette cage, le public sifflait, applaudissait; impatient, il réclamait le spectacle. Jusqu'à ce jour, John avait pu cacher ses difficultés physiques et morales. Il avait décidé, dès le début, de résoudre seul ses problèmes. Il fallait donc qu'il puisse continuer à vivre dans les mêmes conditions, sans une défaillance apparente, ou bien il vaudrait mieux qu'il disparaisse. Le fait d'avoir sollicité l'aide de ce petit docteur médiocre, était un avertissement du danger qu'il courait; au bout de dix-huit ans, il était à la merci d'une dépression ou d'un moment de faiblesse; il se sentait aussi incapable de vivre que de s'exprimer. Entre les deux, une porte sournoisement entrouverte le conduisait vers une sorte de folie complaisante où l'irréel se mélangerait à l'existence terrestre de chaque jour. C'était la peur monstrueuse de cette démence d'apparence amicale qui l'avait poussé à aller chez le premier médecin dont il avait trouvé l'adresse dans l'annuaire du téléphone. Avant de le voir, il avait rêvé d'une confession pour ainsi dire métaphysique, qu'il aurait adressée à un interlocuteur paisible et secret.

S'il avait pu énumérer à un homme attentif toutes ses craintes et décrire la brûlante puissance de ses désirs brûlants ! Il aurait expliqué que ceux-ci, d'abord, avaient trouvé leur origine dans son corps et qu'il avait souffert du manque d'un autre corps, comme un animal en chaleur. Il aurait dit aussi que ces années d'abstinence totale avaient à la fin désarmé l'avidité de sa chair, mais qu'il restait l'âme, toujours aussi assoiffée d'une autre âme... Son imagination, bridée, mutilée, le surprenait de temps en temps par la perversion qu'elle parvenait à déployer sous d'innombrables et chatoyants aspects. Il menait en lui cette lutte sans merci, avec la ténacité de ce chevalier des croisades qui, selon la légende, était parti pour

la Terre Sainte en protégeant de sa main une flamme
qu'il avait fait vœu de maintenir vivante.

John sentait bien que tout cela, qu'il créait en lui-
même, l'épuisait. Pour demeurer lui aussi vivant, pour
se rattacher au monde vivant, il se jetait sur les journaux anglais et français; il voulait comprendre les
grands faits divers de l'histoire contemporaine, les
suicides des nations, leur sauvetage ou leur assassinat. Il aurait aimé toucher ces câbles à haute tension qui reliaient les points chauds de l'univers. Il
se révoltait avec les révoltés, il enviait les anarchistes,
il priait pour ceux qui ne pouvaient plus prier, et il
aurait aimé franchir les murs qui, de toutes parts,
s'élevaient entre les êtres humains comme entre les
peuples.

L'aube s'annonçait quand il se recoucha. Il ouvrit
un livre, mais la page se transforma aussitôt en un
minuscule écran sur lequel il apparaissait lui-même,
le torse nu, tandis que l'ombre miniature du docteur
s'approchait de son dos pour l'ausculter. « Non, cria
John, non, non ! » Il laissa tomber le livre par terre.
Il aurait alors fait la promesse de n'importe quel
sacrifice à la seule condition d'entendre une voix. Il
tourna le bouton de sa radio; l'appareil allumé resta
muet. La petite ligne noire se déplaçait pour chercher
une présence humaine, frôlait les noms des villes :
Francfort, Berlin, Vienne, Paris, Budapest, Prague;
personne nulle part; aucune trace de vie, même pas
un soupir; la lumière du poste s'éteignit sur ce silence
mort.

Depuis que le cimetière existait, John assurait son

service le dimanche. A cette époque, au début de mars, il y avait peu de visiteurs. De rares voitures particulières arrivaient, amenant des voyageurs solitaires. Ceux-ci jetaient un coup d'œil sur le monument, sur le site, et s'en allaient rapidement, ayant vu une des fiertés touristiques de la région. John faisait chaque matin le tour du cimetière. Il connaissait presque par cœur le nom de la plupart de ceux qui y étaient enterrés. Ce dimanche-là, vers midi, alors qu'il remontait le petit chemin qui reliait la plage au cimetière, il aperçut vers l'entrée un homme dont la silhouette trapue ne lui parut pas inconnue. Il se dirigea à la rencontre du visiteur et, désagréablement surpris, reconnut le médecin chez qui il s'était rendu la veille. Le cœur battant très fort, il s'arrêta, désorienté. Le docteur vint près de lui et lui tendit la main.

« Je ne croyais pas pouvoir vous trouver si facilement, dit-il.

— Personne ne vous a appelé, prononça John, hostile; j'ai eu tort de vous parler hier, je vous l'ai dit; vous n'avez aucun droit de me poursuivre ici. »

Le docteur glissa ses mains dans les poches de son manteau.

« Je ne poursuis pas mes malades.

— Je ne suis pas votre malade, dit l'Américain. D'ailleurs, je ne suis pas malade du tout; vous n'avez pas le droit de venir me relancer ici.

— Allons, le cimetière est ouvert le dimanche, non ? » s'exclama le docteur.

Il essayait d'accrocher le regard de Farrel. Il s'expliqua brusquement :

« Je ne voulais pas que vous preniez les médecins français pour des brutes.

— Je ne généralise jamais », répondit John.

Dans son regard, Laffont lut plus de dégoût que d'hostilité.

« Mettez-vous à ma place, dit-il. Si vous étiez médecin...

— Ce n'est pas le cas.

— Si vous étiez médecin et que vous ayez reçu la visite d'un homme qui prétend mourir chaque nuit auprès du mur de Berlin, qu'auriez-vous répondu ?

— Pas chaque nuit, dit l'Américain avec mépris; je n'ai parlé que d'une seule nuit.

— D'accord, acquiesça le docteur; j'accepte le fait qu'il ne s'agissait que d'une seule nuit. Qu'auriez-vous répondu ?

— Avant de lui répondre, je l'aurais écouté, dit Farrel. Personne n'écoute plus personne. Vous n'avez pas le droit d'être pressé à Mosles; même cordonnier, vous devriez écouter une cliente qui aurait envie de vous raconter comment elle a cassé son talon.

— Si nous continuions cette conversation chez vous ? » proposa Laffont.

John repoussa l'offre avec violence :

« Je n'ai plus rien à dire. »

Le médecin esquissa un faible sourire.

« Vous refusez donc de m'écouter; vous tombez dans le même défaut que vous venez de me reprocher. Qui vous presse ? La résurrection de vos morts serait-elle si proche ?

— Vous feriez mieux de vous taire », dit John.

Et il s'éloigna.

Le médecin le suivit en lui parlant.

« Si vous avez peur de moi, monsieur Farrel, c'est que votre conscience n'est pas tranquille; vous bercez peut-être un projet qui vous séduit et qui vous hante, ou vous êtes seulement rancunier comme une vieille fille, obtus comme un analphabète qui refuse d'apprendre à lire pour rester isolé du monde. »

Il courait presque pour rester auprès de l'Américain. Celui-ci était sensiblement plus grand que lui; sa démarche souple avait la rapidité adroite d'un fauve. Ils s'arrêtèrent devant la porte d'un pavillon presque entièrement cachée derrière des arbustes et des buissons.

« Ayez au moins le sens de l'humour, dit le docteur, conciliant. Je vous cours après pour que vous m'écoutiez et vous me refusez cette grâce, vous qui venez de dire que personne n'écoute plus personne. »

John poussa la porte.

« Entrez, dit-il d'un ton sec.

— Il fait chaud chez vous, dit le docteur dans le petit vestibule; vous permettez que j'enlève mon manteau ? »

Farrel haussa les épaules.

« Merci, dit le docteur, et il accrocha sa vieille gabardine sur un portemanteau en fer forgé. C'est par là ? demanda-t-il en désignant une porte.

— Non, c'est la cuisine », répondit John. A son tour, il désigna une autre porte. « Par ici; entrez. »

Un étrange capharnaüm s'offrit aux yeux de Laffont. Les murs étaient presque entièrement couverts de bibliothèques en acajou; de petites niches chargées d'objets allégeaient la ligne des étagères; deux sculptures en bronze défendaient un rayon. Ailleurs, un minuscule drapeau animait le sombre bois. Il aperçut aussi un autre drapeau miniature dont il ne pouvait pas définir l'origine. Un vieux tapis d'Orient, usé jusqu'à la trame, couvrait le plancher. Un bureau Directoire s'appuyait contre le seul mur qui n'était orné que d'une photographie. Des tissus richement brodés, visiblement anciens, aux couleurs rouge, jaune et or, couvraient les dossiers des larges fauteuils. Ces broderies presque orientales, posées pêle-mêle sur les sièges, se détachaient en relief. Elles représentaient une source jaillissante de couleurs diverses. De lourds rideaux en velours vert, retenus des deux côtés des fenêtres par des cordons dorés, donnaient un air de gravité aux objets.

« Rien ne vous échappe; vous avez tout vu ? demanda John. Auriez-vous besoin d'un guide pour expliquer les détails ?

— Excusez-moi, dit le docteur, mais vous vous souvenez parfaitement que, vous aussi, vous avez examiné mon cabinet médical; et moi, je ne vous demande pas de tirer vos rideaux. Je serai franc avec vous, j'attendais un autre cadre.

— Vous devez aller de surprise en surprise, docteur. Vous ne laissez que peu de chances aux gens que vous rencontrez. Vous les voyez tels que vous désirez qu'ils soient; évidemment, ils vous déçoivent.

— Vous parlez parfaitement le français, dit le docteur, et il s'assit confortablement dans un fauteuil. C'est vrai que je n'ai pas envie de donner une chance

particulière aux gens. Dès que je me consacre à eux,
à l'instant même affranchis et encouragés, ils deviennent désagréables.

— Voulez-vous que je vous prépare un café ?
demanda John. Ne serait-ce que pour vous prouver
mon impertinence...

— Volontiers », dit le médecin en se hâtant d'accepter l'offre.

L'Américain sortit et laissa entrebâillée la porte
vers le vestibule. Avec une extrême rapidité, Laffont
se leva et entra dans la pièce voisine du salon. Il
aperçut le lit; ses doigts larges, au bout carré et sensible, tâtèrent les angles du meuble qui encadrait le
canapé étroit. Il eût aimé trouver l'angle qui aurait
pu blesser Farrel. Soudain, il se retourna; Farrel se
trouvait derrière lui avec un plateau dans les mains.
Saisi par le même malaise qu'il avait éprouvé lors de
leur première entrevue, Laffont recula.

« Vous êtes venu pour m'espionner, dit John. Il
était blanc de colère. Vous tâtez et reniflez mes
affaires comme un chien. Que cherchez-vous ? De quel
droit osez-vous pénétrer dans ma vie ? »

Laffont le contourna et, en reculant, revint dans
le petit salon. Il se glissa dans un fauteuil.

« Voilà, dit-il; ne vous énervez pas; soyez calme. Je
ne suis pas un voleur et il est rare que je sois curieux.
Je préfère tout vous avouer : j'ai eu peur de vous hier.
Vous me donnez un peu de café ? Vous me réconfor-
terez et je parlerai plus librement. »

John le servit.

« Continuez.

« — Voilà, dit le docteur. A cinquante ans, je recommence ma vie pour la troisième fois. A Mosles... Donc, visiblement, je n'avais pas le choix. Mosles est ma dernière chance. Il paraît que je manie mal mon entourage et que je suis impatient avec ceux qui ne m'intéressent pas. J'ai eu peur de vous; j'imaginais, après notre entrevue plutôt insolite, qu'au cours d'un instant de déséquilibre, vous vous suicideriez et que vous laisseriez derrière vous quelques mots qui m'auraient mis en cause. C'est tout. Si je me mettais à dos les gens de cette région, après, il ne me resterait que l'Amérique du Sud, et je déteste la chaleur. »

L'Américain le regardait, soudain détendu, presque amusé.

« Me suicider ! Vous avez pu imaginer que je sois capable de me suicider ?

— Mais oui, dit Laffont, désarmé. Mais oui. Hier, vous étiez différent; vous donniez l'impression d'un homme au bout du rouleau, à l'extrême limite de la résistance nerveuse.

— Croyez-vous qu'on puisse être plus calme que je le suis ? » dit John.

Son sourire fit frémir le docteur. Laffont était conscient de se heurter à son tour à un mur de marbre, lisse, infranchissable. Comment, par quel moyen, trouver un accès vers cet homme à l'uniforme américain ?

« Il me semble que vous exagérez, docteur, dit Farrel. Si vous êtes si facile à impressionner, votre vie de médecin doit être un calvaire.

— Ce n'est pas cela, dit Laffont. Mais certains événements m'ont marqué. Parmi ceux-ci, il en est un qui m'a touché particulièrement. J'ai dû recevoir, un jour que j'étais harassé de travail, complètement épuisé de fatigue, une femme, une femme si insignifiante que je ne me souviens même pas de son visage; elle est arrivée, comme vous, vers sept heures du soir.

— Ça s'est passé quand ? demanda Farrel par politesse.

— Il y a quinze ou seize ans, répondit le docteur.

— Et vous ne vous souvenez plus de son visage ? dit l'Américain pensif.

— Je ne m'en suis même pas souvenu le lendemain, répondit le docteur. Elle était de ces petites femmes dont les traits sont effacés, comme gommés par une vie de misère et de soucis. Donc, cette femme, à peine visible, s'est assise en face de moi; elle s'est mise à raconter, d'une petite voix monotone, une histoire banale. Quand j'ai compris qu'elle était enceinte, j'ai eu peur qu'elle ne veuille obtenir de moi un avortement. Je m'imaginais déjà la mettant dehors. Elle voulait simplement que je parle avec son amant, qu'elle aurait amené le lendemain. Elle voulait que je persuade quelqu'un qui m'était complètement inconnu de l'épouser. Je lui ai dit qu'elle s'était trompée d'adresse, qu'un cabinet médical n'est pas un confessionnal, que je n'étais pas un curé et que, si elle avait un besoin impérieux de parler, elle n'avait qu'à s'agenouiller et raconter l'histoire de sa vie à un être indifférent, caché par une grille en bois. A cette époque, j'étais farouchement anticlérical; je me suis calmé depuis. Donc, je fus fort peu aimable. J'ai appris trois jours plus tard qu'elle s'était suicidée. Par chance, elle n'habitait

pas dans la cité où j'avais mon cabinet. Sa meilleure
amie est venue pour m'accuser de l'avoir abandonnée
moralement.

— Vous pouvez donc avoir des remords ? demanda
l'Américain, intéressé.

— La question n'est pas là, dit Laffont. Du moins,
je voulais éviter de commettre pour la seconde fois,
la même erreur; j'ai horreur de me répéter.

— Soyez tranquille; ma religion m'interdit le suicide,
dit John.

— Vous êtes ?

— Catholique.

— Pratiquant ?

— Croyant. Dieu m'a donné la vie; il est le seul
qui puisse me l'enlever. Il est vrai que cela peut être
par personne interposée; pourquoi pas par vous, docteur ?

— Ce ne serait pas un suicide, mais un meurtre.

— Si je vous demandais de me tuer ? Il suffirait
d'une piqûre.

— Vous êtes quand même complètement fou, dit
Laffont.

— Non, répondit l'Américain, je suis totalement
sincère. Donc, docteur, pourriez-vous réfléchir ?...

— Pourquoi voudriez-vous que quelqu'un vous
fasse mourir ? »

L'Américain l'observait :

« Je ne crois pas que vous seriez capable de me
comprendre.

— Je ferai un effort, dit le docteur. Il réussit à ne
pas être ironique.

— Je traîne une vie inutile, prononça John lentement. Personne n'est plus inutile que moi.

— Vous gardez vos morts... Vous devez avoir vos raisons pour vous consacrer à eux... Il paraît que la plupart des gardiens sont mariés... Pourquoi vivez-vous seul ? Avec une femme et des enfants, vous auriez pu transformer ces lieux en un parc paisible.

— C'est un parc paisible, l'interrompit John.

— Pourquoi êtes-vous là depuis si longtemps ? Et pourquoi êtes-vous si seul ? »

Le docteur jugeait le terrain dangereux et il avançait lentement; un mot maladroit aurait rompu ce fragile et fugitif équilibre.

« Je suis tenu, d'une part, par une obligation morale, dit Farrel hésitant; son regard se durcit... Tout cela ne vous concerne pas... Laissez-moi en paix. »

Il fallait que Laffont s'accroche au premier mot venu.

« C'est la paix qui vous détraque. »

Avant que l'Américain puisse répondre, il désigna d'un geste un daguerréotype, dans un cadre ancien posé sur le bureau.

« Qui est cette dame ? » demanda-t-il.

Farrel s'approcha du bureau, prit la plaque aux reflets fuyants et la tendit au médecin. Celui-ci fut étonné par le poids du médaillon. Il se pencha sur le visage de l'inconnue dont les cheveux somptueux, tressés en nattes et tournés plusieurs fois autour de la tête, formaient une couronne naturelle. Elle portait une longue jupe richement brodée; le corsage moulait étroitement sa frêle poitrine; une veste en velours bordée d'hermine et chargée de lourde passementerie dorée, lui donnait un air solennel. La tête haute, perdue dans ses pensées, son regard distrait survolait le photographe invisible.

« Ma grand-mère, dit John. Sur ce daguerréotype, elle porte un costume hongrois du XVIIIe siècle. Cette robe avait été conservée par la famille, dans une vitrine, et on ne la sortait qu'une fois par génération. Les jeunes filles avaient le droit de la mettre pour leur premier bal. Symbole d'un passé lourd de traditions et de gloire, elle les ramenait à une autre époque. Elles étaient toutes d'une beauté immatérielle dans ce satin brodé de fils d'or, de perles fines et de pierres précieuses. La première danse leur appartenait ainsi presque exclusivement. La foule des autres couples s'ouvrait toujours devant le danseur qui conduisait en tournant, au rythme de l'orchestre, la jeune femme dont la parure, sur son corps élégant, reflétait le passé de toutes celles qui l'avaient précédée. Les invités se rangeaient le long des banquettes et les dames, brûlées de jalousie, chuchotaient derrière des éventails de dentelle. Et mes aïeules virevoltaient, étincelantes et distantes, au bras des cavaliers saisis de bonheur et d'honneur. Comme l'aimant, la robe attirait la lumière des lustres et le feu des regards...

— Jolie légende, dit le docteur. Il fit un effort pour ne pas comparer ces dames à la Cendrillon bien connue qui se retrouvait dans une citrouille après le bal.

— Légende ? » répéta l'Américain. Et il reprit la photographie, la posa sur son bureau. Derrière cette légende, la vérité existe.

« Donc, dit le docteur, vous êtes un peu hongrois.

— Ma mère était hongroise, mon père était américain; je suis né à New York. Ayant rompu avec sa famille, ma mère avait espéré que ma naissance en Amérique constituerait une cassure dans l'histoire familiale. Mais la distance ne trouble pas la continuité sanguine; nos ancêtres qui vivent en nous se déplacent avec nous. Leur nature peut ressurgir avec les défauts accentués et les mérites effacés, ou bien le contraire. Une passion, une obsession, la forme d'un nez, la subtilité d'un regard, un amour infini, des pensées secrètes peut-être jamais prononcées, tout cela se transmet mystérieusement. Grâce à la possibilité d'engendrer ou d'être fécondé, on peut maintenir le rythme d'une véritable éternité terrestre.

— Vous êtes un croyant assez particulier, reprit le docteur. Vous êtes, aussi, un ambitieux; vous considérez l'humanité comme une communauté des dieux minuscules qui décideraient, entre eux, de se recréer et de s'assurer leur éternité !

— Je parle de l'hérédité, dit John. Je crois à la puissance organique et spirituelle de l'hérédité. Vous, docteur, qu'avez-vous hérité de vos parents ?

— Chez moi, vous tombez mal, Farrel, dit-il, laissant enfin son ironie s'exprimer en liberté. Mon père, menuisier, était enfant naturel; je porte le nom d'une grand-mère célibataire dont je n'ai pas vu la moindre photo. Mon père était un homme doux qui trouvait son refuge dans son indifférence. Moi, son fils, je suis violent; je suis de parti-pris; je suis injuste par nature. Ma mère était une croyante, pour qui la religion était l'univers; moi, je suis athée. Cherchez donc l'hérédité des deux côtés, avec la transmission des pensées...

— Pourquoi êtes-vous devenu médecin ? dit John.

— Parce que, figurez-vous, malgré l'apparence, il fut une époque où j'étais idéaliste. Oui, oui, ne vous étonnez pas, j'étais idéaliste; il m'a fallu quelques dizaines d'années pour être guéri de cette maladie. Je n'ai jamais été aussi ridicule que lorsque j'étais « un homme bon »... Une question, Farrel : pourquoi voudriez-vous mourir ? Votre mort donnerait un drôle de coup à votre système de continuité !

— Parce qu'à un moment donné il faut en terminer, répondit Farrel. On peut arriver à un point culminant de soi-même, se trouver dans un cercle vicieux dont personne ne peut vous sortir. Il faut cesser d'exister pour ne pas risquer de corrompre les autres autour de soi, qui ont encore leur marge de création et de souffrances... Docteur, vous êtes vraiment l'homme dont j'ai besoin; vous ne croyez plus à l'âme et vous n'aimez pas les corps; vous trouvez vos malades antipathiques et l'humanité hostile. Qu'est-ce que ça peut vous faire, un être de plus ou de moins ? Avec mon consentement préalable, vous pourriez me supprimer. A une condition : il ne faut pas que je sois prévenu.

— Votre raisonnement ne me touche pas, dit Laffont. Cela ne vaut pas la peine de vous fatiguer; parlons d'autre chose. Je vous conseille très fort un voyage, un changement de cadre, un autre rythme de vie. Abandonnez votre cimetière, vous en avez assez de lui, et il en a peut-être assez de vous. » Il jeta un coup

d'œil sur sa montre. « Il est déjà dix heures et demie;
je dois rentrer maintenant à la maison; j'attends des
nouvelles d'une de mes malades qui devrait accoucher
un de ces jours. Il y a beaucoup d'amateurs pour la
continuité, Farrel. Seulement, et c'est heureux, ceux-
là parlent beaucoup moins de principes; ils perpé-
tuent, et vous, vous parlez. Revenez me voir, nous pourrions être de si agréables ennemis. Ennemis, je vous
dis le mot en plaisantant; je vous trouve antipathique,
vous me trouvez détestable, ça crée un lien entre
nous. Et nous avons chacun le courage d'être franc;
c'est presque amusant. Si vous voulez que je vous pres-
crive un calmant ? »

John fit non de la tête; Laffont lui tendit la main.
« Voilà, merci pour le café. Et votre dos, comment
va-t-il ?

— Parfaitement, répondit l'Américain; il ne pourrait pas aller mieux; il va aussi bien que moi-même. »

CHAPITRE IV

LAFFONT, arrivé chez lui, entra directement dans son cabinet, décrocha le téléphone et composa le numéro d'Elisabeth. Tandis qu'il écoutait la sonnerie lointaine retentir à Caen, dans l'ancien hôtel particulier, il aperçut, sur le canapé couvert d'une housse en plastique, les deux feuilles de papier froissées qu'il avait posées là pour l'Américain. Il lui semblait étrange de ne connaître ce Farrel que depuis la veille. Leurs conversations avaient élargi ces vingt-quatre heures dans des proportions étonnantes. Enfin, Elisabeth répondit; sa voix semblait lointaine.

« Bonjour, ma petite, commença Laffont. Tout va bien, ne sois pas inquiète. J'ai vu l'Américain; j'étais assez énervé depuis hier soir; l'histoire d'un suicide éventuel m'a réveillé assez tôt ce matin; je t'assure qu'il ne va pas se suicider.

— Je sors de mon bain, Roger, dit-elle. Je n'ai même pas eu le temps de m'essuyer; je suis nue et ruisselante, avec juste une petite serviette sur le dos; tu ne pourrais pas me raconter tout cela plus tard, au déjeuner ?

— Mais oui », dit Laffont, soudain découragé. Il ne comprenait pas pourquoi Elisabeth se désintéressait de l'Américain ce matin. « Evidemment, je peux tout te raconter au déjeuner, mais j'ai pensé que tu serais contente de savoir...

— On déjeune où ? coupa Elisabeth.

— A l'auberge des Trois-Pommiers, veux-tu ? Il est onze heures et quart; mettons, à treize heures. Ensuite, nous ferons une promenade au bord de la mer; il y a un peu de soleil.

— D'accord, dit-elle. Dans une heure et demie, à l'auberge. A tout à l'heure. »

Il raccrocha.

Plus tard, bien emmitouflée dans son peignoir de bain, Elisabeth découvrit avec joie dans une glace, près d'une fenêtre, à la lumière éclatante du jour, son visage reposé, ses yeux verts, son cou à peine touché par le temps. D'un geste plein de vivacité, elle rejeta en arrière ses cheveux blonds; elle se mit à sourire et aperçut ses jolies dents. Depuis qu'elle connaissait Laffont, elle n'avait jamais été aussi heureuse qu'aujourd'hui. Elle considérait comme une victoire que celui-ci ait écouté ses arguments, qu'il ait été sensible au mot suicide, qu'il ait quitté, tôt le matin, leur lit pour se rendre à Saint-Laurent. « Je suis souvent injuste envers lui, dit-elle à mi-voix, il peut s'améliorer. » Elle s'habilla rapidement. Pensant à la promenade, elle mit un petit tailleur sport, avec un chemisier en soie naturelle, et choisit de fines bottes en daim. Elle hésita devant ses deux manteaux; elle enfila enfin son imperméable doublé de rat d'Amérique. Tous ceux qu'elle

connaissait avaient pris la doublure pour du vrai vison;
l'imitation était excellente; et, cachée à l'intérieur d'un
manteau, la fourrure exerçait régulièrement son effet.
Elle se contempla dans le miroir de l'entrée. Elle partait, ravie, à son rendez-vous. Elle descendit les marches
de marbre; l'idée d'être propriétaire de cette belle
demeure lui donnait un fort sentiment de satisfaction.
Elle aimait les murs lisses de la cage d'escalier, la
rampe en fer forgé, même le bruit de ses propres
pas et le petit écho aigu qui les accompagnait. Elle
s'arrêta sous la porte cochère et s'avança un instant
vers le jardin intérieur. Les rayons de soleil glissaient
le long des toits vers les arbres la plupart du temps
condamnés à l'ombre. A l'angle du mur, au fond du
jardin, il y avait une petite porte cachée. Quand Elisabeth la franchissait, elle se trouvait dans une étroite
cour muette, surplombée d'une maisonnette normande
de quatre pièces. C'est ici qu'Elisabeth gardait les
meubles qui n'avaient pas leur place dans sa boutique
d'antiquités. Tout ceci lui appartenait, ainsi que la
maison qu'habitait le docteur à Mosles.

Ils s'étaient rencontrés pour la première fois dans
une agence immobilière, lors de la signature du bail.
Elisabeth avait été plutôt impressionnée par le médecin
parisien; elle avait été frappée par son allure carrée,
énergique; elle aimait son dynamisme. Au début, ils
se retrouvaient pour discuter de réparations. Les occa-
sions que la toiture et la chaudière leur avaient
offertes, s'étaient vite épuisées. Ils s'étaient mis à parler
d'eux-mêmes, d'une vie commune éventuelle et de
leur sympathie réciproque. Plus tard, Elisabeth, à

l'occasion de ces rencontres aimables et raisonnables, utilisa le mot amour. Elle trouvait impensable d'avoir une liaison sans qu'on lui dise souvent qu'on l'aimait. Dans leurs relations, toute passion inutile était exclue. Il y avait des corps et des biens; il fallait les accorder. Depuis quelques mois, ils dînaient chaque samedi ensemble, passaient la nuit chez Elisabeth et déjeunaient, le lendemain, quelque part à la campagne. Accompagné de sa carte, le docteur envoyait le chèque pour le loyer, chaque mois, par la poste.

La voiture de sport d'Elisabeth absorbait la distance; elle aimait la vitesse; elle conduisait avec assurance. Elle arriva à l'heure dite.

L'auberge, située à quelques kilomètres du cimetière américain, fêtait, ce dimanche-là, l'anniversaire de la patronne. Les tables, décorées de fleurs, présentaient sur de petites assiettes des tranches de saucisson sec, des olives et de minuscules gâteaux salés. La patronne offrait l'apéritif aux habitués. Laffont avait téléphoné pour réserver une table près de la cheminée. Assis, un verre à la main, il regardait les grandes bûches que dévoraient furieusement les flammes. Il vit apparaître Elisabeth; il la trouva élégante et attirante.

« Bonjour, Roger, lui dit-elle.

— Bonjour, ma jolie, répondit-il; tu n'enlèves pas ton manteau?

— Pas pour le moment, je n'ai pas tellement chaud. »

Ils s'assirent; la chaleur de la cheminée arrivait en vagues vers eux.

« Raconte, dit Elisabeth; parle-moi de lui... »

La patronne s'arrêta devant eux, en leur souhaitant

la bienvenue. Elle fit signe à un garçon dont le plateau était chargé de différentes bouteilles. Elisabeth accepta un verre.

« Reprenez donc un autre porto, docteur, dit la patronne. Je viendrai vous voir un de ces jours, j'ai mal dans le dos; je ne crois pas que ce soit grave.

— La douleur est toujours grave, madame, dit Laffont, mais je vous guérirai. »

Quand elle s'éloigna, Elisabeth chuchota dans l'oreille de Roger que la visite de la propriétaire du restaurant serait très importante. Elle pourrait parler du nouveau docteur à tout le monde et lui amener ainsi les réticents des environs. La patronne les regardait de loin. Elle avait largement dépassé la cinquantaine, faisait la cuisine comme jadis l'amour, avec une application passionnée. « Ils vont se marier, pensa-t-elle; elle a de la chance, la petite; elle n'est plus toute jeune; il faut dire qu'elle n'est pas mal; et encore, c'est lui qui semble être amoureux, et pas elle. » Elle revint vers eux :

« Je vous offrirai un petit vin blanc avant le lièvre; un bon petit vin blanc bien sec; il vous réchauffera.

— Nous boirons à votre santé », dit Elisabeth, aimable.

Le garçon déposa sur leur table une carafe de vin blanc et deux verres.

« Buvez, mes petits, reprit la patronne; vous m'en donnerez des nouvelles. »

Laffont versa le vin. Ils burent en échangeant un regard.

« Donc, dit Elisabeth, tu l'as vu ce matin; il était aussi... » Elle s'arrêta : elle eut aimé dire : séduisant.

« Aussi quoi ?

— Aussi intéressant qu'hier ?

— Beaucoup plus, ma petite Elisabeth, beaucoup plus. C'est un original. Il vit dans un des pavillons à l'entrée du cimetière. Ce qu'il a, c'est qu'il est malade de solitude; il est intoxiqué, littéralement, par lui-même. »

La porte s'ouvrit; plusieurs personnes entrèrent. Soudain, Laffont saisit la main d'Elisabeth.

« Ça, par exemple !... Regarde; c'est lui. Je t'assure que je n'ai pas organisé de rendez-vous.

— Où ? » demanda Elisabeth, et son regard vert s'arrêta sur l'homme encadré d'un halo qui s'attardait un instant dans l'embrasure de la porte. Réticent, il hésitait à avancer. Elisabeth avala sa salive.

« Amène-le ici, dit-elle à Laffont.

— Il ne viendra pas...

— S'il te plaît, Roger, amène-le; il semble tellement perdu; il va s'en aller ou ira s'asseoir ailleurs, tu vas voir. Va, répéta-t-elle d'un ton pressant, va. S'il s'assoit, c'est fini, ce sera trop tard; va. »

Laffont obéit à contrecœur. Il se leva, passa difficilement entre les tables rapprochées, et mit sa main sur l'épaule de l'Américain.

« Je vous salue, monsieur Farrel.

— Qu'est-ce que vous faites là, docteur ? dit celui-ci.

— Je vais déjeuner, comme tout le monde. Je suis ici avec la propriétaire de la maison dans laquelle j'habite à Mosles. Venez déjeuner avec nous. »

La patronne arrivait. Elle embrassa l'Américain.

« Mon cher monsieur Farrel, c'est gentil d'être venu.
Je ne vous ai pas vu depuis longtemps.

— Merci de cette invitation pour votre anniversaire,
dit Farrel.

— Vous connaissez monsieur Farrel ? demanda le
docteur.

— Si je le connais ! Il venait déjeuner souvent, il
y a quelques années. On était de bons amis. »

L'Américain se mit à sourire.

« Je venais souvent le dimanche.

— Madame, dit le docteur à la patronne, êtes-vous
d'accord pour que M. Farrel partage notre table ?
S'il est votre invité, vous auriez peut-être voulu qu'il
déjeune avec vous ?

— Prenez-le avec vous, dit la femme; je viendrai le
voir; allez, on va servir le déjeuner. »

Entraîné par le docteur, Farrel vint à la table où
Elisabeth attendait, apparemment patiente. Elle le
regardait s'approcher; ce déjeuner offrait soudain un
intérêt tout particulier. Elle observait Farrel; elle
enregistrait au fur et à mesure les détails de sa person-
nalité. Elle savait pertinemment que ce visage resterait jusqu'à la fin de ses jours gravé dans sa mémoire.
Elle lui tendit la main. Elle ressentit, dans tout son
corps tendu, le contact de l'autre main; une chaleur
agréable l'envahit. Elle ne se souvenait d'aucun
événement dans sa vie qui aurait eu l'importance de ce
repas. Elle prononçait de petites phrases prudentes,
humectait machinalement ses lèvres du fameux vin
blanc; elle comprenait la passion désespérée des fumeurs

qui s'accrochent à leur cigarette allumée pour cacher ou atténuer leur nervosité. Ce visage, en face d'elle, évoquait pour elle son adolescence tourmentée, pendant laquelle elle avait cherché fiévreusement l'image de l'homme qu'elle pourrait aimer un jour. Son romantisme inné, enseveli sous un épaisse couche de raisonnement lucide, se réveillait. Elle oubliait qu'elle était la propriétaire de plusieurs immeubles, l'antiquaire à la mode. Une transformation s'opérait en elle tandis qu'elle se laissait porter par ces instants précieux. Où était la jeune femme d'affaires, dure dans ses décisions, et méfiante s'il le fallait ? Attentive, elle s'appuyait sur la table; elle pressentait un avenir douloureux; elle était consciente que, depuis quelques minutes, sa vie avait changé d'aspect.

Le monde sembla se refermer autour de leur table; le bruit de la salle arrivait, filtré par un épais mur cotonneux. Le relief des objets s'était accentué. Laffont parlait du prix des terrains en Normandie et de ses difficultés du début.

« Grâce à l'aide de Mlle Lemercier, dit-il en se tournant vers Elisabeth, j'ai pu m'adapter assez vite. La maison de Mosles, où j'habite, lui appartient. »

Le regard d'Elisabeth s'attardait sur les mains de John. Dans sa jeunesse, quand elle pouvait passer quelques jours à Paris, elle allait au Louvre, s'asseyait sur les banquettes, et, avec une secrète délectation, elle se perdait dans l'univers des tableaux qu'elle admirait. Les mains de John représentaient aujourd'hui pour elle le plus attirant des spectacles : elles étaient grandes, assez larges, avec de longs doigts fins, aux articula-

tions à peine esquissées. Sur le poignet gauche de
l'Américain, elle découvrit un bracelet-montre. Suf-
foquée par la peur, elle vit soudain la fin du déjeuner, entendit presque leurs adieux, le ronronnement
de la voiture du docteur, le rythme de leur retour obligatoire à Caen et la soirée qui se terminerait forcément,
comme d'habitude, au lit.

Elle jouait à un jeu d'échecs dans son assiette; elle
poussait à droite et à gauche des morceaux qu'elle
regroupait, qu'elle ramenait; elle ne pouvait rien absor-
ber. Elle suivait du regard la fourchette de John; elle
s'arrêta, au bout du court voyage, aux lèvres de
l'Américain. Il mangeait avec un rare détachement;
ni contentement physique, ni bouffée de chaleur due
à la boisson n'attaquaient son aspect calme et élégant. Derrière son visage, qui portait le masque de la
cinquantaine, étincelait, comme éclairé d'une réverbé-
ration aveuglante, son portrait en jeune homme. Elle
découvrait ainsi les yeux bleus d'où toute froideur était
absente, le front haut, le nez fin et droit, les lèvres
généreusement dessinées par la nature, tendres et sen-
suelles. Il avait un beau et large sourire. Il devait
aimer, pensait Elisabeth, l'humour et l'amour. Dans
l'effervescence du bon repas, Laffont parlait avec esprit
de ses années de captivité. Il évoquait un certain
nombre d'épisodes tragi-comiques; dans ses descriptions, le grotesque frôlait toujours le drame.

« Vous vous rendez compte, racontait-il, au théâtre
que j'avais monté au camp, la distribution n'était pas
facile... Un jour, il fallut une Phèdre. Je vous assure
qu'à l'époque j'étais maigre comme un clou. Eh bien !

je me suis attribué le rôle. Vous connaissez Racine,
monsieur Farrel ?

— Oui.

— Très bien... Donc, j'étais Phèdre; j'avais une
épaule dénudée et, sur l'autre, une couverture jetée
négligemment. Je disais avec une belle force drama-
tique :

> *Puisque Vénus le veut, de ce sang déplorable,*
> *Je péris la dernière, et la plus misérable.*

« Œnone était un gentil gars un peu maigrelet; on le
croyait pédéraste à cause de sa voix tendre; il n'en
était rien; il aimait aussi bien les femmes que moi.
Quand il m'a posé la question : « Aimez-vous ? », et
que j'ai répondu : « De l'amour j'ai toutes les fureurs »,
et quand il m'interrogea : « Mais pour qui ? », la salle
se déchaîna tellement que j'ai eu de la peine à continuer à me faire entendre. Et Dieu sait que j'étais
plein de conviction quand j'ai dit :

> *Tu vas ouïr le comble des horreurs, j'aime...*
> *A ce nom fatal, je tremble, je frissonne.*
> *J'aime... »*

Auréolé de ses souvenirs, légèrement gris, Laffont
accaparait la conversation. Il trouvait fort agréable
le mutisme des deux autres. L'Américain semblait
détendu et attentif. « Me parlera-t-il un jour ? s'interrogeait Laffont. Saurai-je la vérité sur lui ? » Dans
ses histoires, il insistait sur les relations qu'avaient,
entre eux, les hommes de guerre, les soldats, ces frères
de combat. Il était inspiré aussi par l'uniforme de

Farrel. Rétrospectivement, ses années de souffrances derrière les barbelés gagnaient encore en ampleur. Au fond, il était plus fier de ses exploits sur les planches du petit théâtre improvisé que de toute son activité professionnelle. Il était alors l'esprit organisateur de la communauté; mais de lui, il n'aurait pas pu parler, pas ici.....

En observant Farrel dont le visage apparaissait lisse, dans la lumière jaune de ce printemps fugitif, Laffont réfléchissait. Il eût aimé résoudre l'énigme de son dos meurtri. Pendant sa nuit d'insomnie, le nom de Thérèse Neumann avait traversé son esprit. Il détestait, mais acceptait l'idée du surnaturel. Il acceptait les éventuels phénomènes mystiques en les appuyant sur les bases solides de son matérialisme logique. Le mot « stigmates » trouva, une seconde, écho dans son raisonnement. Il voulut expulser le mot du cheminement de ses pensées. Pourquoi cet homme net et souriant aurait-il été la proie d'un mystère en même temps aussi morbide et complexe ? Quel événement dans sa vie aurait eu cette puissance de le faire souffrir ainsi ? Il jeta un coup d'œil sur Elisabeth; il était persuadé qu'elle s'ennuyait. « Je vais la consoler ce soir, se dit-il, je vais la consoler pour ce déjeuner raté qu'elle eût certainement préféré avoir en tête à tête; je vais l'aimer comme je ne l'ai jamais aimée. »

Gênée, Elisabeth menait une bataille contre elle-même. De toute sa force, elle aurait voulu retrouver son équilibre et s'intéresser au théâtre amateur. Périodiquement, elle se lançait dans la conversation mais, au bout de quelques mots timides, elle s'éteignait et se réfugiait dans son silence. Tremblante, elle découvrit sur son assiette un énorme morceau de tarte aux mirabelles. Donc, le déjeuner s'achevait. Sa chaleur intérieure n'était plus que de la fièvre. Pleine d'une tristesse inavouée, elle nageait contre le courant qui les amenait forcément vers la séparation. Honteuse, elle s'avoua que la présence de Laffont l'énervait à pleurer; elle désirait désespérément qu'un événement la mette en contact seule à seul avec Farrel. Pendant son adolescence, combien de fois elle avait éprouvé un plaisir presque physique quand, se penchant d'un bateau pneumatique, elle avait avancé délicatement son visage juste au-dessus de la surface de la mer. Elle apercevait des plantes vertes ondoyantes sous l'eau, et l'ombre fugitive de rapides poissons aux éclats métalliques. Elle aurait donné n'importe quoi pour avoir la possibilité de se pencher vers John, d'essayer de le découvrir, de partager, ne fut-ce que pour quelques instants, sa solitude qui ressemblait pourtant à une forteresse.

« Tu as donné le numéro de l'auberge à la poste ? » demanda-t-elle en se tournant vers Laffont.

Celui-ci rayonnait.

« Vous voyez, Farrel, comme Mlle Lemercier sera pour un médecin la femme idéale. Elle pense aux urgences. Oui, chérie, j'ai donné le numéro. »

Abasourdie, elle constata que le mot « chérie » avait suscité en elle presque de la haine.

« Vous vous marierez bientôt ? » demanda Farrel.

Le docteur fit un geste.

« Si ça dépendait de moi, nous serions mariés déjà

depuis quelques semaines. Je me marierai aujourd'hui, demain, quand elle acceptera. »

Nerveuse, Elisabeth l'interrompit :

« Je voudrais voyager encore cet été.

— Pourquoi pas avec moi ? interrogea Laffont.

— Parce qu'un médecin qui s'installe dans une région ne peut pas abandonner ses malades pendant longtemps.

— Ils iront ailleurs, chez un autre docteur.

— Et après, à ton retour, ils reviendront vers toi ? » demanda-t-elle, agacée.

Elle ajouta quelques instants plus tard :

« Je désirerais aller à New York avec un voyage organisé.

— A New York ? »

Une curiosité polie s'inscrivit sur le visage de Farrel. Elle se pencha vers lui.

« Dites-moi, monsieur Farrel, quelle est la vérité sur New York ? Il y a les gens qui l'adorent et ceux qui le détestent; ceux qui disent que New York est laid et ceux qui affirment que c'est une ville somptueuse...

— Tu poses cette question à un citoyen américain, dit Laffont, aimable; tu peux être sûre de la réponse, non ? »

Sans le regarder, Elisabeth savait qu'il était en train de se curer les dents; il cachait sa main droite qui travaillait, avec sa main gauche. Elisabeth regardait toujours ailleurs, pendant cette courte et minutieuse opération. Aujourd'hui, elle ne pouvait pas la supporter; elle en était malade.

« Vous aimez voyager, mademoiselle ? demanda Farrel.

— Enormément, c'est tout ce qui me reste de la vie. »
Piqué à vif, Laffont leva son verre.

« Merci pour le compliment; la future mariée ne
rêve que de voyages... Buvons au voyageur solitaire
et pourtant si bien organisé.

— Je t'en prie, Roger, ne déforme pas ma phrase;
je te connais depuis onze mois et je m'en vais chaque
été depuis onze ans. »

Grâce à l'escarmouche, Elisabeth émergea de sa tor-
peur.

« Où étiez-vous l'été passé ? intervint Farrel.

— En Hongrie.

— Pourquoi justement en Hongrie ? fit celui-ci,
étonné.

— Parce que le pays m'a intéressée.

— Attention à tes opinions; la mère de M. Farrel
était hongroise, la prévint Laffont.

— Je n'ai jamais été en Hongrie, dit l'Américain.

— Le destin est curieux, dit Elisabeth. Comment
votre mère est-elle arrivée en Amérique ? Par quel
hasard ?...

— En épousant un Américain de passage à Budapest, il y a très longtemps, en 1912. »

Un garçon s'approcha :

« On vous demande au téléphone, docteur. »

Celui-ci se leva et marcha sur sa serviette; d'un
violent coup de pied, il la renvoya sous la table. La
cabine téléphonique sentait mauvais; au-dessous de
l'appareil, des chiffres et des dessins douteux, griffon-
nés hâtivement, formaient une sorte de toile d'araignée
de saletés.

« Allô ? dit-il d'une voix sans ménagement. C'est le docteur Laffont à l'appareil.

— C'est Mme Marchand, docteur; je ressens les douleurs depuis ce matin; la sage-femme préfère que vous veniez... Elle craint une complication... Elle vient de partir; mon mari la conduit chez une autre malade.

— Il aurait dû rester près de vous, répondit Laffont méchamment. Ne quittez pas le lit, ne bougez surtout pas; je serai chez vous dans une demi-heure... Allô, vous pouvez prévenir l'hôpital ? Je préférerais que vous demandiez une ambulance.

— Je vous attends, docteur; dépêchez-vous. »

Il raccrocha. En revenant à la salle à manger, il prit son manteau au passage. Il se pencha vers Elisabeth; instinctivement, elle recula.

« Qu'est-ce que tu as ? Je voulais t'embrasser, dit-il.

— Et les gens, que diront les gens ?

— Ils ont déjà tout dit, ma petite... Voilà, je m'en vais; je conduis une malade à l'hôpital; son accouchement s'annonce compliqué et long; ne m'attends pas ce soir. Au revoir, monsieur Farrel. »

Elisabeth le regardait, hypnotisée; elle avait l'impression d'avoir agi sur le destin par la force de sa volonté. Elle n'aurait jamais cru qu'on puisse faire disparaître, par le seul désir, un homme encombrant. Impressionnée, surprise, elle le voyait partir.

« Je te téléphonerai ce soir, prononça-t-elle, soudain généreuse; je te téléphonerai sûrement; ne te fatigue pas trop. »

Elle restait là, un peu perdue, comme sur une île isolée du monde après le passage d'un grand bateau.

CHAPITRE V

LE départ de Laffont laissa un vide dangereux. Ce moment creux, la tristesse des assiettes vides, le désordre de la table couverte de miettes, le reste du fromage du docteur, qui gisait, à demi entamé, comme un remords, les indisposaient. D'un geste discret, l'Américain tira sa manche et jeta un coup d'œil à sa montre. « Il va s'en aller, pensa-t-elle, désespérée; que devrais-je lui dire pour le retenir ? » Enfermés dans leur silence, ils se guettaient. Farrel cherchait l'occasion d'un rapide départ. Elle, énervée, quémandait du destin la phrase-clé susceptible de le retenir. Persuadée que son nez brillait, elle chercha fébrilement dans son sac. Elle prit son poudrier, l'ouvrit et fut aussitôt recouverte de poudre.

« Ce poudrier est un farceur », dit-elle.

L'Américain se mit à sourire.

« Les objets désobéissent souvent. Pourquoi ce ravissant poudrier se révolte-t-il dans vos mains ? Il n'a pas de raison apparente; vous le traitez gentiment; il devrait être votre humble esclave. »

Avec de petits gestes maladroits, Elisabeth s'épousse-

tait. Son miroir l'avait réconfortée. Ses yeux brillaient;
une mèche rebelle chatouillait sa tempe; elle la remit
derrière son oreille. Rassurée sur son aspect physique,
elle se sentit prête à engager la douce bataille d'une
conversation et s'installa dans la nouvelle situation. Par
une chance inespérée, l'Américain lui donna la possibilité de parler.

« Quels sont vos souvenirs de Hongrie ? » interro-
gea-t-il.

Sage et méditatif, il attendait la réponse.

Elisabeth cherchait désespérément. Tout lui échappait à l'instant même. Elle était la pauvre marchande
dans la rue dont la main, soudain paralysée, laisse
échapper les ballons multicolores. Elle se lissait les
cheveux et prononça enfin, puérile :

« J'avais chaud, là-bas... » Elle s'accrocha à une
idée : « j'avais chaud, aussi, moralement. Les Hongrois,
souriants, me félicitaient quand ils apprenaient que
j'étais française. Je les ai trouvés très aimables; ils
étaient serviables sans être des serviteurs. J'étais entourée, dans l'hôtel, par des princes déguisés en garçons;
j'avais l'impression d'être, pour chacun d'eux, le
centre du monde. Rien n'était suffisamment parfait
pour l'étrangère; j'ai failli imaginer des caprices pour
les contenter.

— Parlez-moi de Budapest », dit son interlocuteur.

La gorge sèche, elle eût aimé trouver un compliment.

« A première vue, la ville semble grande; le fleuve
puissant la partage aimablement en deux parties. Les
oiseaux sont heureux à Budapest; ils survolent un
univers de beautés silencieuses. De petits tramways

jaunes sillonnent les rues. Sur les quais, les acacias étaient en fleurs. Habituée au vent de Caen et aux odeurs d'essence de Paris, je me suis trouvée comme dans un jardin enchanté.

— Et les traces de balles sur les murs ? demanda l'Américain.

— Je ne sais pas, fit-elle, fébrile; je n'ai pas fait tellement attention. Si j'avais su que je parlerais de ce voyage à quelqu'un qui a des attaches avec la Hongrie, j'aurais été une exploratrice consciencieuse, mais j'étais en vacances, monsieur Farrel... Comme toutes les femmes, j'ai aimé les vitrines des magasins élégants, le sourire de ceux qui me croisaient dans la rue.

— Avez-vous été aussi en dehors de la capitale ?

— Nous sommes partis avec un car; nous sommes allés jusqu'au bord du lac Balaton, et j'ai pris des bains de soleil sur un sable fin et blanc. L'eau du lac était tiède; je me plongeais voluptueusement dans ce bain chaud et, quand je nageais un peu loin, je sentais, comme des attouchements, les courants froids qui frôlaient mes jambes...

— Je n'ai jamais voulu y aller, l'interrompit John. Ma mère, une grande dame d'un autre siècle, avait tout fait pour m'en dissuader.

— Parlez-moi d'elle, s'il vous plaît, si cela ne vous ennuie pas », demanda Elisabeth.

La patronne, étonnée, passa près d'eux. Elisabeth demanda deux Calvados. Elle ne voulait pas être dérangée. « Ces Calvados, pensa-t-elle, vont nous donner un sursis. » Quand les deux verres furent posés sur la table, John se mit à sourire.

« Je ne bois jamais.

— Moi, très rarement, répondit Elisabeth; mais je désirais qu'on nous laisse tranquilles. »

Elle s'arrêta; elle avait peur d'en avoir trop dit. Elle ajouta :

« Regardez, les gens s'en vont; nous resterons seuls pendant quelques minutes, le temps que vous me racontiez... »

Au cours de ces instants précieux, elle eût souhaité avoir un passé commun avec l'Américain, un passé secret qui leur aurait appartenu ensemble, leurs propres souvenirs.

« Ma mère descendait d'une famille de la gentry, commença John. Elle m'a parlé souvent de ma grand-mère qui vivait comme une princesse. Elle était la fille d'un gouverneur qui régnait sur toute une région. Quand je dis « Gouverneur », j'essaie de définir ses fonctions en Hongrie en ce temps-là; il a dû avoir un autre titre, mais la puissance était la même. Ma grand-mère, dans une gentilhommière somptueuse, avait au premier étage son appartement, avec deux femmes de chambre à sa disposition. Son père rêvait d'un grand mariage pour cette fille unique, pour l'héritière de toute la fortune. Comme disait ma mère, selon la légende familiale, il n'aimait pas seulement les chevaux, les femmes et le blé, mais il s'adonnait aussi à une passion plus dangereuse : la politique. Il ne lui suffisait pas d'être gouverneur, il était, selon le mot de l'époque, un « patriote éclairé »; il voulait des réformes. Imaginez un seigneur du Moyen Age qui aurait eu l'âme d'un progressiste ! Ma grand-mère

considérait que les innovations de son père n'étaient
dues qu'à la faiblesse; elle était dure comme le fer.
Elle parlait le français, l'anglais et l'italien; elle
lisait les grandes œuvres dans leur langue originale.
Son père voulait qu'elle épouse un prince qui possédait un domaine voisin et qui, paraît-il, vouait une
admiration teintée de peur à cette jeune femme indomp-
table. Un jour, racontait ma mère, c'était l'anniversaire
d'Antoinette — elle s'appelait Antoinette, ma grand-
mère. Le prince voulait lui offrir un cadeau original.
Que pourrait-on donner à celle qui a tout ? Il a mobilisé ses paysans; il devait avoir au moins sept ou huit
cents âmes à sa charge. Il les a fait travailler toute
une nuit pour couper les lilas sauvages de la région.
Ces paysans, habitués à l'obéissance, sans être jamais
effleurés par la tentation d'une question à poser,
s'employèrent à leur tâche à la lumière des torches.
Au fur et à mesure de leur passage, dans la lumière
sulfureuse et enfumée des flammes avides, des branches
chargées de fleurs tombaient. Ils les plaçaient sur des
chariots. Jamais, de mémoire de chevaux, on n'avait
ainsi transpiré sous le poids des fleurs. Ivres de parfum,
les lourdes bêtes paysannes aux paturons larges, se
transformèrent en Pégase. Les chariots qu'accompa-
gnaient les paysans, eux-mêmes montés à cheval et
tenant des torches, se frayèrent un passage dans la
nuit noire. La caravane des voitures se rassembla autour
des murs de la gentilhommière. Les féroces chiens de
garde, endormis par une drogue qu'à la demande du
prince un des valets d'Antoinette leur avait administrée,
avaient sombré dans un sommeil profond. La grille

restée tout exprès entrouverte laissa le passage. Les
paysans se faufilèrent à pied, le dos chargé de lilas.
Les torches éteintes, ils se hâtaient dans l'obscurité...
Le lendemain, lorsque Antoinette se réveilla, elle mit
sur ses épaules frêles son déshabillé en lourde soie et
alla, comme c'était son habitude, près de la fenêtre
afin de saluer le matin et de parcourir du regard ce
paysage qui, à l'infini, lui appartenait. Que vit-elle ? Le
sol du parc dont les arbres centenaires au feuillage
abondant préservaient l'ombre, n'était plus qu'un
champ de lilas. Le gazon, que le gouverneur avait fait
venir d'Angleterre pour avoir cette couleur qui n'appartient qu'aux pays anglo-saxons, était entièrement
recouvert de fleurs. L'exhalaison prenante montait en
nuages vers la chambre à coucher d'Antoinette. Et
ces fleurs, en mourant, faisaient don de toutes leurs
forces distillées en un parfum puissant; ce parfum était
comme un message d'adieu. Antoinette descendit dans
son beau manteau de nuit tout blanc; elle sentait sous
ses pieds fragiles le contact froid des marches de marbre. Elle traversa le hall du château comme un somptueux papillon de nuit qui se dirige vers une lumière
éclatante où il va se brûler. Elle sortit et, pieds nus,
marcha sur ce tapis de lilas. Elle devait être ivre
d'odeurs, ivre de joie, ivre de ce bonheur insolite. »

Elisabeth, émerveillée, posa une question :

« A-t-elle su de qui venaient les fleurs ?

— Elle le savait très bien.

— Et qu'a-t-elle répondu pour en remercier ?

— Il paraît que, dans ses moments de bonheur, ma
grand-mère ne parlait que le français. Elle a envoyé

un message. Ce texte sans doute devait avoir été conservé dans les archives familiales. « Merci, cher et « noble voisin; votre idée était aussi séduisante qu'odo- « rante. Mais pourquoi donc avez-vous oublié que « j'aimais trop les fleurs pour les voir massacrer ? »

Elisabeth se pencha au-dessus de la table, comme si elle avait voulu s'introduire plus parfaitement dans ce monde évoqué par John.

« Elle a épousé son prince ?

— Non. Son père appartenait au mouvement na- tional; il luttait au sein d'un front clandestin, pour l'indépendance de la Hongrie; il voulait que le pays soit libéré de la domination des Habsbourg. D'abord trahi, ensuite persécuté, il cessa d'être gouverneur d'un jour à l'autre; et, dépouillé de ses privilèges, subissant l'interdiction de se rendre à Buda, il fut assigné à rési- dence dans sa propriété même. Avec ses fenêtres closes, ses pianos fermés dans les salons silencieux, ses chevaux somnolents dans de grandes écuries où ne résonnaient plus les voix des palefreniers, le château ressembla dès lors à l'un de ces palais ensorcelés des contes populaires, qui sont prêts à tomber en poussière.

— Comment votre grand-mère supporta-t-elle ce changement brutal ?

— Elle en a souffert, répondit John. Elle avait aban- donné ses relations mondaines. On n'apercevait plus sa silhouette élégante et le jeu fragile de l'ombrelle en dentelle qu'elle avait l'habitude de faire tourner dans sa main droite; même dans une foule élégante, on avait pu la reconnaître de loin, parce que l'ombrelle précieuse tournait comme une fleur au vent. Solidaire de son père, elle se cloîtra avec lui. Elle considérait qu'il avait perdu tout ce qui leur appartenait : la possibilité d'agir sur les êtres et les choses, comme les réceptions brillantes où les mots du complot passaient de bouche à bouche à travers l'écran des minuscules mouchoirs brodés... Le prince des lilas s'esquiva; il épousa une comtesse autrichienne, toute semblable à ces figurines en biscuit, colorées, joufflues, qui ornent encore certains salons somnolents. Antoinette s'était sentie diminuée; elle devint une sorte de veuve-vierge. Un jour, une visite inattendue leur fut annoncée. A peine nommé dans la petite ville voisine, le nouveau maire désirait les saluer. A leurs yeux, un maire n'était qu'un pion sur l'échiquier des Habsbourg.

« — Ne le reçois pas », dit Antoinette à son père.

« Celui-ci avait les cheveux blancs et le visage creusé par le deuil politique qu'éprouvait toute une nation. Il lui répondit :

« — Antoinette, en politique, on recommence tou-
« jours tout. Ecrasés comme nous le sommes, ce petit
« maire peut se révéler utile; nous le recevrons... »

« Ce maire leur rendit visite selon les formes exigées par l'époque. Plutôt insignifiant, prudent dans ses paroles, son passage laissa peu de traces; mais, sans y être invité, il prit l'habitude de revenir; il risquait chaque fois un refus; il tentait sa chance. Que cherchait-il ? Il saluait, muet, une Antoinette dédaigneuse, qui lui tendait une main froide. Il réussit à se lier d'une amitié au moins apparente avec l'ancien gouverneur; chacun préférait deviner les pensées de l'autre plutôt que d'exprimer les siennes.

« — Il t'a demandée en mariage, lui dit enfin son
« père; tu as trente ans, ma fille; tu n'as guère le
« choix; nous sommes proscrits; si tu ne l'épouses pas,
« tu risques de rester vieille fille. »

« Leur noblesse sans titre leur inspirait plus d'orgueil
qu'en donnent les couronnes princières. Antoinette
fut piquée au vif.

« — Il ne me touchera pas, ce petit bourgeois
« arriviste. »

« Elle ne pouvait pourtant pas nier·que le maire
avait de beaux yeux. Après quelques mois d'hésitation
et de discussions très vives avec son père, elle épousa
le maire, à sept heures du soir, dans la plus stricte
intimité. Elle avait dit oui comme quelqu'un qui,
dorénavant, acceptait d'être la complice d'un malfai-
teur. La messe de mariage fut dite dans la chapelle
du domaine. Le regard d'Antoinette faillit faire s'étran-
gler le jeune vicaire qui aurait aimé prononcer le discours de sa vie et qui eut à peine le courage de les
déclarer mariés.

« Alors, racontait ma mère, Antoinette monta dans
l'appartement qui avait été le sien tout au long de ses
années de jeune fille. Elle en fit fuir les femmes de
chambre, s'enferma soigneusement et·n'en ressortit
qu'une heure plus tard, vêtue de sa robe d'amazone.
Balayant les allées de sa traîne, elle se rendit à l'écurie.
Comme on chasse les mouches, d'un geste, elle écarta
deux valets, entra dans le box de son cheval bien-
aimé qu'elle avait baptisé, le jour de sa naissance, alors
qu'il n'était qu'un poulain au nez mouillé et aux
longues jambes fragiles, « Démon ». Elle prit entre

ses bras la belle tête noire de l'animal et lui chuchota deux mots à l'oreille. Elle sortit du box suivie par le cheval. Les domestiques, silencieux, s'écartèrent sur leur passage. Prenant appui sur les mains jointes d'un palefrenier, qui s'était baissé devant elle, Antoinette se mit en selle. Le jeune mari l'observait derrière un rideau d'une fenêtre du second étage. Selon la légende, elle avait galopé toute la nuit, fouettant son cheval bien-aimé avec une cravache; elle qui n'avait jamais porté d'éperons, en avait cette fois-là. Elle blessa au sang les flancs de Démon, au cours de cette chevauchée au clair de lune. Le cheval, au matin, s'écroula, foudroyé : mort d'épuisement, il baissa ses lourdes paupières sans jeter un regard à sa maîtresse. Il avait appris à la haïr et Dieu sait qu'il faut faire souffrir les animaux pour qu'ils puissent éprouver de la haine ! Antoinette se redressa, étendit son écharpe sur l'animal mort et s'en revint au domaine. Il y avait des kilomètres à faire. A son tour, son corps épuisé refusa l'obéissance; elle perdit connaissance. Elle gît longtemps dans la poussière du chemin, les vêtements souillés de sueur et du sang du cheval. Des gitans passèrent par là. Ces hommes au teint brûlé découvrirent la jeune et redoutable Antoinette. Ils la déposèrent à l'intérieur d'un de leurs chariots où une vieille femme fumait la pipe, et où un enfant aux yeux de charbon, figé d'étonnement, avait sa salive qui lui coulait sur le menton. Ils atteignirent ainsi la grille du château. Antoinette, encore inconsciente, traversa le parc dans les bras de fer d'un de ces gitans muets et mystérieux. Elle qui n'aurait même pas accepté le salut de l'un d'eux ! Et ses longs cheveux dénoués frôlaient le sol jadis couvert de lilas à son intention. Telle fut la nuit de noces d'Antoinette.

« Le jour, au-dehors, s'évanouissait lentement. Le crépuscule proche attristait déjà le paysage et conduisait vers les ténèbres ce monde livré aux lumières.

— Quelle belle histoire ! » soupira Elisabeth.

Un silence s'installa entre eux. John voulut se lever.

« Je vous en prie, dit Elisabeth, dites-moi, racontez-moi la suite; comment a-t-elle pu vivre avec son jeune mari si elle ne l'aimait pas. J'imagine comment on peut vivre sans amour dans un mariage; mais si elle était aussi tourmentée, blessée dans son orgueil, si elle le méprisait presque...

— Le mépriser est un mot trop fort, répondit John; elle le trouvait simplement indigne d'elle. Elle n'a jamais pu voir mon grand-père avec les yeux des autres. Son jugement n'enlevait rien aux qualités de mon grand-père... Mais elle était l'orgueil même; et l'orgueil se présente sous des formes très différentes dans la vie humaine. A ce degré, il devient un deuxième soi-même. On peut se réfugier dans son propre orgueil et être paralysé par lui. Que vous dire ? C'est comme si un homme acceptait, de son propre gré, une camisole de force... L'orgueil élève des murs infranchissables entre les êtres. L'orgueilleux s'assoit près de son mur, se sent défendu, et se condamne à une intolérable souffrance due à son isolement même. Antoinette souffrait de l'orgueil. Tuberculeuse, elle aurait été plus heureuse; au moins, la tuberculose lui aurait permis de sourire en toussant.

« Après leur mariage, elle suivit son mari qui devait participer aux activités de la région. L'occasion de leur première sortie fut un bal chez le gouverneur qui avait succédé à mon arrière-grand-père. Antoinette s'était fait faire une somptueuse robe en velours vert dont le corsage était rebrodé de vraies perles; elle avait sacrifié un collier de trois rangs pour enrichir sa robe. Décolletées, ses épaules rondes et lisses donnaient l'image d'une féminité charmante. Elle revit la salle de bal qu'elle connaissait bien. Elle détournait la tête pour éviter les regards des anciens gouverneurs dont le portrait était accroché au long des murs. Comme d'habitude, elle devançait son mari de quelques pas; selon la chronique familiale, ils n'étaient jamais côte à côte. Le nouveau gouverneur — « ce valet des Autrichiens », comme elle disait — vint lui demander solennellement la première valse. Elle hésita un instant. On ne voyait que ses yeux brillants au-dessus d'un éventail à demi ouvert. Les gens l'observaient, le cœur battant. Elle le sentait. Ses yeux verts ne quittaient pas le regard de l'homme en face d'elle. Mon grand-père aurait aimé lui souffler qu'elle devait accepter cette danse; elle le fit taire d'un geste à peine perceptible. Le gouverneur était grand; il avait une tête ronde, une petite moustache noire; sa tenue de fête, chargée de décorations, brillait dans la lumière cristalline des lustres vénitiens. Antoinette devinait une menace dans ce regard. Femme jusqu'au bout de son éventail, elle savait que ce n'était pas une pression politique qui était en question; elle sentait que le gouverneur lui avait préparé un piège où elle devrait tomber les yeux fermés; mais lequel ? Elle tendit sa main droite, gantée, et la posa sur l'épaule de son danseur. Les convives poussèrent un soupir de satisfaction. Antoinette s'élança pour danser sur le plancher de marqueterie précieuse. Elle comprit un peu plus tard que le gouverneur avait dû donner l'ordre à l'orchestre de jouer sans s'arrêter jusqu'au moment où il lui ferait signe... Les autres danseurs s'écartèrent. Ils restèrent seuls, point de mire de l'assistance entière, au milieu de l'immense salle. A peine appuyée sur le bras de son ennemi, Antoinette supportait mal la valse. Au bout de quelques minutes, elle eut le vertige et les mains d'acier de son cavalier l'obligèrent à tourner, tourner, tourner sans cesse. Sous les yeux d'Antoinette, le monde se confondait en une tache multicolore. Elle dut se concentrer et faire appel à toute sa volonté pour ne pas s'évanouir. Elle aurait donné son meilleur cheval pour que le plancher s'ouvrît et que l'orchestre disparût dans le plus noir des abîmes. Cette danse symbolique devait être un chef-d'œuvre de grâce et de beauté. Pour mieux lutter contre la nausée, elle accrocha son regard à celui du gouverneur. Elle cherchait désespérément en lui les premiers signes d'une fatigue, mais le sourire de son cavalier ne changeait point. Antoinette dansait sur du sable mouvant; elle dut accepter le fait qu'elle était vulnérable; elle se voyait évanouie et portée dans les bras du gouverneur vers un fauteuil quelconque... Il ne devait pas gagner... Son regard vert ne quittait pas les yeux noirs de son danseur. La musique venait de très loin comme à travers une muraille... Enfin, l'homme baissa les pau-

pières; la musique s'arrêta net; Antoinette avait gagné.
L'autre, impressionné, accompagna sa jolie adversaire
jusque vers son mari. En la quittant, il fit une allusion
maladroite au père d'Antoinette. Il voulait peut-être
dire que si le père d'Antoinette avait encore été gouverneur, lui, il n'aurait jamais la chance d'obtenir
cette valse.

« — Mais, parce que les temps ont changé... »

« Antoinette crut son père offensé et, de son éventail
replié, frappa la joue droite du gouverneur. Celui-
ci s'inclina.

« — Si vous étiez un homme, madame, je vous pro-
« voquerais, mais je suis bien obligé de me rendre à
« la beauté. »

« Antoinette avait quitté la salle; son mari la suivait. S'enveloppant de sa cape en hermine, elle descendit les escaliers en courant. Elle arriva devant le
palais et chercha le cocher qui avait osé s'absenter du
carrosse. Furieuse, elle bondit, trouva le chemin des
cuisines où le cocher buvait avec les autres. Elle tapa
si fort du pied sur les dalles de la cuisine, en inter-
pellant le domestique, que son soulier doré cra-
qua. Bouillonnante de colère, elle enleva l'autre et,
accompagnée par le cocher tremblant de peur, elle
arriva jusqu'à sa voiture, les pieds nus. Dans l'épaisse
neige dure, elle ne laissa aucune trace; elle était si
légère !

« — Vous allez attraper froid, lui dit son mari.

« — Vous, au moins, vous ne courez pas ce risque,
« répondit-elle d'une voix sifflante; on attrape froid
« quand on existe, et vous, monsieur, vous n'existez

« pas. Vous auriez dû provoquer le gouverneur sur-le-
« champ; il a offensé votre beau-père. »

« Elle prit place dans le carrosse. Son mari monta
à côté d'elle et, d'un geste caressant, mit la couverture de vison sur les jambes de sa femme, se pencha,
et emmitoufla bien les petits pieds dans la fourrure.

« — Dieu n'aime pas les duels, dit-il.

« — Que savez-vous de Dieu ? cria Antoinette dans
« la nuit noire, pendant que le carrosse chevauchait
« sur la neige. Vous ne connaissez même pas vos pro-
« chains. »

« Rapides comme une tempête, les quatre demi-sang
d'Antoinette tiraient le carrosse. Pourtant, mécontents,
ils avaient senti que la main du cocher était moins
sûre que d'habitude. Ils n'aimaient pas être maltraités
et ils souffraient du mors qui leur sciait la bouche.

« — Vous ne savez rien, ni de Dieu, ni des hommes,
« ni de la politique », cria Antoinette.

« Le maire posa sa main sur celle de sa femme.

« — Je n'oserai plus paraître devant les nobles de
« la région, continua Antoinette. Va plus vite, cria-
« t-elle au cocher; va, imbécile ! Pourquoi devrais-je
« accepter d'être tirée par des escargots ?

« — Je ne les ai que trop bousculés, madame, dit le
« cocher.

« — Arrête donc tes limaces ! »

« Le cocher mit quelques minutes pour retenir les
chevaux qui s'arrêtèrent; une vapeur les couvrait.
Antoinette descendit du carrosse et dit au cocher :

« — Descends à côté de Son Excellence; je vais
« conduire moi-même. »

« Les pieds nus, enveloppée dans sa cape d'hermine, elle prit les rênes et donna des coups de fouet violents aux chevaux. Ceux-ci repartirent, furieux et désespérés. Cette chevauchée folle dans la nuit obscure, sur la neige blanche, était pour Antoinette comme si elle s'élançait vers l'infini. La lune, pâle et timide, chassait derrière elle de fugitifs nuages. Arrivée devant la gentilhommière, Antoinette descendit sans aide, abandonnant un lambeau de sa robe sur le marchepied du carrosse. Elle se dirigea directement à son appartement. Là, elle tira sur un cordon de soie tressée; des clochettes tintèrent; et, défaites de sommeil, la tête couverte d'un bonnet amidonné, apparurent ses deux femmes de chambre.

« — Déshabillez-moi, ordonna-t-elle; toi, Rosa, « apporte deux briques à mes pieds pour que mon « lit soit bien chaud; toi, Maria, chauffe-moi du vin « et apporte-le aussi épicé que brûlant. »

« Quand elle se trouva dans son lit, sirotant son vin odorant, appuyant ses pieds contre les briques dont la chaleur amicale montait enfin sur ses genoux, elle entendit frapper.

« — Pourrais-je entrer, Antoinette ? demanda son mari.

« — Je ne désire pas vous voir, répondit-elle. Je « vous ferai part de mes décisions; je vous saurais « gré si vous me laissiez en paix. »

« Le lendemain matin, elle envoya deux garçons d'écurie chez deux de ses anciens soupirants. Trois heures plus tard, ceux-ci arrivèrent. Antoinette, comme un chef d'Etat, les reçut solennellement dans un fumoir.

L'un était un petit comte maigrelet et l'autre un baron moustachu et corpulent.

« — Voilà, dit Antoinette, mon mari a des scrupules « religieux; il est contre le duel. Mon Dieu à moi « accepte le duel. Je désire provoquer le gouver- « neur au nom de mon mari, et me substituer au « maire. Je m'adresse à vous; soyez mes témoins. Allez « provoquer le gouverneur sur-le-champ et désignez « l'endroit le plus propice; peut-être la clairière des « trois fontaines. Attention, vous devez fixer l'heure, « juste avant le lever du jour. Il faut que, dans l'obscu- « rité, on puisse me confondre avec mon mari; je suis « de la même taille que lui; je m'habillerai de ses « vêtements. L'épée ou le pistolet; les deux armes « me conviennent : je tuerai le gouverneur. »

« Les deux témoins obéirent.

« Deux jours plus tard, à l'aube, Antoinette quitta la maison. Elle monta le cheval gris de son mari. Elle avait revêtu les vêtements de celui-ci, y compris un chapeau haut-de-forme. Première arrivée à la clairière, elle attendit, entourée de ses témoins. Le gouverneur la rejoignit quelques minutes après. Ils s'approchèrent selon les règles, se tournèrent le dos et s'éloignèrent pour prendre leurs places définitives. Si Antoinette n'avait pas eu, inconsciemment, le geste de toucher à son chignon caché sous le chapeau haut-de-forme, elle aurait peut-être été tuée et n'aurait jamais eu de descendant. Echappant à un peigne pares- seux, ses cheveux somptueux et blonds qui descen- daient au-dessous de ses hanches, éclaboussèrent sou- dain son dos. Aussitôt, cette blondeur répandue capta toute la lumière naissante du petit matin, pour la renvoyer, éclatante, pareille aux rayons du soleil, dans les yeux de l'adversaire. La clairière et les visages en furent illuminés. Le gouverneur s'approcha d'elle et s'inclina.

« — Voyez-vous, madame, il faut se méfier des « gestes inconsidérés... Je me déclare battu, continua- « t-il, je vous demande pardon. »

« Le lendemain, Antoinette se fit couper les cheveux. Elle enferma ses nattes somptueuses, avec tout son mépris et sa colère, dans une boîte noire doublée de soie. Il paraît qu'elle n'a plus jamais rouvert ce petit cercueil.

— Accepteriez-vous un déjeuner chez moi, dans ma maison ? dit Elisabeth, et sa voix lui paraissait être celle d'un ventriloque. Seriez-vous libre dimanche prochain ? J'ai un album de photos de Hongrie. Après chaque voyage, je colle mes photos dans un album...

— Je me permettrai de vous téléphoner », dit John.

John se leva. Elisabeth l'imita à contrecœur et sentit tout le poids de son corps.

« Je crains que vous n'ayez pas envie de me téléphoner, monsieur Farrel.

— Pourquoi ? » fit celui-ci.

Elisabeth haussa les épaules :

« C'est une impression. Pourtant, j'aimerais connaître la fin de l'histoire. Vous êtes là, donc ils ont eu des enfants...

— Nous trouverons une occasion », dit l'Américain. Et, d'un geste, il demanda l'addition.

Pendant qu'il tirait son portefeuille pour payer, Elisabeth, rougissante, lui parlait :

« Ne croyez pas que j'aie l'habitude d'inviter facilement, monsieur Farrel. Ne venez pas par politesse. »

Il ne répondit pas.

« Pourrai-je venir vous chercher en voiture dimanche prochain ?

— Un jour, peut-être, dit John. Je vous remercie d'avance. Vous êtes très aimable... Permettez-vous que je vous accompagne jusqu'à votre voiture ?

— Oui », fit-elle.

Dehors, elle boutonna son manteau.

« Il fait soudain froid, chuchota-t-elle.

— Pourtant, ajouta l'Américain, on devine le printemps. Vous ne sentez pas l'odeur du printemps ?

— Non, dit-elle, non, hélas ! » Elle lui tendit la main hésitante : « Au revoir, monsieur Farrel; j'attends un signe de vie de vous. »

John porta la main d'Elisabeth à ses lèvres. Elle imaginait qu'elle allait embrasser à son tour sa propre main, pour retrouver les traces des lèvres de John. Elle prit place dans sa voiture, baissa la vitre et se tourna vers lui.

« Et si je voulais vous téléphoner ?

— Je n'ai pas le téléphone, mademoiselle.

— Je ne vous retrouverai donc jamais ! prononça-t-elle, au bord d'un désarroi visible.

— Depuis dix-huit ans, je n'ai pas quitté la Normandie, dit John d'une voix détachée. Il n'y a pas de raison pour que vous ne me trouviez pas.

— Au revoir », dit Elisabeth.

La voiture démarra; au bout d'un court trajet, elle se rendit compte qu'elle roulait sans lumières. Elle arrêta la voiture à la lisière d'une forêt; elle posa ses lèvres sur le dos de sa main; longtemps, elle resta ainsi. Les phares traçaient deux sillons sur le macadam. La pluie mouillait le pare-brise. « Où aller ? pensa Elisabeth. A qui m'adresser ? A qui raconter tout ce que je viens de vivre ? »

Les mains sur le volant, elle attendait. Elle espérait vaguement percevoir le bruit d'une autre voiture. Une automobile s'arrêta brusquement :

« Vous êtes en panne ? cria un homme. Voulez-vous que je vous aide ? »

Et il abaissa sa vitre.

« Non, merci, je ne suis pas en panne. »

Le regard de l'inconnu scrutait son visage.

« Si vous vous sentez mal, je pourrais vous être utile. »

Impatiente, elle fit non de la tête.

« Tout va bien, merci. »

Le jeune homme remit sa voiture en marche et celle-ci disparut.

« Il devait avoir vingt ans, et j'en ai trente-deux. Dans quelques années, quand je verrai un jeune garçon, je dirai : je pourrais être sa mère. »

Une amertume l'envahit. Agacée, elle appuya sur l'accélérateur et arriva très vite à Caen, place Saint-Martin, devant chez elle. Elle n'avait pas envie de monter directement à son appartement; elle craignait l'appel téléphonique de Laffont; elle préférait rester seule. Elle voulait rassembler ses pensées et analyser

ses impressions. Elle entra dans son magasin; elle le
traversa en se heurtant aux meubles. Elle alluma seulement dans l'arrière-boutique qu'elle avait arrangée
comme un petit salon, avec deux fauteuils et une
table ronde. Dans un coin, se trouvait le classeur et,
sur une table roulante, un réchaud électrique; elle
avait l'habitude de prendre son thé ici.

Ce soir, elle n'avait aucune visite à craindre. Quand
on l'appelait, la sonnerie du téléphone ne brisait que
le silence de son appartement au premier. Au magasin,
elle n'avait pas d'appareil; elle voulait éviter que les
clients lui demandent des communications. Frileuse,
elle avait gardé son manteau. Elle tournait en rond;
elle souffrait de sa solitude. Une idée grotesque
l'effleura. Elle imagina qu'elle pourrait téléphoner à
Laffont, qu'elle le ferait venir; elle dînerait avec lui
et lui raconterait à quel degré elle était subjuguée par
John Farrel. Elle se voyait presque en train de pleurer
dans les bras de Laffont, subissant et aimant ce contact
physique. Elle aurait pu poser son visage sur la peau
du docteur; elle lui aurait dit qu'elle était amoureuse.
Elle rêvait d'une solution qui lui aurait permis de
garder Laffont comme confident. Jusqu'à ce jour, elle
avait accepté cette liaison avec joie. Il valait peut-
être mieux la présence de cet homme puissant, quoique
si différent de caractère, que de rester seule dans un
lit aux draps roses, souvent froids. Mais, depuis midi,
tout avait changé. Elle avait découvert par hasard
un homme qui la passionnait. Si on le lui avait demandé,
elle aurait pu jurer que personne n'avait plus d'importance, dorénavant, dans sa vie, que ce gardien de cime-

tière. Elle devinait Farrel cultivé; son ascendance lui
prêtait un prestige particulier. Elle aurait aimé faire
partager son émotion; hélas! elle n'avait pas une
amie à qui elle aurait pu téléphoner.

Elle s'assit dans son fauteuil et, emmitouflée dans
son manteau, pensait à lui. « Je ne veux pas l'aimer,
se dit-elle à mi-voix; je ne veux pas l'aimer. »

Elle pressentait une multitude de complications.
Physiquement équilibrée et moralement défendue par
cette sorte d'indifférence qui enveloppait ses contacts
avec Laffont, elle avait jusqu'à ce jour la certitude
de son indépendance. Elle aurait même pu fermer son
magasin, dire adieu à ce métier qui n'était guère plus
qu'un violon d'Ingres. Elle aurait pu partir au bout du
monde, en prenant un avion, à sa guise... Aujourd'hui,
saisie de peur, désarmée, elle comprenait que tout
départ ressemblerait à une fuite... Grelottante, légèrement réconfortée par sa décision de rester invulné-
rable, elle monta vers son appartement.

Avant qu'elle ait tourné la clef dans la serrure, le
téléphone se mit à sonner. Elle s'attarda volontaire-
ment; elle laissa tomber sa clef; elle la chercha, en
tâtonnant, sur le paillasson. Quand elle entra dans le
vestibule, la sonnerie se tut. Ici, dans l'appartement,
il faisait chaud. Elle remit ses affaires en place, posa
ses bottes dans la cuisine, à l'intention de la femme
de ménage qui aurait à les nettoyer. Elle se prépara
un bain; elle se démaquilla longuement; elle s'allongea
dans l'eau tiède; elle estimait son corps impeccable; le
silence la berçait. De nouveau, elle eut la sensation
d'être forte et indépendante. Elle se sécha avec un

peignoir de bain imprimé, assorti aux serviettes. Elle alla à la cuisine, prit une tranche de jambon dans le réfrigérateur, la plia en quatre et, sans pain, la mangea.

« Voilà, dit-elle, j'ai dîné. »

Elle se coucha. Au premier instant, elle trouva son lit délicieux. Elle prit avec plaisir le roman qu'elle avait abandonné la veille. Alors, elle sentit à nouveau peser sur elle la menace de l'amour...

« Tu es une idiote, se répéta-t-elle, une idiote; tu rêves, à trente-deux ans, d'un gardien de cimetière ! Il peut avoir tous les défauts du monde; il pourrait être menteur, vicieux, ou bien n'être qu'un escroc de grande qualité. »

Elle laissa tomber le livré.

« Non, se dit-elle à mi-voix; il n'est ni ceci, ni cela; c'est un homme qui me plaît. Il me plaît, ce John Farrel. Je... »

Elle ne voulait pas aller plus loin.

« Je... »

Elle s'arrêta de nouveau.

« Je le trouve sympathique », prononça-t-elle.

Le téléphone recommença à sonner; elle prit l'écouteur.

« Elisabeth, dit Roger, comment ça va, ma petite ? Tu n'étais pas trop triste d'être abandonnée au déjeuner ?

— Bonsoir, Roger, dit-elle d'une voix aimable; j'ai bien compris la situation. Quand on appelle un médecin, il faut qu'il y aille.

— Où es-tu, Elisabeth ?

— Dans mon lit.

— Veux-tu que je vienne ? » demanda Laffont.

Elle s'étonnait de voir comme elle aimait jouer avec le feu. Elle se trouvait perverse parce qu'elle lui décrivait son corps encore humide du bain, sa nudité.

« Et l'Américain ? enchaîna Laffont. Que penses-tu de lui ? C'est un curieux personnage, n'est-ce pas ? Il t'a parlé un peu ?

— Grâce à lui, dit Elisabeth, détachée, j'ai fait la connaissance d'une dame fort originale; il m'a raconté la nuit de noces de sa grand-mère. Si je t'en offrais autant, Roger ?...

— Merci d'avoir pensé à notre mariage ! »

Elisabeth trouvait un refuge dans cette conversation. Sa place était près du médecin. Ils s'étaient rencontrés, ils s'étaient bien compris. Pourquoi aurait-elle dû compliquer cette existence ? Elle voulut oublier l'Américain...

Mais Laffont la relança :

« Et l'Américain ? reprit-il. Parle-moi de lui.

— Il faudrait le connaître un peu mieux pour parler de lui, dit Elisabeth. Il a l'air sensible et susceptible.

— Crois-tu qu'il ait une femme dans sa vie ? demanda Laffont. Tu es toujours très perspicace quand il s'agit de sentir l'existence secrète de quelqu'un. »

Le cœur d'Elisabeth se mit à battre violemment à l'idée que Farrel puisse avoir quelque relation que ce soit avec une femme. Elle releva la couverture jusqu'à son menton pour ne pas se trahir.

« Je l'imagine difficilement attaché à une femme, dit-elle.

— Je ne parle pas d'attachement, dit Laffont. Il

doit quand même coucher avec quelqu'un, non ? A son âge...

— A quoi bon parler de cela ? demanda Elisabeth.

— J'adore ta pudeur, mais elle est artificielle, répliqua Laffont. Tu utilises ta pudeur comme un chapeau; tu la mets, tu l'enlèves, tu la ranges dans un placard. Si tu étais tout le temps aussi pudique, notre vie serait infiniment moins amusante. Tu bâilles ?

— Oui, dit-elle, j'ai très sommeil.

— Je t'embrasse, ma petite. A propos, j'ai failli oublier de te dire : Mme Marchand a eu une quatrième fille. Pas de veine, n'est-ce pas ?

— Une quatrième fille, répéta-t-elle, ensommeillée; les pauvres gens.

— Dors, Elisabeth, dors; je te téléphonerai demain matin. Je te reposerai la même question.

— Quelle question, Roger ?

— Si tu veux m'épouser ou non, et si oui, quand ? Tu pourrais à la rigueur répondre déjà ce soir...

— Non, dit-elle, seulement demain, Roger, seulement demain. Bonsoir. »

John rentra chez lui, provisoirement apaisé par son après-midi inattendu. Mais le sortilège agréable n'avait duré que peu de temps. De nouveau gagné par la nervosité, il se mit à arpenter ses deux pièces. Malgré les rideaux tirés, il lui semblait voir derrière eux le cimetière. Il commençait à avoir mal au dos. Il alla à la salle de bain, se déshabilla et, à l'aide de deux glaces, il examina les deux hématomes colorés. Il pensa à Eli-

sabeth; elle avait des mains d'infirmière, des mains
blanches et tièdes. Il voulut poser l'une des glaces
sur une petite table; le miroir glissa de ses mains,
tomba sur les carreaux et éclata en morceaux. Agacé
par sa maladresse, il se mit à genoux et ramassa les
lamelles de verre. Il se coupa les doigts qui se mirent
à saigner. Il se redressa et, dans ce moment, une
dépression le saisit.

Il s'imagina que la porte avait disparu et qu'ainsi
il serait enfermé jusqu'à la fin des temps dans cette
salle de bain, que son cercueil serait cette baignoire et
que les gouttelettes qui tombaient de la douche feraient
fleurir l'émail blanc. Il cala son dos brûlant contre le
mur; il sentait le contact froid des carreaux sur sa
peau; il tendit les bras en implorant une solution.
Aurait-il la force de s'approcher de la fenêtre ? Et si
oui, ne verrait-il que les croix blanches sous la lune ?
Plaqué contre le mur, se gardant de tout mouvement
inconsidéré, il revit l'image éternelle du Christ telle
qu'elle était reproduite depuis des siècles sur les toiles
des peintres et dans le marbre ou l'ivoire des sculp-
teurs. Il était lui-même cette image de l'homme souf-
frant, avec les mains attachées à la croix, les jambes
allongées et les pieds superposés et cloués sur le bois.
Les bras écartés sur le mur, il croyait sentir la douleur
des clous qui s'enfonçaient dans ses paumes. Il pencha
la tête en avant; une force inconnue le poussait contre
ce mur. Il n'aurait pas été étonné de découvrir le
vide sous ses pieds. Etait-il sur une montagne ou au
flanc d'une colline ? Etait-il enfermé dans une cave
où l'eau montait lentement pour arriver jusqu'à ses

blessures et adoucir sa douleur ? Sous ses paupières
closes, d'innombrables cercles brillants scintillaient.
Plus il serrait ses paupières, plus ce feu d'artifice lui
envoyait d'étranges points jaunes et rouges, comme des
feux follets phosphorescents, comme des lumières de
phares plantés dans l'océan noir. Grâce à un chien
qui se mit à aboyer au loin, il revint à la réalité;
il se détacha du mur. Il était repu de souffrance. Titu-
bant, il alla vers la baignoire, pencha sa tête sous la
douche et déclencha le robinet d'eau froide. L'eau vrom-
bissait sur lui comme une avalanche; il eut la nausée,
mais ne vomit pas.

Il passa la nuit à relire les lettres de Fred. Celui-ci
lui en avait envoyé de partout. Il s'arrêtait dans les
aérodromes, dans les gares ou sur les quais des ports
pour lui griffonner des mots d'amitié. John aurait
aimé raconter à Fred sa rencontre avec Elisabeth.
Comment savoir ce qu'il aurait pu dire d'elle ?

CHAPITRE VI

Le lendemain, pendant qu'Elisabeth préparait son thé dans l'arrière-boutique, la petite clochette de la porte d'entrée du magasin retentit. Elle voulut débrancher le réchaud électrique, mais elle n'en fit rien, pensant que le client partirait avant que l'eau n'arrive à ébullition. Elle ouvrit le rideau, entra dans la boutique et vit Farrel qui venait de prononcer un « bonjour » timide.

« Bonjour, monsieur Farrel », souffla-t-elle.

Elle s'en voulait d'être aussi émue. La sensation douloureuse d'une attente l'envahit.

« C'est gentil d'être venu, monsieur Farrel.

— Je ne vous dérange pas ?

— Du tout. Regardez autour de vous; j'ai quelques jolis meubles. Si vous les aimez... »

Le regard de Farrel effleura le comptoir recouvert de velours sur lequel se trouvaient, éparpillés, des bijoux de fantaisie. Elisabeth devança sa question.

« Ce n'est rien, monsieur Farrel. Je n'aime que les antiquités, mais, pour attirer la clientèle, il fallait que je sois à la page. Voyez... Je les commande aux plus célèbres couturiers de Paris. Il y a des femmes qui n'entrent que pour une broche et qui repartent ayant acheté un meuble... Je ne suis d'ailleurs pas une vraie antiquaire; c'est dans mon milieu familial que j'ai appris le style des meubles, et quand je suis restée seule, après la guerre, pour m'occuper, j'ai installé la boutique, ici, au rez-de-chaussée. »

Il la regardait. La bouilloire se mit à siffler.

« Vous permettez un instant ? » Elle voulait sortir l'autre de son mutisme. « Vous ne désirez pas un peu de thé ? »

La bouilloire sifflait désespérément.

« J'en accepterai avec plaisir, mademoiselle. »

Il la suivit dans l'arrière-boutique; il embrassa d'un seul coup d'œil l'ensemble de la pièce, vit le classeur, le réchaud électrique, les deux fauteuils et, dans un coin, sur un chiffonnier, une statuette en ivoire. Il alla près du meuble et prit la statuette.

« J'en ai trois autres pareilles dans mes réserves, expliqua Elisabeth; je les sors une par une; je les reçois directement de Hong-Kong. Avez-vous été à Hong-Kong, monsieur Farrel ?

— Non, dit-il; j'ai peu voyagé; je suis né à New York, j'y ai vécu et puis je suis venu en Normandie et je me suis arrêté là. »

Elisabeth s'affairait; elle grillait des toasts; elle posa un confiturier en argent sur la table; elle alluma la lampe sur le classeur. Ils se retrouvèrent dans une lumière accueillante. Elle lui versa le thé.

« Lait ou citron ? » demanda Elisabeth.

Farrel se mit à sourire.

« Je crois que les Français disent : un nuage de lait.

— Nous disons ça ?... » demanda Elisabeth, distraite.

Elle exécutait ses mouvements avec la précision d'un automate. Elle offrit des petits gâteaux secs. Elle mûrissait ses phrases avant de les prononcer; la présence de Farrel lui semblait si précieuse qu'elle se gardait bien de le brusquer.

« J'ai beaucoup pensé à votre grand-mère depuis hier, dit-elle en buvant son thé à petites gorgées. Ce doit être merveilleux, monsieur Farrel, que d'avoir des ancêtres. Je sais que nous en avons tous, mais les connaître, pouvoir évoquer leur passé, découvrir dans les vieux papiers leur comportement, je crois que c'est une sorte de joie. Une joie assez snob, n'est-ce pas ?

— Pourquoi snob ? dit Farrel. Je ne parle pas d'eux du tout afin de prouver que je vaux davantage parce qu'ils ont existé. Simplement, je cherche mes raisons d'être, les éventuelles justifications de mon propre comportement. Vers quelle source devrais-je me retourner, sinon vers eux ?

— Quand même, dit Elisabeth, vous descendez par un côté d'une famille noble. Cette origine vous a marqué certainement. Croyez-moi, monsieur Farrel, si mon arrière-grand-mère avait passé sa nuit de noces sur un cheval appelé Démon, je regarderais les Caennais de très haut...

— Cela est, pour une part, question de documents, répondit Farrel. Personne, peut-être, ne vous a aidée à savoir qui étaient vos aïeux. Il faut cultiver le passé, mademoiselle, si on ne veut pas qu'il vous abandonne. Vous voyez, on dit souvent qu'on ne peut pas se défaire de son passé. Cela est bien vrai quand il ne s'agit que de la durée d'une vie. Si vous avez commis des fautes, si vous avez trébuché au long de votre route, vous resterez marquée jusqu'à votre dernier soupir. Tandis qu'une légende brillante, capable d'éclairer votre existence et qui pourrait même justifier vos caprices inattendus, s'évanouit vite si on ne la transmet pas de bouche à oreille, d'âme à âme. Vous ne vous êtes jamais occupée de votre famille, mademoiselle Lemercier ?

— Ils étaient tous avocats, dit-elle avec un sourire désarmant. Croyez-vous que ce soit un métier romantique ? Croyez-vous qu'on puisse au clair de lune raconter les exploits d'un homme de loi ? J'ai hérité d'eux, pourtant, la difficulté d'être en paix avec moi-même. J'ai découvert que j'ai deux personnalités, celle qui défend et l'autre qui accuse. Mes ancêtres ont dû déverser en moi leur goût de l'abondance verbale. Pour chaque décision que je dois prendre, j'ai besoin de longs jours de réflexion. Il faut que j'écoute mes arguments pour et contre...

— Quand vous serez la femme du docteur Laffont, il prendra les décisions pour vous, constata John avec une gentillesse presque enfantine. C'est lui qui vous défendra.

— Je ne sais pas si nous allons nous marier, monsieur Farrel. »

L'émotion montait dans son cœur comme la sève dans les arbres au printemps.

« Pourrais-je vous parler franchement ? continua-

t-elle. Etes-vous un homme discret ? Je n'ai jamais eu
d'amis; j'avais si peu confiance dans les femmes. Instinctivement, je me durcissais quand j'aurais dû prononcer un mot qui m'aurait engagée dans une confidence.

— Moi aussi j'ai besoin de parler, l'interrompit brutalement l'Américain. J'ai besoin de vous parler.
J'ai très peur... J'ai très peur de devenir fou. »

Elle avala sa salive.

« Pourquoi ?

— Depuis un certain temps, en m'observant — et
je m'observe forcément, je vis en tête-à-tête avec
moi-même — je découvre des symptômes de neuras-
thénie, de déséquilibre psychique. Je ne peux m'adresser à personne et je me sens personnellement dépassé.
Vous allez me comprendre, mademoiselle, vous qui
réunissez en vous tout un tribunal. Jusqu'ici, j'avais
réussi à me redresser, à me maintenir. Mais, depuis
un certain temps, la destruction gagne en puissance.
Je n'ai presque plus envie de m'y opposer. Vous venez
de dire que vous n'avez pas eu d'amis... J'en ai eu
un. Un seul. A part lui, je n'ai eu que des relations,
à New York.

— Pour un homme, c'est plus facile, hasarda-t-elle.

— Ne croyez pas cela. Un homme peut être, plus
qu'une femme, hermétiquement enfermé dans ses
maladresses, dans son comportement qui rebute les
autres... »

Il se tut.

« Ne regrettez pas ce que vous venez de dire, monsieur Farrel. Je vous ai demandé si vous étiez un

homme discret. Cela va de soi et j'ai confiance en vous. Je suis, aussi, je crois, ce qu'on appelle une femme secrète. Je ne pourrais pas vous promettre que j'oublierai tout, je mentirais, mais je peux jurer que personne, jamais, n'aura la moindre idée de ce que vous pourrez me raconter si vous en éprouvez le besoin. Voulez-vous encore du thé ?

— Oui, merci, répondit l'Américain, mais il ne toucha plus à sa tasse. Le docteur n'a pas parlé de moi ? »

Elisabeth ne broncha pas.

« Non, pourquoi aurait-il parlé de vous ?

— J'ai été chez lui pour une consultation, samedi, dit Farrel.

— Cher monsieur, dit Elisabeth, et elle s'admirait, le secret professionnel existe... Jamais le docteur Laffont ne m'a parlé d'aucun de ses clients. Ce serait contre toute règle humaine et professionnelle.

— Evidemment, dit John. Croyez-vous qu'il soit intelligent ? »

Elisabeth se versa vite un peu de lait.

« Il a une forme d'intelligence très particulière. Pourquoi, monsieur Farrel ? »

L'Américain, apaisé, lui dit :

« J'ai beaucoup regretté ma visite chez lui. Je lui ai parlé de mes souffrances intimes. Vous pourriez croire que je vis en dehors du monde, que ce cimetière me sépare de la vie réelle. Mais c'est juste le contraire. Sans le vouloir, je prends sur moi le poids des événements comme si j'en étais responsable.

— Responsable de quoi ? demanda Elisabeth.

— Vous allez me trouver ridicule.

— Non, dit-elle. Je ne comprends pas très bien, mais je ne vous trouve pas ridicule.

— Quand j'étais adolescent, dit Farrel, j'aurais voulu sauver le monde.

— Quoi ?

— J'aurais voulu être comme un trait d'union entre l'Europe et l'Amérique. Je pensais, ivre de ma jeunesse, que j'accomplirais une œuvre qui justifierait mon existence et qui pourrait servir l'humanité. Je ne suis même pas mort au débarquement.

— Avez-vous eu une raison précise, demanda Elisabeth, pour être resté après la guerre en Normandie ?

— Oui, dit John. Mon ami y est enterré. Il était pour moi plus qu'un frère de sang, il était mon unique ami. J'ai toujours regretté de ne pouvoir dire qu'il était mon meilleur ami : le mot meilleur aurait pu faire supposer que j'en avais plusieurs. Il était mon ami...

— Et il est mort ? questionna Elisabeth, et elle envoya au ciel une prière pressante pour que personne n'ait envie de pénétrer dans le magasin.

— Il est sous une des croix blanches du cimetière. Depuis dix-huit ans, je me pose la question...

— Quelle question ? lança Elisabeth.

— Je ne sais pas si je ne suis pas coupable de sa mort.

— Qu'avez-vous fait ?

— Rien et tout. Je suis vivant et lui, il est mort.

— C'est le destin, dit Elisabeth.

— Le destin... »

Farrel hésita.

« Nous nous sommes rencontrés, à l'âge de vingt ans, dans la salle de *L'Evening Star*. On demandait un reporter. Je voulais devenir journaliste. J'ai posé ma candidature; j'ai été convoqué. Je revois, comme si c'était hier, la salle d'attente avec les piles de journaux, les grands cendriers emplis de sable fin où tant de cigarettes éteintes s'enfonçaient, les fauteuils confortables... On dévisageait forcément celui qui entrait; nous nous regardâmes. Les autres étaient plus hostiles qu'indifférents. J'étais pour ma part plein d'élan et de curiosité. Je n'aurais jamais osé ouvrir la bouche pour m'adresser à l'un de ceux qui attendaient; je me sentais bien gauche... Je les jugeais tous plus aptes que moi pour l'emploi. Ils disparaissaient au fur et à mesure; un huissier les emmenait un par un. Ils ressortaient maussades et ils étaient vite engloutis par les ascenseurs. Nous sommes restés deux; j'étais, moi, l'avant-dernier. Tandis que je suivais l'huissier, mon regard se posa sur l'autre, le dernier; il m'a fait un clin d'œil et il m'a souri. Je suis entré chez le directeur, qui m'a fait asseoir en face de lui. Machinalement, il a alors énoncé une série de questions; je répondais la vérité. J'avouais que je n'avais pas d'expérience, que je n'avais jamais tenté de me placer ailleurs qu'à New York parce que je n'aurais pas voulu abandonner ma mère. Je n'ai pas le don de l'improvisation. Au bout de quelques minutes, je sentais que ça allait mal; j'imaginais vaguement que j'aurais dû répondre, chaque fois, juste le contraire de mes pensées; j'hésitais à mentir. Je fus exécuté par sa dernière question. Il

avait baissé ses lunettes; me regardant par-dessus les
verres : « Si je vous donnais le libre choix, demanda-
« t-il, dans quelle section aimeriez-vous débuter, mon-
« sieur Farrel ? » Sans hésitation, je lui ai répondu que
j'aimerais devenir critique d'art, parce que j'aimais les
arts... J'ai su, plus tard, que cette rubrique était le
point de mire de tous les débutants et que, pour un
directeur de journal, le seul homme valable était
celui qui proclamait humblement : « Je veux être
« le dernier des reporters, monsieur le directeur,
« l'homme à tout faire de la rédaction. Je n'ai pas
« d'autre ambition que de faire partie de votre équipe
« si brillante; je me contenterai du niveau le plus
« bas, pourvu que, avec votre grande connaissance
« des êtres humains, vous me donniez peut-être la
« chance de vous prouver, au bout de quelques années
« de labeur, que j'étais digne de votre choix. » Le
directeur pianotait sur le bureau. Il m'a promis que
mon nom et mon adresse seraient notés et que je
serais convoqué, le moment venu, s'il en décidait ainsi.
Je me suis retrouvé dans la salle d'attente où le jeune
homme m'a adressé un autre sourire. « Une cigarette ? »
Je ne fumais pas, mais j'étais incapable de la lui refuser. « Ça a marché ? me questionna-t-il. Je m'appelle
« Fred Murray, et vous ? — John Farrel », ai-je répondu.
Nous nous sommes serré la main. « Quelles ont été
« les questions du vieux ? » Je lui ai raconté l'entrevue
en détail et, en pensant à ma maladresse, j'ai expliqué
à Fred toutes les erreurs que j'avais commises dans le
bureau du grand Norman Mills. « Surtout, lui ai-je
« expliqué, gardez-vous bien de dire que vous aimeriez

« collaborer à la page des expositions et des concerts !
« Méfiez-vous des pièges, car il vous parlera théâtre.
« Refusez aussi la moindre rubrique concernant la poli-
« tique... Soyez très humble et faites semblant de vous
« passionner pour les faits divers. Mais peut-être les
« faits divers vous passionnent-ils ? » Son regard brillait derrière les lunettes. « J'aime la politique, dit-il.
« Alors, continua-t-il en se penchant vers moi, vous
« a-t-il engagé ou non ? Avez-vous un espoir ? — Je ne
« crois pas; » quand il m'a congédié, il avait l'air soulagé. « Un de ces jours, on va boire un pot ensemble »,
me dit-il et, obéissant au geste de l'huissier qui venait
le chercher, il disparut.

« J'aurais dû partir. Je ne savais pas ce que j'attendais, cloué dans cette salle d'attente. J'ai parcouru
l'*Evening Star* du jour. Je n'étais pas retenu par la
curiosité, mais j'avais le désir de revoir ce gentil Fred
Murray. Au lieu d'accepter le verre qu'il m'avait
offert, j'aurais voulu, moi, lui proposer un café. Personne n'était resté aussi longtemps que lui. De mon
fauteuil, j'ai vu s'ouvrir enfin la porte du directeur.
Fred en sortit, accompagné par Norman Mills qui,
tout joyeux et rajeuni, lui tapait sur l'épaule. Fred
était en train de lui raconter une anecdote. Norman
Mills souriait; il avait dû trouver la plaisanterie drôle,
et les deux mornes huissiers se mirent à rire pour faire
plaisir à leur directeur. Il serra longuement la main
de Fred. Celui-ci enfin prit congé. J'ai eu beaucoup
de peine à le rattraper; il avait dû oublier qu'il
m'avait vu avant le rendez-vous ou, plutôt, il avait
dû croire que j'étais parti. En lui courant après, je l'ai

retrouvé au rez-de-chaussée. « Ah ! vous, me dit-il,
« joyeux. Je suis engagé ! Il m'a donné la réponse à
« l'instant même. » J'étais fort heureux pour lui. Nous
avons quitté ensemble l'immeuble du journal. Dans un
drugstore, nous avons bu un milk-shake; j'aurais voulu
payer et il m'en a empêché. « L'addition est pour
« moi. Grâce à vos tuyaux, j'ai pu mettre le doigt
« dans l'engrenage. Je fais partie de l'équipe de
« l'*Evening Star*. — Quels tuyaux ? lui ai-je demandé.
« — Oh ! fit-il, j'ai fait le grand numéro au directeur :
« j'ai été humble, modeste, fervent. Je lui ai dit que
« j'avais travaillé comme pigiste dans un journal de
« province. Il ne le vérifiera jamais. Je lui ai assuré
« que, depuis le berceau, je ne rêvais que de faits
« divers et je lui ai juré que je me désintéressais tota-
« lement de la politique. »

John se tut.

« Et après ? demanda Elisabeth.

— Fred et moi nous nous sommes ainsi liés. Soyez
sûre que si j'étais mort c'est lui qui serait ici à ma
place. Dans le bateau, il m'a dit : « Mon vieux John, si
« tu y laisses ta peau, je garderai ta tombe et je la
« fleurirai. »

La sonnette de la porte d'entrée retentit. Elisabeth
alla au magasin et John entendit une cliente qui
s'exclamait : « Quelle chance que vous soyez ouverte
le lundi, mademoiselle Lemercier ! J'avais cru le
contraire. J'ai tenté ma chance en passant. J'ai vu, il
y a quelques jours, une médaille dans votre vitrine.
J'aimerais la donner ce soir à ma sœur; c'est son anniversaire. » Il fallut qu'Elisabeth emballe la médaille,

qu'elle fasse un joli nœud d'un ruban doré. Elle revint vers John qui se leva.

« Merci pour le thé, mademoiselle Lemercier.

— Ne partez pas encore. Je pourrais fermer le magasin et vous me raconteriez l'histoire de Fred.

— Je n'ai plus envie de parler, dit-il, soudain hostile. J'ai toujours tort de vouloir m'expliquer. Cette affaire me concerne. Je me suis tu pendant dix-huit ans.

— Vous n'avez pas de parents, monsieur Farrel ? demanda-t-elle. Des frères ou des sœurs ?

— Non. J'étais un enfant unique. La fin de bien des générations.

— Ne dites pas cela, vous pourriez vous marier un jour.

— Ne plaisantez pas, mademoiselle Lemercier.

— Votre ami Fred était marié ? »

John s'exclama :

« Fred marié ? Jamais. Il était l'homme le plus libre, le plus indépendant qui soit au monde. Pourtant, vous lui auriez plu. Il aimait ceux qui savaient écouter.

— Vous revenez quand ? demanda-t-elle.

— Je ne sais pas. Je crois pourtant que je vais revenir, si vous le permettez. »

Il prit sa casquette.

« J'étais bien ici. »

Il dévisagea Elisabeth.

« Vous inspirez confiance.

— Merci », dit-elle.

Quand il fut parti, Elisabeth retourna dans l'arrière-boutique. Elle lava les tasses et les rangea dans un

petit placard. « Que s'est-il passé entre eux ? » se
demanda-t-elle. Elle s'assit, inerte, dans un fauteuil et
oublia le temps. « Que s'est-il passé entre eux ? Le
saurai-je un jour ? » Farrel avait pris soudain une
telle place dans son existence qu'elle ne voyait plus
que lui...

John se retrouva seul. Il contemplait distraitement
la place Saint-Martin et parcourait du regard les
fenêtres fermées des vieux hôtels particuliers. Il guettait un signe, un mouvement. Il eût aimé voir s'ouvrir,
ne fût-ce qu'une lucarne, apparaître un être vivant,
un homme ou un enfant, n'importe, qui lui aurait crié
de loin, en agitant un mouchoir blanc : « Nous sommes
amis, venez nous rejoindre. La maison est bonne. Nous
sommes vos amis, nous vous attendons. » La place,
rigide, endormie, semblait sortir d'un autre siècle. Pendant un instant, il eut la tentation de retourner vers
Mlle Lemercier, de se retrouver dans la lumière rose
de l'arrière-boutique et de lui parler.

Il réussit à vaincre ce moment de faiblesse. Bousculé
par un vent aigre, il s'engagea dans la rue Saint-
Mainvieux. D'une fenêtre d'un appartement du rez-
de-chaussée, un enfant, le visage collé contre la vitre,
regardait la rue. John s'arrêta un instant, sourit à
l'enfant qui, grave, ne broncha pas. De l'autre côté
de la rue, une petite vieille portait un cabas d'où sortait
un long pain. Un homme sur un vélo le frôla presque.
Frissonnant, il arriva devant l'Abbaye-aux-Hommes.
Il hésita devant l'église et il entra comme pour se
réchauffer. La porte se referma derrière lui. L'écho
d'un léger grincement s'évanouit. Il se retrouva seul

dans la nef. Il remonta vers l'autel. Aujourd'hui, il ne venait pas pour admirer ce miracle d'architecture. S'il avait pu prier ! Il se mit à genoux au pied d'un banc et cacha son visage entre ses mains. Le silence, pareil à la surface d'une eau profonde, laissa apparaître, avec une lenteur imperceptible, le visage de Fred. « Pourrait-on imaginer plus grande punition, pensa John, que d'être livré à soi-même ? » L'âme vide, à genoux dans l'église au fond de laquelle les pas d'un inconnu résonnaient, Farrel cherchait en vain un contact avec Dieu. Au début de sa vie, Dieu était pour lui un père que l'on venait charger de petites peines, de soucis médiocres ou de chagrins d'enfant. Il était devenu, plus tard, une puissance indifférente; il avait, alors, cessé d'émouvoir John Farrel. Après la mort de Fred, et pendant quelques mois, il était devenu un ami intime, un infirmier de toute heure, qui pansait les blessures. Et puis, leur intimité avait été bouleversée par les révoltes de John qui, au lieu de prier, discutait âprement. En définitive, la mort de Fred avait mis fin à une cohabitation morale, terminé une entente tacite entre le Créateur et la Créature. Dieu, pensait John, se désintéressait de lui et laissait le vide se creuser entre eux.

Farrel resta longuement prostré. Il ne priait pas, il attendait. En vain.

CHAPITRE VII

ELISABETH ayant renoncé au rendez-vous du samedi, Laffont était resté chez lui. Incertain, guettant ses propres réactions, il voulait croire au prétexte d'Elisabeth et avait renoncé à aller seul au Rabelais. Il était l'homme de ses habitudes. Depuis six mois, il prenait ses repas du samedi avec Elisabeth et il passait une nuit avec elle. Il la considérait comme sienne. Il aimait la croire amoureuse de lui. Elisabeth, douce et malléable, le réconfortait. Il tenait là sa première réussite sentimentale. Il pensait que plus aucune femme ne l'intéresserait, qu'il serait peut-être tenté d'embrasser d'un coup d'œil une fine cheville, une chevelure soyeuse, un sein, mais que le temps des aventures était fini. Sa hantise perpétuelle d'être l'homme qui n'a jamais eu de chance s'atténuait en présence d'Elisabeth. Il aimait son parfum de respectabilité comme le tempérament secret qu'il avait découvert en elle. Auprès d'Elisabeth, il cherchait son propre personnage. Il aurait voulu être à ses yeux l'homme rangé, le médecin sûr, le confident idéal et, en même temps, il n'avait aucune envie de cacher ses opinions et ne se privait pas de critiquer violemment la société même au sein de laquelle il aurait souhaité être introduit. Au fond, il n'aurait voulu céder sur aucun plan. Son orgueil lui donnait une sorte de satisfaction. Il avait accepté qu'il y eût en lui-même ce déséquilibre, ces deux tendances. Un jour, il raconterait à Elisabeth, qui ne connaissait que les grandes lignes de sa vie, ses années dans le quartier ouvrier où il avait cherché refuge contre les riches dont la présence avait pourri l'idéal de sa jeunesse...

Revenu de la guerre, Laffont s'était en effet installé dans une banlieue ouvrière. Il voulait être un apôtre moderne, un apôtre laïc tendu vers le peuple. Il voulait être plongé avec eux dans leur misère et leurs soucis, les soulager, les aimer, les guérir. A cette époque, fervent lecteur de Marx, il avait décidé d'être communiste comme on entre au couvent. Il recevait chaque malade avec commisération. Il leur répétait des mots lus et appris sur l'accroissement des populations, sur la lutte des classes, sur le système économique. Les gens paisibles le regardaient, étonnés. Ils n'appréciaient guère d'être mêlés à la politique quand ils venaient se plaindre d'une douleur physique. Pour Laffont, l'ulcère de l'estomac trouvait ses origines dans l'agacement perpétuel qu'éprouvent les petites gens en proie à de profondes injustices sociales. Il ne se contentait pas d'interpréter les vraies raisons de la maladie. Il voulait s'installer dans l'esprit de ceux qui le consultaient, devenir leur ami, et il terminait presque chaque consultation par un discours sur la vie des sociétés. Il se voyait vieillir parmi ces gens qui l'auraient béni. La plupart du temps, il refusait les honoraires; il n'acceptait juste que le minimum pour pouvoir vivre.

Les malades se méfiaient de cet enthousiasme débordant. Ils étaient habitués, auparavant, aux praticiens calmes, plutôt indifférents, à qui ils pouvaient aisément raconter leurs misères quotidiennes. Ils préféraient ces médecins qui regardaient leurs vices en étrangers et à qui on pouvait parler sans honte. Mais comment se dévoiler devant ce docteur Laffont qui attachait sur eux son regard brûlant, qui voyait dans les recoins obscurs de leur âme, non par curiosité, mais par souci de perfection ? A eux qui se plaignaient d'une grande fatigue, le docteur tenait des propos violents contre les patrons. Il critiquait le nombre des heures qu'il fallait consacrer au travail pour pouvoir entretenir une famille. Evidemment, les malades se recroquevillaient moralement. Méfiants, ils craignaient que ces conversations ne restent pas secrètes; ils avaient peur de perdre leur place. L'effervescence inhabituelle de Laffont les mettait mal à l'aise. A la fin, on le prenait pour un agent provocateur, un espion payé par les patrons. Pourquoi voulait-il voir ces logis médiocres où les gens cachaient leur misère comme une blessure honteuse ? Pourquoi disait-il des absurdités en évoquant la vaste maison du patron de l'usine ? « Si vous aviez ses salles de bains, la pièce de son chauffage central, ne fût-ce que ses garages pour vous loger. »

Aux réunions du Parti, le docteur Laffont était le plus bruyant. Il tapait sur la table, il réclamait. Il houspillait ses camarades. Il critiquait leur lenteur et leur politique d'éternelle attente. « Il faut bouger, déclarait-il souvent, le temps nous échappe, les générations grandissent dans la misère. Pour qui va-t-on préparer un nouveau monde, si nous dormons ? Il faut que nous assurions un niveau de vie meilleur aux enfants de ceux qui sortent de la guerre. »

On se méfiait de lui. Il s'élevait autour de lui comme un mur d'hostilité. Il répétait alors à son entourage : « Ayez confiance en moi, je vous en supplie. Je suis là pour vous, je veux servir la Cause. » Personne n'en demandait autant. Plus il offrait ses services, plus les gens devenaient réticents. Ses méthodes rebutaient aussi. Au lieu de donner des repos de trois ou quatre jours, si agréables, ces congés-oasis dans les vies difficiles, il voulait guérir. Pour les crises de foie, au lieu de prescrire de rester chez soi, il interdisait l'alcool. « La France est pourrie par le vin, déclarait-il, buvez des jus de fruit, buvez du lait, buvez de l'eau. » Et il continuait, désespéré : « Chez nous, les générations poussent dans une terre abreuvée de vin. Le vin sort des mamelles des mères. Il faut remodeler et purifier les corps aussi bien qu'il faut vivifier l'esprit et l'âme. Ne buvez plus. Au bout de quelques semaines, vous verrez, il n'y aura plus de crise de foie. Je ne vous donne pas d'arrêt de travail, vous n'avez pas le droit d'affaiblir la collectivité par votre absence. Cessez de boire et vous guérirez seul. »

« Le bonheur des autres, répétait Laffont, impatient. Nous travaillons pour ceux qui nous suivront. Ils vivront dans la prospérité. »

Les gens qui l'avaient essayé l'abandonnaient tour à tour et revenaient vers le vieux docteur démuni de principes. Le regard rêveur et légèrement gâteux de celui-ci supportait les confessions les plus lourdes et il signait, signait les papiers, tant qu'on lui en demandait. Au bout de quelques années, Laffont s'était trouvé seul. Au lieu de conquérir le monde, il s'était mis le quartier à dos. Il avait pris l'habitude de rester seul dans son appartement, attendant les coups de sonnette. Pourtant, lors de l'apparition d'un nouveau visage, au lieu d'être prudent, Laffont assaillait l'arrivant de sa faconde, presque les larmes aux yeux.

Après sa défaite, il changea de banlieue. Il s'installa dans un groupe d'immeubles nouvellement construits. Il survivait parce qu'on avait besoin d'un médecin comme on a besoin de l'épicier, du marchand de journaux et du bistrot. Les disputes des ménages traversaient les murs. Les enfants criaient dans les escaliers. Il fallait conseiller aux visiteurs de parler bas pour que la confidence reste secrète. Il savait les habitudes de ses voisins. Les chasse-d'eau, pareilles au Niagara, éclaboussaient de bruit ses nerfs excédés. Désabusé, prématurément vieilli, rejeté de tout ce qui avait un temps fait son idéal, il avait ainsi décidé de changer de vie et de repartir à zéro. C'est alors qu'il avait loué la maison de Mosles. Il ne lui restait, croyait-il, qu'un seul terrain à prospecter, un seul milieu à explorer : les ruraux et leurs villages. Il était parti pour la Normandie comme on prend sa retraite, pour vivre sans penser.

Ce soir, il tournait autour de son téléphone. Il composa le numéro d'Elisabeth. Elle lui avait dit être absente de Caen pour la journée. Dans son imagination, il suivait le trajet de la sonnerie et son ricochet dans le grand appartement. Il imaginait aussi qu'Elisabeth était dans la boutique, en bas. Elle souriait peut-être. Elle servait une dame bavarde et, derrière son sourire angélique, elle enregistrait comme une machine à calculer le nombre des appels qui retentissaient à l'étage au-dessus. Il se moqua de lui-même. Il trouvait ridicule l'idée qu'il puisse être jaloux. Jaloux de qui ? D'abord, il savait très bien que, lorsqu'on était en bas, dans la boutique, on n'entendait pas du tout le téléphone de l'appartement. Et puis, Elisabeth était réellement partie de Caen. Pourquoi aurait-elle menti et pourquoi, lui, avait-il une envie pareille de vérifier ? Il craignait en même temps de trouver Elisabeth chez elle.

Secrètement aussi, il espérait le retour de John Farrel. Quand il allait vers la salle d'attente, il ressentait comme un pincement au cœur. Il ouvrait à chaque fois la porte avec espoir et se recroquevillait sur lui-même en face des grossesses avancées, des angines ou des rhumatismes. Attiré par le mystère qui l'avait rebuté au début, il attendait que l'Américain se manifestât. Sa curiosité médicale, qu'il avait crue endormie pour toujours, s'était réveillée depuis cette rencontre.

A qui aurait-il pu téléphoner ce soir ? Il ne connaissait pas encore assez bien les gens de la région. La société caennaise, hermétiquement fermée, attendait son mariage avec Mlle Lemercier avant de le recevoir. Impatient, il décida presque de partir pour Paris. Au bout d'une demi-heure de réflexion, il renonça à cette improvisation. Il ne pouvait pas partir sans se faire remplacer. Qu'est-ce qu'il aurait donné ce soir pour l'atmosphère enfumée d'un petit bar. Il eût aimé rester assis, presque caché, dans un coin, sur une petite chaise dure. Il aurait eu devant lui une bouteille de champagne, sur une minuscule table, et il aurait contemplé un spectacle de strip-tease... Il se souvenait bien d'une rousse au visage de madone, d'une rousse somptueuse qui se déshabillait comme on se suicide. Elle avait de grands yeux verts; elle regardait au-dessus des têtes des spectateurs. Moralement, elle était absente. Il aurait aimé capter ce regard vert. Une fois, il avait eu de la peine à vaincre la tentation de se lever au milieu du numéro, d'avancer vers la scène et de crier à ce fantôme voluptueux : « Je suis aussi seul que vous, regardez-moi, je suis l'autre spectre, partons ensemble. » Evidemment, il s'était tout de même gardé de provoquer ce petit scandale. Il aurait eu peur qu'on ne le prenne pour un ivrogne. C'est ce qu'il aurait détesté le plus. Pourtant, il avait rassemblé son courage et il s'était présenté, un soir, dans la loge de la strip-teaseuse. Il était entré dans une pièce étroite où l'odeur de sueur était plus forte que tous les parfums. Il avait vu quelques vêtements accrochés sur des cintres, un vieux paravent et la rousse dans une robe de chambre dont deux boutons manquaient. Elle était assise devant sa table de maquillage. Elle l'avait dévisagé en le regardant dans sa glace. Il n'avait rencontré son regard qu'à travers les reflets d'un miroir. « Vous désirez ? » avait demandé la jeune femme. Elle s'était retournée vers lui. Elle semblait plus grande que sur la scène. Laffont avait découvert sous le fond de teint des pattes d'oie profondément marquées autour des yeux et deux lignes amères qui encadraient la bouche. La femme magique du petit théâtre s'était transformée en ce qu'elle était réellement : une simple femme fatiguée, enfermée entre ses quatre murs crasseux.

« Je voulais vous dire, avait lancé Laffont, que vous êtes fort belle. N'ayez pas de complexe. Votre corps est plus pur que n'importe lequel des nôtres. Il a la pureté des statues anciennes. Il a la perfection de ces chefs-d'œuvre monstrueux qui sont exposés dans les musées, que tout le monde peut admirer, que les adolescents contemplent, que les touristes caressent secrètement. Vous êtes aussi peu expressive, madame, qu'une morte. » Elle avait fait une grimace. « C'est tout ce que vous avez à me dire ? » Laffont s'était mis à sourire. « Dînez avec moi. — Non, avait fait la femme, j'aurais peur de vous. Quand je vous écoute, j'ai envie de me pendre. — Je vous ai froissée ? » La strip-teaseuse avait bâillé. « Vous ne m'avez pas froissée, vous me faites horreur. Vous avez dit que je ressemblais à une jolie morte. Encore devrais-je être très heureuse que votre morte soit belle. — J'ai été maladroit, avait-il dit, mais je voulais que vous sachiez que j'avais compris votre attitude. Je sais que la condition de votre vie est tout à fait inhumaine. Nous pouvons tous les deux être considérés comme des incompris en marge d'une société. — Je ne suis pas du tout en marge de la société, avait-elle répliqué en polissant ses ongles. Mon seul chagrin, c'est de ne pas pouvoir manger à ma faim. Ce n'est pas une question de fric, c'est à cause de ma ligne. Si j'ai l'air morte, c'est que je m'ennuie. Partez maintenant, vous portez malheur ! »

Il était sorti dans la nuit glaciale et s'était dit à mi-voix : « Personne ne veut de moi. Ni Dieu, ni Marx, ni une strip-teaseuse. Que pourrais-je faire ? » Il avait interpellé un clochard et l'avait emmené au zinc d'un comptoir. Il l'avait fait boire abondamment et l'avait laissé parler jusqu'à l'aube. Vers trois heures du matin, pour le dégriser, il lui avait expliqué les symptômes de la cirrhose du foie et l'avait menacé de mort s'il buvait un verre de plus.

« Est-elle vraiment absente ? » se demanda-t-il. La soirée avec Elisabeth lui manquait profondément. De nouveau, il composa le numéro. Il laissa retentir la sonnerie vingt-neuf fois. Il voulait venir à bout de la résistance nerveuse d'Elisabeth. Il la voyait réfugiée dans les coins les plus obscurs de son appartement, collant ses mains sur ses oreilles, se jetant sur son lit et mettant un oreiller sur sa tête pour ne plus entendre. Personne.

Plus tard, il refit encore une fois le numéro et, soudain, le signal occupé commença son hoquet joyeux dans le silence. Doucement, il remit l'écouteur sur l'appareil. Il sortit de la maison, prit sa voiture et s'engagea sur la route de Caen. Il allait très vite. Il faillit brûler un feu rouge avant d'arriver à la rue Saint-Pierre. Il ralentit. Il arriva à trente à l'heure sur la place Saint-Martin. Il vit immédiatement que les fenêtres d'Elisabeth étaient éclairées. Il se rangea juste en face, au bord du trottoir, et s'installa dans l'attente.

CHAPITRE VIII

« Pourquoi laissez-vous l'écouteur à côté de l'appareil ? » demanda John.

Elisabeth répondit, détendue :

« Parce que j'ai composé mon propre numéro... Donc, on ne peut pas m'appeler; je me défends ainsi contre le monde extérieur; je préfère bavarder avec vous tranquillement. »

Assis devant la cheminée, John regardait les flammes anémiques qui, sans appétit, grignotaient le bois.

« Vous êtes apaisante, mademoiselle Lemercier », dit-il.

Elle aurait aimé être le contraire; pourtant, elle acceptait cette phrase comme une aumône.

« Vous vivez, vous aussi, dans la lumière de vos ancêtres, mademoiselle Lemercier; votre passé est ici, dans ce petit salon.

— Le passé... reprit Elisabeth. Abandonnons le passé... Il faut vivre dans le présent.

— Qu'appelez-vous le présent? Ce no man's land entre deux mondes? Entre celui qui disparaîtra et l'autre qui émergera derrière les fusées, les appareils monstrueux et les usines géantes ? Le XXIe siècle sera un nouveau monde, un univers mécanique impersonnel et paisible.

— Je ne voudrais pas vivre dans un monde sans amour, dit Elisabeth. Ma consolation, c'est que je n'existerai plus. »

John jeta un coup d'œil à sa montre.

« Il est déjà neuf heures moins le quart, dit-il; je dois appeler un taxi pour rentrer à Saint-Laurent. Ma voiture ne sera réparée que demain soir.

— Je vous ramènerai, dit Elisabeth; je n'ai pas encore vu le cimetière sous la lune.

— Le cimetière est un lieu de pèlerinage, et pas une curiosité touristique », dit John, d'une voix soudain sèche.

Elisabeth changea de sujet :

« Depuis l'autre jour, l'histoire du duel me revient souvent à l'esprit; quelle merveilleuse légende ! »

Le visage de John s'éclaira :

« Fred aimait beaucoup cette histoire. Lui qui était contre le roman — il ne croyait pas à la littérature —, il voulait écrire la biographie romancée de mes ancêtres.

— Pourquoi ne l'auriez-vous pas fait, vous ? demanda Elisabeth.

— Parce que je n'avais ni la qualité intellectuelle ni le talent suffisants pour m'attaquer à un récit pareil.

— Vous êtes trop modeste, s'exclama Elisabeth.

— Il faut connaître ses limites, mademoiselle Lemercier. Quand, grâce à Fred, j'ai pu être engagé à *L'Evening Star*, j'ai compris vite quel était mon domaine.

— « Grâce à Fred » ? Vous vous êtes rencontrés dans la salle d'attente, donc, vous y étiez allé de vous-même. C'est lui qui...

— Je serais resté sur le premier échec, répondit John; je n'aurais pas pu revoir le même huissier, remplir la même fiche, et revoir Norman Mills, tandis que Fred m'a entraîné.

— De quoi étiez-vous chargé au journal ?

— Des menus faits de la vie courante; j'avais juste assez de souffle pour vingt-cinq à trente lignes. Mais il paraît que je pouvais donner des détails pittoresques et un ton émouvant. Evidemment, au début, je rêvais de voyages, de grands reportages. Toujours préoccupé par l'Europe, à cause de ma mère, je surveillais les deux mondes. Je lisais des livres, des documents, tout ce qui concernait les relations entre les continents... Je voulais par exemple arriver à comprendre les raisons pour lesquelles des Américains avaient jugé bon de s'installer en dehors de l'Amérique afin d'y vivre de leurs rentes. J'aurais aimé interviewer les Américains de Florence, de Naples, de Nice, d'Espagne ou de Cannes. Quel visage avaient-ils, ces aimables riches qui avaient presque abandonné leur propre pays pour poursuivre ailleurs leur existence ? Je pensais que le public américain pourrait se passionner pour une telle enquête qui, en somme, le concernait directement. J'ai proposé l'affaire à Fred. Je me souviens de son manque d'enthousiasme; il était beaucoup plus réaliste que moi; il voyait tout de suite le budget que représentait une expédition pareille, et la tête que ferait Norman Mills lorsqu'il lui aurait proposé

le reportage. Pourtant, j'ai insisté auprès de Fred; j'ai
essayé de lui expliquer que, selon moi, ces Américains
cherchaient presque un refuge en Europe; c'était peut-
être de racines qu'ils avaient besoin; je parle d'un
besoin mental.

— Et alors ? dit Elisabeth.

— Le journal a disposé d'un passage gratuit à
l'occasion de l'inauguration d'une grande ligne aérienne;
Mills l'a proposé à Fred. Celui-ci a donc pu faire le
tour de l'Europe à très peu de frais. Il m'a demandé
très gentiment l'autorisation d'utiliser cette idée d'interviewer nos compatriotes; j'ai été d'accord à l'instant
même. Son enquête a eu un très grand succès. Il
fallait être Fred pour utiliser aussi bien cette idée
initiale que je lui avais donnée. Les articles ont paru
ensuite en livre, sous le titre : *Chez les réfugiés américains.* Vous ne pouvez pas imaginer, mademoiselle
Lemercier, ce que le monde journalistique a perdu quand
Fred est mort. C'était un homme génial, unique. »

Elisabeth avala sa salive; elle se domina; elle eût
aimé se lancer dans un dialogue violent, contredire
John, le persuader de l'erreur qu'il avait commise en
cédant son idée. Mais elle préféra se taire; elle se
leva.

« Venez avec moi à la cuisine, nous allons vider le
réfrigérateur; j'ai encore un demi-poulet d'hier. »

John la suivit.

« Elle est charmante, votre cuisine; j'aime bien ces
assiettes sur le mur et ces casseroles en cuivre... »

Elisabeth s'affairait autour de la table; elle mit une
nappe rouge.

« Je voulais installer une cuisine qui soit un peu aussi une salle à manger. Seule, je mange toujours là. »

En quelques instants, le poulet froid, la salade, une bouteille de vin entamée, deux verres, le fromage et quelques fruits se trouvèrent préparés.

« Quand mon père n'était pas à la maison, je mangeais également à la cuisine, à New York », dit John.

Elisabeth mordait à belles dents dans une aile de poulet.

« Une cuisine à New York doit être une sorte de laboratoire !

— Oh ! non, dit John. Nous habitions dans une petite maison de trois étages; ma mère avait loué le rez-de-chaussée et le troisième. Nous avions gardé le second étage, avec un balcon qui donnait sur une petite cour. Dans cette cour, se trouvait un arbre; il était devenu presque un membre de la famille; nous l'aimions. J'étais encore tout petit garçon quand mon père me montra l'arbre au printemps, avec ses bourgeons. J'ai appris ainsi à suivre l'évolution des saisons. Je surveillais l'insidieux travail de l'automne, quand notre arbre sombrait dans la tristesse, perdant ses feuilles jaunes et vieillies. En hiver, il était souvent couvert de neige.

— Comment votre fameuse grand-mère, si pleine de mépris pour son mari, avait-elle pu tout de même accepter la maternité ?

— C'était une femme de devoir. Elle a eu cinq enfants, mademoiselle Lemercier. Elle a eu d'abord quatre fils qui lui ressemblaient, puis une fille qui eut l'audace d'être la copie de son père. Elle aimait ses fils comme un dompteur aime ses fauves. Elle devinait leurs talents, leurs tendances, leur tempérament. Elle les broyait avec sa volonté. Mon grand-père, un homme très fin et cultivé, parlait souvent le français avec ma grand-mère. Pour démontrer que cette culture ne remplaçait guère les origines dont elle-même était fière — Antoinette considérait toujours son mari comme un parvenu — elle avait décidé que ses fils ne parleraient dorénavant, en dehors du hongrois, que les langues mortes : « Ils ont des centaines d'années « derrière eux, avait-elle dit; qu'ils s'expriment en « grec et en latin ! » La petite fille au moins échappa à la domination maternelle. Il paraît que lorsque la sage-femme annonça à ma grand-mère : « Le nouveau-né est du sexe féminin », la réponse fut simplement : « Occupez-vous d'elle, je ne la nourrirai pas. » Ma mère, une petite fille solitaire, à l'ombre de quatre grands frères qu'une éducation archaïque destinait à être des originaux, grandit ainsi dans le silence d'une belle maison hostile. Tous ses souvenirs tendres s'attachaient à son père; c'est lui qui lui donnait le baiser du soir, qui lui faisait dire ses prières et qui accourait en robe de chambre si la petite avait un malaise pendant la nuit. Ma grand-mère considérait qu'elle avait rempli amplement ses devoirs et que ni le ciel ni l'enfer ne pourraient dorénavant l'obliger à continuer de perpétuer la race; elle avait depuis longtemps, pour toujours, fermé la porte de la chambre à coucher...

    « Ma mère aurait aimé poursuivre des études; elle était intéressée par les sciences.

« — Vous allez vous marier, lui dit ma grand-
« mère, vous n'avez pas besoin d'une culture particulière
« pour accoucher de vos futurs enfants; sachez vous
taire et vous accommoder de la vie, c'est le plus
important. »

« Ma grand-mère l'aurait mariée au premier venu
pour la faire partir. Alors que ma mère avait refusé
déjà des partis plus ou moins brillants — elle avait
aussi une forte volonté qui se heurtait à celle de sa
mère —, son père l'emmena un jour à Budapest, afin
de lui montrer la ville. Ils descendirent dans le meilleur hôtel, au bord du Danube. Ils avaient loué un
équipage. Durant plusieurs jours, ils se promenèrent.
Le long des quais que les acacias embaumaient,
ils admiraient fort le monde élégant des hommes
serrés dans leur redingote et des femmes
à la taille fine, qui s'appuyaient sur leur ombrelle.

« Amateur d'art, mon grand-père alla avec ma mère,
un après-midi, à l'exposition d'un peintre américain
qui venait d'arriver à Budapest, comme un Philéas
Fogg moins riche et plus fantaisiste. Le propriétaire
de la galerie présenta l'artiste à ses visiteurs. L'Américain tomba amoureux de cette jeune Hongroise
distinguée et celle-ci, faute de passion, trouva là l'occasion d'une rupture définitive avec sa mère. Elle parla
longuement avec son père qui l'encouragea. Malgré
toute l'affection qu'il avait pour elle, il préférait qu'elle
partît. Ils se dirent adieu lorsque le mariage eut été
célébré rapidement à Budapest. Ma grand-mère fut
mise devant le fait accompli. C'était, pour mon grand-
père, une façon de lui faire payer les années dures

et humiliantes qu'il avait passées auprès d'elle. Elle ne lui pardonna jamais cet acte qu'elle considérait comme une vengeance. Et la jeune fille, avec une ombrelle en dentelle et des espoirs fragiles dans son cœur, se trouva, soudain, l'épouse d'un peintre rêveur qui la conduisit, sur un grand bateau, dans une ville dont, à l'époque, on ne revenait jamais plus : New York.

— Voilà une histoire triste, dit Elisabeth.

— Ce n'est pas une histoire gaie, acquiesça John.

— Vous l'avez aimée très fort, votre mère ?

— Je l'ai aimée tendrement. Pourtant, il est certain qu'elle m'a inculqué une grande peur de l'existence. Dans notre petite rue, les commerçants l'appelaient « la jolie Hongroise ». Au début, elle protestait; pour oublier son passé, son enfance dure, elle aurait aimé devenir américaine, se fondre dans la foule et passer inaperçue. Jusqu'à la fin de sa vie, elle est restée « la femme hongroise du peintre qui habite dans la petite maison biscornue ».

« Ma grand-mère fit parvenir un peu plus tard quatre coffres de mariage. Au cours des siècles, l'habitude, en Hongrie, était de faire exécuter de grandes malles et de les faire peindre par des artistes. Nous reçûmes ainsi — j'avais alors deux ans — quatre grands coffres abîmés par le long voyage. Ils contenaient la dot de ma mère. L'un était rempli d'argenterie et de broderies, et un autre de linge de maison, brodé. Dorénavant, je dormis dans les lourds damas et les initiales de ma mère, en relief sur l'oreiller, laissaient des traces sur mes joues. Le troisième coffre comportait des tissus somptueux. Comment ma mère aurait-elle pu les mettre à New York ? Je n'oublierai jamais le jour où je suis monté pour la première fois seul dans le débarras qui servait de grenier. J'ai eu envie d'ouvrir ces coffres. Les deux premiers étaient vides; le troisième renfermait encore les tissus. Au bout de vingt ans, ces soies, ces brocarts riches tombaient en poussière au contact de l'air. Pour moi, la Hongrie était cette poussière dorée qui gratte la gorge et qui amène des larmes au bord des yeux.

« Dès le début de mon existence, ma mère m'avait appris qu'elle était une étrangère; elle me persuadait que personne ne l'aimait. J'étais intimidé en allant à l'école; j'avais l'impression de porter sur moi les empreintes indélébiles d'un autre pays. J'aurais pu être un enfant comme les autres; ma réticence même me rendait antipathique aux yeux de mes camarades.

« Je ne vous ai pas parlé du quatrième coffre. Ma grand-mère avait envoyé à sa fille le fameux costume, le trésor qui passait d'une génération à l'autre. De sa part, ce geste était aussi le signe de la rupture définitive. En renonçant à ce costume, en imaginant qu'il ne puisse plus survivre sur le corps de ses descendants, elle voulait fermer le cercle autour d'elle. Ma mère, connaissant la tradition, n'avait pu résister à la tentation de le mettre; elle posa ainsi vêtue, et mon père fit son portrait. Comment pourrais-je oublier la somptuosité fragile de cette jupe en brocart, le tablier lourd de broderies dorées ? Le tissu se désintégrait presque au long des coutures. Le mantelet rouge violent, brodé, et bordé d'hermine jaunie, me remplissait d'admiration. J'ai revu une fois encore ce costume sur ma mère, alors qu'elle avait déjà des cheveux blancs. Elle avait gardé la taille fine de ses vingt-cinq ans. Je la regardais ébloui; elle ressemblait à un revenant aimable. J'étais si impressionné que je me sentis dorénavant encore plus isolé à New York.

« Depuis longtemps, j'avais pressenti que je marcherais toute ma vie sur le sable mouvant des souvenirs d'autrui, que j'aurais à mes pieds les lourdes bottes de cet héritage de l'Europe centrale. J'aurais voulu lutter contre ce pays inconnu de moi dont la seule présence était, pour moi, des objets magiques, des tissus qui s'en allaient en poussière et l'accent de ma mère. Je ne pouvais pas inviter mes camarades; ils étaient dépaysés chez nous. Ma mère, étrange et majestueuse, les indisposait et je craignais qu'ils ne trouvent ridicule mon père qui venait de temps en temps, les yeux ouverts sur son rêve intérieur, la blouse tachée de peinture, les cheveux hirsutes, pour demander une tasse de thé.

« Les quatre coffres avaient des doubles fonds; chacun contenait des pièces d'or. L'or a la même valeur partout. Ma mère savait que son mari n'était pas un bon peintre; elle lui cachait cette tare comme on cache une maladie. Elle le persuadait qu'il serait mieux compris plus tard et, avec beaucoup de tendresse, elle lui faisait croire qu'il était un grand homme. Les pièces, au long de son existence, l'une après l'autre, y aidèrent. Il est mort paisible et heureux, dans les bras de ma mère. La cave et le grenier étaient remplis de toiles anodines, tragiques dans leur insignifiance. Sa seule réussite avait été le portrait de ma mère dans son costume national. L'éternité de mon père était le portrait de cette Hongroise timide et mystérieuse, qu'il avait enlevée dans un vertige, presque malgré lui, comme, lors d'un voyage, on achète un oiseau exotique qui, dépaysé, meurt plus tard dans sa cage...

— Voulez-vous revenir au salon ? » demanda Elisabeth.

Il regarda sa montre :

« Il est minuit et demi, mademoiselle Lemercier.

— Ce n'est pas possible ! s'exclama Elisabeth; le temps passe quand on bavarde. Il paraît que les Hongrois aiment parler, qu'ils sont capables de parler de longues nuits; ils fument et ils parlent.

— Cette longue conversation est donc due à mon côté hongrois... Vous m'excusez, je dois rentrer maintenant à Saint-Laurent. Pourriez-vous téléphoner, s'il vous plaît, pour un taxi ?

— Laissez-moi vous emmener, dit Elisabeth. J'aime conduire la nuit; il n'y a personne sur la route; on peut aller vite. Croyez-moi, vous me rendriez presque service : vous me donneriez une occasion de sortir, de respirer un peu.

— Si vous voulez. »

Ils descendirent l'escalier. Elisabeth appuya sur le bouton de la minuterie; elle s'attarda un instant sous la porte cochère.

« Vous n'avez jamais vu encore mon petit jardin secret, monsieur Farrel ? Il faut que vous veniez un jour assez tôt; je vous montrerai l'arrière-cour où se trouve une toute petite maison et mes meubles en réserve.

— Il faut que je parte, maintenant », dit John, soudain crispé.

Elisabeth actionna la fermeture automatique de la porte. En sortant de l'immeuble, elle aperçut la voiture de Laffont. Celui-ci abaissa sa vitre.

« Bonsoir, lança-t-il.

— Le docteur Laffont ? demanda John, incrédule.

— Que fais-tu là ? s'exclama Elisabeth. A minuit et demie ! »

Le visage de Laffont semblait dur, dans la lumière froide de la lune.

« Je pourrais te poser la même question : que fais-tu là à minuit et demie ? Et que fait ici M. John Farrel, ce gardien qui ne garde plus son cimetière ?

— Mlle Lemercier m'a invité à dîner, dit John d'un ton naturel.

— Et moi, dit Laffont, ironique, je passais tout à fait par hasard; je suis allé voir un malade; je revenais de la rue de Bayeux quand j'ai vu la lumière aux fenêtres, au premier; j'allais monter pour te souhaiter le bonsoir, quand je vous ai vus apparaître; je suis plutôt étonné.

— Venez, monsieur Farrel, dit Elisabeth; je vais vous reconduire. »

Furieuse, elle ne voulait pas continuer la conversation avec Laffont.

« Attends, Elisabeth, lui ordonna presque le docteur; laisse ta voiture. C'est moi qui ramènerai M. Farrel. Qu'avez-vous fait de votre voiture ?

— Elle est en réparation au garage, répondit

l'Américain. Vous seriez très aimable de me ramener;
je voulais en dissuader Mlle Lemercier; j'avais des
remords et je craignais qu'elle ne se fatigue.

— Justement, dit le docteur; je désirerais lui épargner toute sorte de fatigue.

— Et moi ? dit Elisabeth. Je n'ai aucune décision à prendre ? Tu parles de moi comme si je
n'existais pas. »

John lui tendit la main :

« Je vous remercie, mademoiselle, de tout cœur,
pour cette soirée. »

Il s'inclina.

Le docteur eut un mauvais sourire.

« Je ne savais pas que les Américains avaient des
habitudes aussi démodées que de s'incliner comme on
le faisait sur les gravures de 1900 ! Il vous manque un
chapeau haut de forme, et vous seriez parfait dans le
clair de lune !

— Au revoir, monsieur Farrel », dit Elisabeth.

John s'assit près du médecin; il referma derrière lui
la portière de la voiture. Elisabeth se pencha vers
Laffont.

« Tu ne vas pas aller trop vite, non ?

— Non, fit-il, je ne vais pas aller trop vite. »

Il démarra brutalement; il traversa en quelques
instants la place Saint-Martin; il descendit par la rue
Penmagnie, effleura la place Saint-Sauveur et s'en-
gouffra dans la rue Saint-Sauveur. Les maisons noires,
aux contours argentés, contemplaient, étonnées, cette
voiture bruyante qui bouleversait leur quiétude nocturne. Tournant violemment son volant, Laffont s'en-

gagea dans la rue Froide, chargée de souvenirs du Moyen Age; il déboucha dans la rue Saint-Pierre.

« Vous êtes un mythomane, prononça le docteur, blême de colère. Vous avez fait maintenant votre numéro à Mlle Lemercier. Elle vous a consolé ? »

L'Américain s'enferma dans un mutisme complet. Ils traversèrent l'interminable banlieue de Caen; ils passèrent à côté de la prison.

« C'est ici qu'il faudrait vous enfermer, continua le docteur. Il haussa les épaules. Ou plutôt chez les fous, à l'hospice. »

L'Américain se cabra sur son siège.

« Arrêtez la voiture, je veux descendre. Vous n'auriez pas dû parler de fous. »

Laffont accéléra :

« On ne peut pas abandonner un grand sensible comme vous au bord d'une route. Dans une très grande ville, je pourrais vous déposer n'importe où; la première putain vous ramasserait... et vous paieriez pour qu'elle vous écoute; c'est classique. »

Sur la route qui étincelait dans la clarté lunaire, la voiture roulait à 130 à l'heure vers Bayeux.

« J'aimerais descendre, répéta l'Américain; je voudrais descendre. »

D'un coup d'œil, Laffont vérifia la portière à côté de l'Américain; la sécurité avait été mise; pour sortir, il fallait connaître le petit déclic qui aurait libéré la poignée. John tourna la tête vers Laffont.

« Je savais que vous ne m'aimiez pas... »

Laffont ne retenait plus sa voiture; le moteur puissant ronronnait de contentement.

« Parce que je n'accepte pas que vous alliez chez Mlle Lemercier pour lui bourrer le crâne de votre mysticisme bidon ?

— Je ne me sens pas bien, reprit l'Américain; il vaudrait mieux que je descende. »

Subrepticement, Laffont le regarda. John avait fermé les paupières; son visage semblait douloureux. Laffont, inspiré soudain par une idée insolite, tourna le volant et engagea la voiture sur un chemin secondaire qui menait vers les falaises. L'automobile puissante devait presque se frayer un passage entre deux haies d'arbres et de buissons. Un lapin se figea dans la lumière des phares; Laffont ne sut jamais s'il l'avait écrasé ou non.

« Ce n'est pas la route de Saint-Laurent, dit John.

— Qu'en savez-vous ? Vous avez les yeux fermés.

— Pourquoi avez-vous changé de direction ? »

Laffont soupira :

« Je fais mon devoir de Caennais néophyte; je vous montrerai une jolie vue; vous devez connaître très bien ces falaises, mais peut-être pas en pleine nuit. »

Il freina brusquement. John ouvrit les yeux et aperçut la mer, qui étalait, calme, sa surface métallique vers l'infini. Le docteur ouvrit la portière.

« Allons, sortez. »

Lentement, John quitta la voiture et se trouva sur un plateau. Au bout d'un espace éclairé, les contours noirs se fondaient dans la nuit. Les falaises devaient tomber à pic dans la mer. Avait-il déjà été ici ? Il n'aurait pas pu le dire.

« Là-bas, à la limite, expliqua le docteur, c'est le précipice; un promeneur maladroit pourrait tomber

sans que cela présente une difficulté quelconque au
destin. Il suffit d'un faux pas... Dites donc, Farrel,
continua-t-il, ces falaises, ce plateau dans la lumière
des phares, la violente antipathie que nous éprouvons
l'un pour l'autre, tout cela ne vous rappelle rien ?

— Non, dit Farrel, fatigué; si vous pouviez me
reconduire, je vous serais reconnaissant.

— Auriez-vous peur ? provoqua le médecin. Vous
qui êtes si beau, mais oui, si beau dans votre uniforme...
cet uniforme qui vous donne, à vous et aux vôtres,
l'aspect d'adolescents trop vite grandis... Vous êtes
pathétique, monsieur Farrel, vous souffrez si bien,
avec tant d'élégance et de distinction, que vous sus-
citez autour de vous l'envie de vous faire du mal...
Moi, voyez-vous, je ne suis qu'un homme simple; je
vis normalement; je fais l'amour, je mange, je digère,
je guéris aussi, à mes moments perdus, quand je
trouve des malades de bonne volonté, tandis que votre
seule activité c'est de faire le pitre. Comprenez-vous
bien le sens du mot « pitre » ? A aucun prix, je ne
voudrais un malentendu entre nous.

— On a inventé les lunettes de soleil, dit John.
Pourquoi ne portons-nous pas aussi des lunettes
qui nous préserveraient de la lune et du regard d'autrui ?

— Je ne sais pas exactement lequel de nous deux
prend l'autre pour un imbécile, dit le docteur; je
crois que c'est réciproque, sauf que, dans le cas précis,
vous êtes l'imbécile compliqué qui se fait écouter, et
moi, je suis l'imbécile qui perd son temps. Vous
souvenez-vous du film *La fureur de vivre*, le chef-

d'œuvre d'un de vos compatriotes ? Le mal du siècle en veste de cuir. Ils ont même contaminé l'Europe...

— C'était un très beau film, répondit John. La course folle, tandis que ces jeunes gens lancent leur voiture en direction de la falaise... Et celui qui ne peut pas sauter au dernier instant, qui ne peut pas dégager la manche de sa veste de cuir, la patte de cuir qui s'accroche à la poignée de la portière... Sa voiture tombe dans la mer et il meurt malgré lui; et il devient un héros aux yeux des autres.

— Nous y voilà ! dit le docteur presque gai. Vous avez compris la situation; je vous ai amené ici pour évoquer cette scène, pour vous démontrer que tout cela prend à dix-sept ans, mais devient grotesque à quarante-huit. Nous ne pourrions même pas faire cette aimable course, votre voiture est en panne... Un héros sans roues n'est qu'un cul-de-jatte.

— Je ne vois pas où vous voulez en venir », dit John.

Laffont l'empoigna. Il était fou de rage parce qu'il devait lever la tête pour parler à John.

« Nous avons la fureur de pourrir, monsieur Farrel, cria-t-il. Oubliez votre subconscient encombrant; regardez-nous de l'extérieur : deux gamins bientôt quinquagénaires qui se disputent les grâces d'une fillette de trente-deux ans ! Allons-nous nous battre en duel pour les cuisses soyeuses de cette petite qui frôlera la quarantaine quand nous ressentirons les premiers signes de fatigue sexuelle ? Deux clowns, une seule voiture, et le clair de lune ! Et si je dis clown, c'est que je ne veux pas employer l'autre mot qui

commence par la même lettre. Je ne voudrais pas
vous affranchir trop; ce n'est pas distingué l'argot,
c'est vulgaire. Quel beau film pourrait-on faire de
nous ! Vous ne trouvez pas ? »

Il essayait de le secouer.

« Avouez que vous avez une petite amie quelque
part, que vous partez à Paris pour faire la noce. Je ne
crois pas aux apôtres, Farrel, et je me méfie de ceux
qui font semblant. Racontez-moi une de vos sordides
passades dans une ruelle de Paris, dans un hôtel
minable, et je serai capable de vous blairer, quand
vous vous mettrez à nu; l'âme et le sexe nus. »

John se dégagea et s'éloigna rapidement; le docteur
lui courut après :

« Ne vous sauvez pas. Comme je la connais, notre
muse commune m'appellera pour savoir si je vous ai
bien reconduit, si je vous ai bordé dans votre lit.

— Ne soyez pas jaloux, docteur, ça vous va très
mal. Mlle Lemercier a une grande qualité : elle sait
se taire. Son silence m'attire. »

Le docteur se calma, abandonné par sa colère; il
restait sans force.

« Je me suis emballé comme un idiot, dit-il. Franchement, durant un instant, j'ai eu peur de vous. J'ai
certainement tort; je ne voudrais pas que vous m'en-
leviez Mlle Lemercier; j'y tiens et très fort.

— Peur de moi ? »

Il revenait lentement vers la voiture.

« Dites-moi, Farrel, demanda le docteur en tournant
la clef de contact, soyez beau joueur et dites-moi à
quoi vous pensiez à cet instant même.

— A un article que j'ai lu il y a quinze jours. On
a libéré un prisonnier politique espagnol. Il venait de
passer vingt-cinq ans entre quatre murs et, quand il
est sorti de cette cage, il voyait partout des murs. Il
ne pouvait faire qu'un certain nombre de pas : ceux
que sa cellule lui avait permis pendant vingt-cinq
ans. L'homme qu'on a libéré n'était qu'un infirme à
cause des murs... »

La voiture revenait en marche arrière vers la grande
route. Farrel ne se rendit pas compte que l'automobile
reculait comme un crabe.

« J'ai souffert avec ce prisonnier. Et j'étais lui en
lisant l'article; j'étais lui, ma peau était sa peau et
son âme infirme est devenue mon âme infirme. »

Arrivé sur la route nationale, Laffont accéléra pour
gagner le plus vite possible Saint-Laurent.

« Je souffre avec ceux qui sont infirmes, prononça
John comme dans un rêve. Docteur, pouvez-vous imaginer qu'au cours de ces instants mêmes que nous
sommes en train de vivre, qui nous donnent la possibilité de rouler en liberté, on torture des gens ? Qu'il
y a des caves et des sous-sols et des prisons où l'on
torture ? Et ceux qu'on torture, ligotés, broyés, épuisés,
hurlent. Et quand ils n'ont plus de voix, ils aimeraient
hurler encore pour se soulager. Ils n'ont ni espoir
ni désir; ils attendent simplement que la douleur
cesse. » Farrel se mit à transpirer; des gouttes de sueur
apparaissaient sur son front et il tournait la tête à
gauche et à droite comme s'il voulait éviter un spectacle
atroce. « Je n'accepte pas qu'on torture, dit-il d'une
voix brûlante; je n'accepte pas le pouvoir d'un être

humain sur un autre être humain. Je veux que les souffrances cessent et que toutes les prisons s'écroulent. Je veux une paix capable de désarmer le monde; je veux une paix aussi claire et rigide qu'un bloc de cristal. Je ne supporte pas la souffrance d'autrui, cria-t-il; j'en meurs à chaque seconde; non, hélas ! je n'en meurs pas; j'agonise avec eux...

— Pourquoi, demanda Laffont d'un ton rauque, pourquoi voulez-vous porter tout seul le poids d'un monde détraqué ?

— Pourquoi ? fit John. S'il y avait une seule personne qui accepte de mourir pour le monde, s'il y avait une seule personne qui accepte de se sacrifier comme le Christ l'a accepté, tout changerait !

— Le Christ n'a pas changé le monde, dit Laffont d'une voix éteinte; il a fondé une religion.

— Oh ! si, continua John, il a changé la face du monde. Il a provoqué le plus grand bouleversement qui soit. Il a inculqué aux hommes tout ensemble le perpétuel désir qui mène vers la Foi, et l'inquiétude perpétuelle qui les repousse dans leurs ténèbres. Celui qui devrait mourir pour l'humanité en 1965 aurait une tâche difficile...

— Et vous seriez tenté par ce jeu-là ? Le jeu du sacrifice ? demanda Laffont.

— Non, dit John. Hélas ! je ne m'en sens pas digne.

— Oh ! là ! là, dit Laffont. Vous voulez seulement vous dérober. Il est trop aisé de tourner le dos à une cause en affichant le fait qu'on en est indigne et puis on s'en va, indigne, sain et sauf.

— Je ne me dérobe pas, protesta John. Simplement,

je ne suis pas encore suffisamment détaché de tout.
J'ai engagé la lutte pour me libérer de l'ancien moi-
même; il faudrait que j'oublie tout ce qui a pu être
plaisir et joie. Je ne parle pas des choses physiques qui
ne sont qu'un aspect secondaire. Mais il faudrait que
j'oublie la joie que me donne le printemps, que je
renonce au plaisir infini que me procurerait un voyage,
que je puisse repousser, de mon plein gré, la chaleur
du soleil. Je n'aurais pas la force... Je crains que, pour
le moment, il faille que je vive; je garde la tombe
de mon ami, et j'attends un signe.

— C'est à cause de lui que vous êtes resté à Saint-
Laurent ?

— Oui.

— Et si vous étiez mort, croyez-vous que votre
ami serait resté, lui aussi, garder votre tombe ? »

Le visage de John s'éclaira de certitude.

« Il me l'a dit sur le bateau; pourtant, il avait tout
ce qu'il fallait pour vivre, pour créer, pour dominer;
sa mort est la plus grande injustice.

— Injustice ? répéta le docteur. Chrétien fervent
comme vous l'êtes, vous n'avez pas le droit de dire que
la volonté de Dieu a été, dans ce cas précis, une injustice.

— Il aurait dû me choisir, moi ! »

Le docteur hocha la tête :

« J'ai été élevé dans un couvent; j'ai appris qu'il
n'y avait pas de discussion avec Dieu, ni de compromis;
rien ne vaut que la soumission absolue. Mais n'y avait-il
personne qui fût capable de vous libérer de votre
ami ? Ne pourrait-on pas faire rapatrier son corps ?

— Il n'a personne, répondit John. Sa mère est morte avant la guerre; j'étais son seul ami.

— Quel était son métier ?

— Nous étions journalistes tous les deux. Il était destiné au succès et moi à la contemplation de son succès. J'aimais l'admirer.

— Ne me dites pas, continua Laffont, qu'un journaliste voué au succès n'avait pas tout un tas de parents tout prêts à découvrir le succès de l'enfant prodigue... Quand on a du succès, on a toujours des parents autour de soi.

— C'était l'homme d'une seule amitié, reprit John. Il n'avait que des relations, des relations mondaines, de petits flirts, des aventures si rapides qu'elles ne laissaient aucune trace dans sa vie. Il avait du charme. La plupart des rédactrices et des courriéristes étaient amoureuses de lui. Il les invitait, à tour de rôle, dans les petits restaurants de Greenwich Village. Il m'a raconté qu'il leur répétait toujours les mêmes phrases. Il commençait par louer la couleur de leurs cheveux, il analysait leurs yeux et, comme il disait, il omettait la description du nez s'il était mal fait ou bien, au contraire, il en parlait longuement. Il n'aimait pas faire trop de compliments sur les lèvres; cela lui ôtait l'envie de les embrasser ensuite.

— Et pourquoi, demanda Laffont, pourquoi toujours les mêmes phrases ? Cela me semble ennuyeux.

— Il était fort amusé à l'idée qu'elles puissent se raconter entre elles les dîners en tête à tête avec lui et qu'elles découvrent, déçues, qu'il avait fait à chacune les mêmes compliments. Ce procédé ne nuisait pas le

moins du monde à sa séduction. Chacune était disposée
à recommencer dans l'espoir qu'un jour il prononcerait
des paroles inédites... Elles espéraient toutes une demande
en mariage.

— Et sur le plan professionnel ? demanda Laffont.

— Il était génial, répondit John avec conviction.
Dans la salle de rédaction, son talent éclatait. Il était
devenu très rapidement rédacteur en chef, pendant
que je courais toujours après les chiens écrasés et les
ivrognes accidentés.

— Quel journal était-ce ? demanda Laffont.

— *L'Evening Star.* »

Le médecin haussa les épaules en signe d'ignorance.
« Vous savez l'anglais ?

— Du tout, dit Laffont. Au collège, j'ai appris le
grec et le latin. »

John expliqua fiévreusement :

« Une langue est toujours un secret. Ma mère, qui
était hongroise, aurait aimé que je parle le hongrois.
J'ai essayé. Je n'avais devant moi que des mots étranges...
Je crois qu'inconsciemment je luttais contre un sortilège. Je refusais de répéter les phrases; c'était une
sorte de défense. Je voulais être moins attiré par la
Hongrie.

— En tout cas, vous avez appris admirablement le
français.

— J'ai eu le temps, en dix-huit ans !

— Vous avez dû toujours être passionné par la politique, Farrel.

— J'ai beaucoup lu de livres d'histoire. C'est cela, la
politique. Mais il me semble parfois que je suis

comme un instrument entre des mains mystérieuses. Dans mes rêves, on agit pour moi ou j'agis pour des inconnus.

— Si j'étais psychiatre, continua Laffont, je traduirais vos rêves... Vous éprouvez une sorte de remords politique...

— Je n'ai jamais eu l'envergure d'agir.

— Il y a en vous, reprit le docteur en souriant, un marxiste qui s'ignore.

— Oh ! certainement pas ! Peut-être un chrétien trop faible. Si les chrétiens étaient aussi marxistes, docteur... »

Il ne put terminer sa phrase. Le docteur s'exclamait :

« Affreuse plaisanterie, digne de vous ! Il n'y aurait plus une seule personne libre au monde. On est déjà esclave en servant une église. Si on voulait en servir deux... »

Ils arrivaient devant le cimetière. Le docteur arrêta la voiture.

« Merci de m'avoir accompagné, docteur. Permettez-vous que je revoie Mlle Lemercier ?

— Le feriez-vous sans ma permission ?

— Je crois que oui.

— Donc, je préfère vous le permettre. Je serai moins ridicule, dit Laffont.

— Mlle Lemercier me rappelle un peu ma mère.

— Oh ! fit le docteur, joyeux, c'est un compliment qu'il faudrait lui répéter ; il lui ferait plaisir... »

L'Américain lui tendit la main.

« Au revoir, docteur. »

Celui-ci se pencha par la portière.

« Qu'allez-vous faire, maintenant, John Farrel ?

— Je vais lutter contre le sommeil. »

Il s'éloigna.

« Eh ! Farrel », cria le docteur.

Celui-ci se retourna.

« Sans rancune pour la falaise ?

— Oh ! non, dit-il. Cela nous a presque rajeunis, docteur. Vous ne trouvez pas ? »

Il disparut soudain, comme happé par la nuit.

Arrivé chez lui, Laffont appela Elisabeth. Celle-ci répondit à l'instant même.

« C'est toi, Roger ?

— Evidemment. Tu attendais l'appel de Farrel ?

— J'ai été très choquée en te voyant devant la maison », dit-elle froidement.

Laffont se racla la gorge.

« J'ai essayé de t'appeler tout l'après-midi; ça ne répondait pas et puis, vers neuf heures du soir, ça a répondu occupé, occupé pendant une heure et demie. Mets-toi à ma place. Je voulais savoir avec qui tu bavardais...

— Tu n'as pas le droit de me surveiller ainsi.

— J'imaginais que j'avais tous les droits sur toi, Elisabeth.

— Il faut me faire confiance, Roger.

— Pourquoi aurais-tu voulu cacher le fait que tu avais vu Farrel et qu'il s'était rendu chez toi si tu avais la conscience tranquille ?

— Tu oublies, Roger, que j'ai été habituée à une

certaine indépendance. Depuis l'âge de dix-huit ans, je vis seule.

— J'imaginais, continua le médecin, que tu étais en train de renoncer à ton indépendance, que tu aspirais à une sécurité morale, que tu avais besoin d'un homme qui prenne les décisions pour toi.

— Ne discutons pas de mariage, dit Elisabeth. J'ai sommeil.

— Ma petite fille, dit-il presque tendre, es-tu amoureuse de John Farrel ?

— Oh ! non, se défendit-elle mollement. Quelle idée ! Je le sens très faible, très livré aux événements et j'ai envie de le protéger.

— Vous nagez tous les deux dans le sublime. Félicitations. Il m'a demandé la permission de te revoir. Tu sais ce qu'il m'a dit, ton Américain ? Que tu ressemblais à sa mère.

— Vous avez parlé de moi ?

— Cela va de soi, non ?

— Qu'est-ce qu'il t'a dit encore ?

— Rien.

— Et toi ? Tu lui as fait sentir que...

— Que nous étions amants. Il doit bien le deviner. Il suffit de nous voir ensemble. Est-ce qu'un enfant de chœur imaginerait qu'un homme de cinquante ans et une jeune femme de trente-deux, qui se voient très souvent, n'ont pas déjà couché ensemble ?

— Ne sois pas si brutal, Roger.

— Oh ! fit-il en soupirant, parce que je prononce les mots exacts.

— Donc, il sait que nous avons une liaison.

— Sans aucun doute. Mais il est beaucoup plus préoccupé par la tombe de son meilleur ami que par nos manifestations de tendresse, je t'assure... Je te revois quand ?

— Comme d'habitude, samedi prochain.

— Nous avons manqué, ce soir, notre dîner...

— Tu sais, dit Elisabeth tout d'un trait, je serai très occupée la semaine prochaine : je vais faire repeindre la boutique; je dois m'absenter aussi pendant deux ou trois jours; j'ai des enchères à Cherbourg, et puis je dois me rendre dans un château où les héritiers liquident le mobilier. N'oublie pas que je suis une femme d'affaires.

— Mais oui, dit-il, je n'oublie pas. Puisque tu es si précise, continua-t-il, nous pourrions peut-être fixer la date de notre mariage. A quoi bon traîner ainsi, se laisser égratigner par ces semaines d'incertitude ?

— En septembre ?...

— C'est loin, dit-il.

— Je ne suis pas suffisamment habituée à l'idée d'abandonner ma maison.

— Celle où j'habite t'appartient aussi, fit-il. Ou bien veux-tu que je vienne habiter chez toi, que j'essaie de me faire une clientèle à Caen ?

— Non, répondit-elle en hâte. Non. A Caen, tu n'as aucune chance; il y a de merveilleux médecins qui...

— Je pourrais être aussi un merveilleux médecin, si tu voulais m'aider. Avec toi, j'apprendrais la patience. Si tu m'aimais, je pourrais aimer aussi. C'est le manque d'amour qui me rend malade.

— Tu es gentil », répondit-elle.

Laffont sentit sa gorge se serrer. « Gentil, je suis gentil. »

« Pourrais-je venir te voir demain, demanda-t-il, seulement pour te dire un petit bonjour ?

— Ce serait difficile, Roger. Il y a la réunion des antiquaires pour cette histoire de décoration des vitrines. Il faut que je sois présente. »

Laffont regardait son fichier. Il se rendit compte que, depuis le début de la conversation, il était resté debout, sans avoir enlevé son pardessus.

« Mercredi ou jeudi, vendredi, le jour que tu voudras.

— Ça n'ira pas du tout avec mes déplacements. Dînons ensemble samedi, comme d'habitude.

— Donc, dans sept jours, Elisabeth, à huit heures. J'essaierai de ne pas être en retard. Je commence à me méfier des clients du soir. Bonsoir, ma petite. »

Elle eut des larmes dans la voix.

« Pourquoi es-tu si compréhensif soudain ?

— C'est certainement la fatigue, dit-il.

— Bonsoir, Roger, dors bien.

— Bonsoir », dit-il, bonsoir.

Il reposa l'écouteur et dit encore une fois, un peu perdu :

« Bonsoir, Elisabeth. »

CHAPITRE IX

QUAND Farrel rentra seul dans son pavillon, le docteur lui manqua. Il était encore animé par leur discussion près des falaises. Attiré par la verve généreuse de Laffont, il devinait en lui une chaleur humaine. Ce soir, il était presque détendu. Il marchait en long et en large dans son petit salon, effleurant du regard les livres sur les rayons. Il s'arrêta sur des volumes que Fred Murray avait publiés avant la guerre. Il revint avec l'ouvrage vers le canapé et s'assit. Il revoyait la couverture en couleurs, la photo de Fred dans un cadre rond et le titre : « Fred Murray vous parle des Européens en face de leur destin. »

Ce sujet-là était né d'une de leurs conversations. Ils étaient en voyage en Californie. C'est la mère de John qui leur avait donné l'argent. Farrel venait de perdre son père; il avait besoin d'un changement de climat et de cadre pour pouvoir oublier. Avec Fred, ils avaient loué une voiture à Los Angeles. Ils s'étaient arrêtés dans un motel au bord de la mer. John écrivait des cartes postales à sa mère. Les deux jeunes gens passaient leurs journées à nager et à se dorer sur le sable.

Il y avait très peu de monde. John animait les dialogues. Fred lui tendait de petites phrases-tremplin et lui, John, s'en allait dans son passé ou dans ses rêves...

« Tu parles bien, John, dit Fred. Mais je commence quand même à m'ennuyer. Il est temps de se consoler, mon vieux. Ne trouves-tu pas qu'il nous faudrait deux jolies brunes ?

— Je ne dirais pas non, fit John, mais, pour le moment, ta présence me suffit. Nous sommes là depuis presque une semaine et c'est moi qui parle. Tu ne m'as pas dit grand-chose de toi, Fred. Parle-moi de tes parents : c'est si important, les parents, quand on veut se connaître. »

Fred bâilla et s'étira sur le sable tiède.

« Mon père a deux hôtels à Chicago. Il est passablement riche, mais il ne veut plus me voir depuis que je m'occupe de journalisme. Un jour, je retournerai à Chicago dans une Cadillac blanche, bourré d'argent. Comment trouves-tu Patricia ?

— Qui est Patricia ? » demanda John, somnolent.

Son corps absorbait la chaleur. Heureux, il s'offrait au soleil.

« La rousse aux yeux marrons qui vient de temps en temps rendre visite à son père, le grand Norman Mills.

— Le patron a une fille ? »

Fred s'appuya sur son coude, trouva un paquet de cigarettes dans son pantalon de toile chiffonné.

« Un patron idéal a toujours une fille, John. Mariée,

trompée, divorcée, voire célibataire ! J'ai toujours voulu
consoler l'une de ces poupées milliardaires dont les
larmes sont si chères... »

Il se tut. John bâilla.

« Aurais-tu un prétexte pour consoler Patricia
Mills ?

— Il faudrait d'abord qu'elle fût rendue triste. Après,
je l'épouserai. »

John se redressa.

« Si tu te maries, notre amitié en souffrira. »

Fred se mit à sourire. Il prit son ton de professeur
patient.

« Il est temps que tu apprennes à vivre, John. Tu
te marieras, toi aussi. Le patron a une secrétaire
particulière. Depuis dix ans, la même. Il a en elle
une confiance absolue. Tu n'as qu'à faire la cour à
Mlle Smith. Et ta carrière sera ainsi assurée. Imagine
la situation de Mills qui entend parler de moi par sa
fille et de toi par sa secrétaire. Mais, pour qu'elles parlent bien, il faut que ces femmes nous aiment. Une
femme amoureuse peut tout réussir. Surtout la carrière
de l'homme qu'elle aime.

— Depuis quand connais-tu Patricia Mills ? demanda John.

— Depuis quelques mois. Elle a un charme extraordinaire : elle héritera de l'*Evening Star*. »

Fred se retourna pour offrir cette fois son dos aux
rayons du soleil; puis il expliqua :

« Je désire être un patron, John. Je suis né pour
diriger et non pour être dirigé. Du cinquième rang,
j'ai avancé au second rang. Mais cela n'est pas du tout

suffisant. On ne parvient pas à posséder un journal par le seul talent. On n'est qu'un employé si on n'a pas de liens sûrs avec le propriétaire. Or, je veux lui succéder. Je veux épouser Patricia Mills. Je ne sais pas encore comment ni quand. Dis donc, John, quand je serai le patron, je ferai de toi un rédacteur en chef... »

Il garda un petit silence et ajouta :

« ...adjoint. Je vois bien ta capacité de travail, John. Ton honnêteté te gênera toujours, mon vieux. Tu n'oseras jamais ajouter à un fait quelconque un détail inventé. Tu es comme un vieux chercheur d'or qui continue à vivre sur des terrains exploités depuis toujours. Tu cherches les filons de la vérité. Il faudra quand même que tu puisses vaincre ce sentiment; sinon, il te sera toujours une gêne dans ta carrière.

— Je ne suis pas un carriériste, dit John, inerte.

— Si, tout le monde est carriériste, reprit Fred. Plus ou moins franchement. Moi, j'avoue que je le suis. Vois-tu, John, il y a en toi comme un écrivain qui sommeille. Tu es un peu trop romantique pour être tout à fait journaliste et trop attaché, malgré tout, à la vie d'une rédaction pour être cent pour cent écrivain. J'aime tes histoires. Il faut reconnaître que tu as aussi des idées... insolites. A un moment donné, bien placées, elles peuvent avoir un certain charme... A propos, je voulais te dire que *Les Américains en exil* sera traduit aussi en français.

— Quelle chance ! répondit John.

— Le patron m'a demandé un autre sujet, lança

Fred. J'en ai tant que je n'ai pas encore pu choisir.
A ma place, que lui proposerais-tu ? »

Le visage de John s'anima. Il s'assit. Il regardait
la mer et il laissait couler les grains de sable entre
ses doigts.

« J'irais interroger les hommes qui gouvernent les
Etats européens. « Quelles sont vos obsessions, mon-
« sieur, de quoi avez-vous peur ? Est-ce que vous
« vous sentez responsable pour l'Histoire qui prépare
« une de ses plus grandes saignées ? Quelle sera votre
« part de responsabilité ? »

Fred alluma une autre cigarette.

« Ils ne répondront jamais sincèrement.

— La vraie réponse se lira dans leurs gestes, sur
leur visage... Ils déplaceront les bibelots sur leur bureau, ils joueront avec les coupe-papier. J'interrogerais
aussi l'homme de la rue et je lui poserais la question :
« Qui rendez-vous responsable pour la future guerre ?
« Quel sacrifice feriez-vous pour empêcher cette guerre
« qui se prépare ? » Il faudrait faire une sorte de
Gallup personnel, hypnotiser l'interlocuteur en lui
donnant le sentiment qu'il est, lui, responsable, expliquer à une fourmi que la miette qu'elle traîne sur le
dos a son importance capitale...

— Mais comment les approcher ? demanda Fred, en
apparence distrait.

— Surtout pas à la façon américaine. Chaque peuple
doit être considéré comme un individu sensible... Il
faut faire attention par exemple avec les Français :
leur tempérament les rend susceptibles. Ils sont aussi
orgueilleux. Il faudrait, là-bas, quelqu'un qui parle

le français comme un Français. Tu les gênerais avec
un accent. L'homme de la rue n'aurait pas confiance
en toi. Il faut cacher le micro. Il faut qu'ils soient
enregistrés malgré eux. Chez un homme politique
français, il faut arriver en affichant presque de l'indifférence. Il faudrait que tu aies l'air plus pressé que
lui. Tu accrocheras son attention dès qu'il aura l'impression que tu ne vas pas lui donner assez de temps
pour s'exprimer. Il faut que tu enregistres mentalement. Il serait gêné en voyant ta précipitation et la
course du crayon sur le papier... Tandis que, chez un
Allemand, tu devras arriver avec une camionnette
chargée de micros et de magnétophones. Il faudra,
autour de celui que tu veux interviewer, comme une
toile d'araignée de câbles, l'entourer, le guetter et,
surtout, faire plusieurs essais de voix. Il aura confiance
en toi si tu lui proposes un enregistrement parfait sur
le plan technique.

— Qui t'a dit tout cela ? » demanda Fred.

Son regard ne quittait pas le visage de John. Celui-
ci parlait les yeux fermés, tournés vers le soleil.

« Depuis mon enfance, ma mère me parle des
peuples. Elle est réaliste dans le bon sens. Elle les
aime et reconnaît aussi bien leurs qualités que leurs
défauts personnels. N'oublie pas que mon grand-père,
un homme très cultivé, a consacré toute sa vie à sa
petite fille, autrement assez maltraitée dans le milieu
familial. Ce tendre philosophe, cet esclave d'un
mariage-erreur, a voulu transplanter dans sa fille toutes
les connaissances, toute l'expérience qui étaient en
lui.

— Jouons encore, enchaîna Fred. Comment irais-tu chez un Anglais ?

— En le rassurant, d'abord. Je lui dirais que je ne vais lui poser aucune question indiscrète. Je lui promettrais de respecter fidèlement ses consignes, et lui proposerais même de revoir le texte avant qu'il soit imprimé. Je ne critiquerais pas la royauté, je ne trouverais pas George VI débile et, surtout, je lui raconterais une chasse à courre en Hongrie... Je trouverais bien le moyen d'évoquer ces souvenirs en prenant le prétexte d'un objet ou d'une gravure dans son bureau. Il paraît que, chez un Anglais, il y a toujours une gravure de chasse quelque part. »

Fred passait délicatement sa langue sur ses lèvres. Elles étaient salées.

« Parce que tu connais aussi les chasses à courre, toi ?

— Ma mère a participé à plusieurs, en Hongrie. C'était fabuleux.

— Et comment poserais-tu une question à un Hongrois ? »

John ouvrit les yeux.

« Aurais-tu déjà vu, dans une enquête internationale, une opinion émise par un Hongrois ? »

Fred, énervé, fit claquer ses doigts.

« Tu coupes les cheveux en quatre : toujours les malheurs de vos parents, avec ta Hongrie méconnue ! Qu'est-ce que tu dirais à un Hongrois pour l'avoir ?

— Je lui raconterais simplement que ma mère est hongroise. Au bout d'une demi-heure, il m'installerait dans sa propre maison et il m'offrirait son cœur et son amitié...

— Assez bavardé, dit Fred, allons manger. »

Ils étaient à peu près de la même taille. Fred eut pourtant un regard admiratif pour John.

« Avec ton physique, tu pourrais avoir toutes les filles à l'œil. Tu les as, d'ailleurs. »

John haussa les épaules.

« Penses-tu ! Je vais me marier un jour, quand j'aurai une situation.

— Dis donc, dit Fred en plissant les yeux, as-tu une petite amie ? Je connaissais l'histoire de celle que tu as eue avant de me connaître, mais depuis ?

— Et toi, fit John, tu as quelqu'un ? »

Fred fit demi-tour.

« Tiens, avant le déjeuner, nageons un peu. Viens. »

Ils avancèrent dans la mer transparente. Ils se mirent à nager. Le ciel bleu et la mer se confondaient à l'horizon. Plus tard, ils firent la planche.

« Tu es mon premier et seul ami, dit John. Pourquoi m'as-tu choisi ? Au journal, tu avais tant d'amis brillants, plus intelligents, plus amusants.

— J'aime ta simplicité, répondit celui-ci. J'ai aussi l'impression que je pourrai compter sur toi en n'importe quelles circonstances de la vie. J'aime t'entendre quand tu racontes... »

John se balançait les bras ouverts, les jambes tendues, la cage thoracique pleine d'oxygène.

« Merci, Fred, dit-il. Tu pourras toujours compter sur moi. »

Quand Fred constitua une équipe pour parcourir l'Europe, il ne proposa pas John pour qu'on ne puisse pas l'accuser de parti-pris.

« Si je t'avais choisi, mon vieux, lui dit-il en guise d'excuse, tout le monde aurait dit, dans la boîte, que Murray poussait son meilleur ami. Le patron ne supporte pas les combines des copains à l'intérieur du canard. J'aurais eu aussi des remords si je t'avais enlevé à ta mère pour six semaines. »

Il reprit, après un silence :

« Tu sais, il a été très difficile de placer ce sujet. Je t'assure, il fallait que ce soit moi. Si l'idée avait plu à Mills au premier abord, je t'aurais amené chez lui. Mais il a fait la fine bouche, il hésitait. J'essayais de le convaincre avec toute ma force pour te sortir de l'anonymat. A la fin, alors que ton nom était sur mes lèvres, il a clos la conversation en disant : « D'accord, Murray. « Je vous confie ce reportage. Je me lance dans cette « aventure parce que c'est vous. Personne n'aurait « eu une telle puissance de persuasion. J'ai confiance « en vous, Murray. Vous êtes une mine d'idées. » Après, mon vieux, mets-toi dans ma peau. Comment aurais-je pu lui dire que tu étais le père de l'idée originale ?

— Tout cela est parfait, dit John. Celui qui lance l'idée n'a pas d'intérêt. C'est la réalisation qui compte. Il faut que nous puissions rapprocher l'Amérique de l'Europe. Nous avons besoin de l'Europe sur le plan moral et nous devons tout faire pour la préserver dans son intégrité. C'est un enfant dont l'indépendance doit être totale, mais qui doit pouvoir s'appuyer sur l'Amérique en cas de besoin. Surtout, Fred, ne va pas là-bas avec des idées préconçues. Explique bien à tes hommes qu'il faut arriver en Europe avec un esprit large, démuni de tout préjugé appris depuis l'enfance.

Il faut que tes hommes soient réceptifs et intelligents. »

Fred haussa les épaules.

« C'est de la littérature, mon vieux.

— Mais non, s'exclama John soudain furieux. Si tu crées une équipe nourrie d'idées préconçues et qui entend se mettre uniquement au service de l'opinion publique américaine, ne songeant qu'aux phrases que les Américains voudraient entendre, ton reportage ne vaudra rien. Tu pourrais l'écrire sans quitter New York. Tandis que si tu acceptes les gens d'Europe tels qu'ils sont, sans vouloir falsifier quoi que ce soit de leur comportement, tu gagneras la partie. »

Le reportage eut un succès considérable. Le nom de Fred fut connu partout. Les confrères louaient son style direct et franc, son ton bon enfant, jovial, auquel succombaient la plupart des Américains.

...John ouvrit le livre au hasard. C'était la page 137. « Je me trouvai devant ce ministre anglais dont l'esprit semble hermétiquement fermé. Il était visiblement hostile et m'accueillit avec l'amabilité d'un glacier. J'en fus gêné moi-même. Je me traitai déjà d'intrus et d'indiscret. J'aurais voulu être loin. Désespéré, mon regard parcourut son bureau sombre. A côté d'un rideau en soie bordeaux, j'aperçus une gravure de chasse à courre. Je ne pus résister, je m'exclamai : « Quelle belle « scène ! Elle me rappelle une chasse à courre à la- « quelle j'ai participé en Hongrie, chez un de mes « amis. Quel souvenir, cette chasse ! — Vous aimez « chasser ? » demanda l'Anglais, soudain détendu. Il me considéra, de ce moment-là, comme un égal et non comme un suspect. Nous bavardâmes pendant

trois quarts d'heure. Il s'ouvrit à moi. Voilà ce qu'il
m'a dit... »

John continua à lire ce livre dont il connaissait
par cœur tant de phrases. Ce soir, il souffrait moins
de lui-même. Il lui semblait avoir obtenu un sursis
pour quelques heures.

La vie d'Elisabeth avait changé d'aspect, comme si
un masque avait fait place à un autre. Fine et peut-
être plus sensible qu'intelligente, Elisabeth s'était
accordée à sa nouvelle existence. Elle attendait le
retour de l'Américain. Elle n'osait pas téléphoner au
bureau central du cimetière. Elle n'osait pas, non
plus, y aller. Elle accomplissait tout le programme-
prétexte qu'elle avait énoncé à Laffont. Elle était
contente de se déplacer. Les journées ainsi passaient
plus vite. Chaque soir, elle était de retour vers six
heures, espérant de toutes ses forces voir apparaître
Farrel dans la porte du magasin. Au cours de rares
moments d'épuisement, elle s'affaissait dans le fauteuil
où avait pris place John quelques jours auparavant.
Elle mettait ses mains sur les accoudoirs et imaginait
retrouver les empreintes d'autres mains. L'idée du
moindre contact physique entre eux deux pouvait
l'émouvoir à un tel point qu'elle restait ensuite comme
anéantie. Elle faisait appel à toute sa volonté pour
pouvoir n'aimer John que sur un plan intellectuel. Il
fallait dégager son corps de cette passion. Elle flottait
ainsi comme sur un radeau porté par les événements.
L'attente qui lui promettait le retour de John l'amenait

aussi, avec certitude, au dîner du samedi avec Laffont.
Elle était incapable d'accepter l'idée que Laffont la
reprenne dans ses bras. Elle savait pertinemment que,
les paupières fermées, désespérée, elle penserait à John
Farrel.

Il lui arrivait de fermer sa boutique pour une
heure, de descendre l'étroite rue Saint-Martin. Elle
effleurait de ses doigts fins les vieux murs. Son regard
s'arrêtait sur les lucarnes. Elle prenait la rue Bicoquet.
Elle remontait vite à perdre haleine. Elle arrivait
essoufflée devant l'église Saint-Nicolas. Près de l'église,
il y avait un petit cimetière, plutôt un jardin. Elle
entrait. La grille se refermait sur elle avec un soupir
rouillé. Elle avançait sur le sol humide. Elle regardait
sans les voir les croix centenaires, découvrait les arbres,
les buissons, toute la verdure envahissante. Combien
de fois elle avait refroidi ses mains brûlantes sur ces
croix en marbre, sur ces croix amicales ! Tous ces
gens-là, pensait-elle, avaient dû aimer. Que restait-il
de leur passion ? Comment réconcilier John Farrel avec
la vie ? Cette pensée, elle la répétait comme une
prière. Elle entendait résonner ses talons sur les pavés
de la ville de Caen. Elle aimait sa ville éprouvée. Elle
la revoyait avec ses yeux d'enfant. Elle avait perdu sa
mère très tôt; elle avait vécu avec son père. Ses prome-
nades au crépuscule étaient des appels au secours qui
s'adressaient à une ville. Elle eût aimé trouver la paix
de son âme au cours de ces promenades-pèlerinages.
Elle avait été presque heureuse que son père n'ait pas
pu se rendre compte, avant de mourir, à quel point
la ville avait été démolie. Les bombardements avaient

épargné leur maison. Elle en avait fait son refuge. De ses fenêtres, elle regardait les ruines, les fumées et aussi la résurrection de sa ville.

Enfin, le vendredi soir arriva. Elle attendait, hypnotisée, dans la petite pièce derrière la boutique. Vers sept heures, la porte s'ouvrit et elle vit entrer John.

« Bonsoir, l'accueillit-elle. Quelle gentille idée de revenir !

— Je ne vous dérange pas trop ? demanda John.

— Vous ne me dérangez jamais, répondit-elle, détachée. J'allais fermer. Voulez-vous dîner avec moi, monsieur Farrel ?

— Vous êtes très aimable, mademoiselle Lemercier, mais je n'ai pas faim. Il faut que je vous parle... »

Subrepticement, Elisabeth ferma à clef la porte du magasin. Elle rejoignit John dans l'arrière-boutique.

« Cette nuit, commença John, enfiévré, j'ai rêvé que c'était le jour. Je me trouvais au cimetière, comme d'habitude, dans la grande allée, à côté de la pièce d'eau. Je me tenais tout droit. Je me sentais grand. Je tournais le dos au monument. J'ai eu l'impression que j'étais aussi grand que le monument. Je savais donc que je rêvais. Le soleil disparaissait. Il courait sur le ciel comme un animal furieux qui voudrait trouver refuge derrière les nuages. Ceux-ci effleuraient la mer. Le soleil disparut en plongeant comme un suicidé dans l'océan. Le crépuscule était plus mauve que gris. Je me suis retourné soudain, sentant un danger. J'étais seul. Alors, j'ai entendu au loin le bruit d'une voiture. Le bruit cessa. Quelques instants de silence suivirent ce bruit de voiture qui ressemblait au bruit que font les avions. Et j'ai vu apparaître une minuscule et lointaine forme dans la porte du cimetière, une forme brillante qui tenait une torche. La flamme de la torche était plus grande que le personnage qui tenait la torche elle-même. Cette forme prit corps. C'était une femme toute petite, aux cheveux noirs, aux yeux noirs, aux lèvres serrées. Elle se trouva tout à coup devant moi. J'ai dû reculer pour que la flamme de sa torche ne me touche pas le visage. J'avais peur d'être brûlé. Elle me regardait; son regard était aussi dur que le gravier. Je reculais; elle avançait. Et puis, comme prise dans un ouragan, elle se mettait à tourner devant moi en décrivant des cercles avec cette torche dont les flammes grandissaient sans fin. Avant que je puisse l'en empêcher, elle effleurait une croix qui se mettait à flamber. Je voulais courir après elle, mais j'étais comme soudé à la terre. Je ne pouvais plus bouger... Je l'ai vue, allant d'une croix à l'autre, mettant le feu à tout le cimetière avec cette torche effroyable. A la fin, il n'y avait qu'une fumée immense et, dans cette fumée étouffante, partout des flammes. Les croix brûlaient; le marbre lui aussi brûlait... »

Elisabeth se mordit les lèvres.

« Du repos, dit-elle d'une voix rauque, vous avez besoin de repos. »

Elle fut soudain éclairée par une idée. Sans trop réfléchir, obéissant à son instinct, elle se mit à parler :

« Je possède une maison sur une île italienne. Connaissez-vous le lac de Côme ? Tout est soleil, là-bas, soleil et fleurs. Un jour, un vieux pêcheur me l'a vendue. Je l'ai achetée pour peu d'argent. Dans cette petite maison, tout est gai, tout est jeune; on y oublie les soucis. De temps en temps, un enfant apparaît. Les enfants, là-bas, sont tous souriants. Quand j'y passe un été, j'ai une boîte remplie de bonbons à leur intention. Monsieur Farrel, je vous donnerai les clefs, allez vous reposer sur le lac...

Mentalement, elle calcula en combien de temps elle pourrait mettre dehors le locataire qui s'y trouvait. « S'il le faut, je lui paierai une indemnité. Il faut qu'il libère la maison. Qu'il écrive ailleurs ses romans ! »

« Non, dit Farrel, non. Je ne pourrai pas me déplacer. Je n'ai aucune possibilité morale de quitter le cimetière. J'ai fait cette promesse aussi bien à lui qu'à moi-même. Je ne le ferai pas.

— Qui est-ce que vous ne quitterez pas, monsieur Farrel ? s'exclama Elisabeth, presque furieuse. Vous gardez un cercueil. Où est l'homme dans ce cercueil ? Que reste-t-il de lui au bout de dix-huit ans ?

— Vous n'êtes pas croyante, répondit Farrel.

— Si, cria Elisabeth, je suis croyante, mais je connais aussi les chances de durée d'un corps dans la terre humide, et Dieu seul sait ce qu'il peut pleuvoir en Normandie ! »

Farrel voulut se lever.

« Ces phrases me dégoûtent.

— Ce n'est pas vrai, répliqua-t-elle. Ces phrases ne vous dégoûtent pas; elles vous effraient et vous avez peur de moi parce que j'ose dire la vérité, parce que j'ose dire que vous voulez sacrifier votre vie pour une fiction d'amitié.

— Pourquoi fiction ? dit John, désespéré. Quand je

passe à côté de sa tombe et quand je me rends compte
que je n'ai rien fait pendant dix-huit ans, que je
n'ai pas voulu exploiter le fait que je sois vivant, cela
me calme pendant quelques instants.

— Mais, si vous êtes croyant, s'emporta Elisabeth,
vous devez croire à l'âme, et ne me dites pas que cette
âme est ligotée à ce corps, qu'elle est enchaînée à
cette croix de marbre blanc ! Si l'âme est immortelle,
il reste de votre ami son âme immortelle. Et cette
âme peut vous accompagner; vous pouvez l'emmener
avec vous. C'est un objet sans poids, l'âme de M. Fred
Murray.

— Justement, dit John, cette âme pèse sur moi. J'ai
le poids de centaines de kilos sur moi.

— Mais qu'avez-vous fait contre lui pour vous sentir
obligé à ce point de demeurer son esclave ?

— Je suis resté vivant, dit John.

— Et parce que vous êtes resté vivant, vous voulez
faire de la surenchère, monsieur Farrel ? Il vous a
enlevé la possibilité d'un sacrifice absolu. Il est mort.
Donc, vous voulez faire davantage. Je crains que ce
soit de l'orgueil. Ou pire encore. Je crains, si je cherchais plus loin, de trouver en vous des éléments qui
ne seraient pas en votre faveur, monsieur Farrel...

— Accusez-moi, dit celui-ci, presque détendu. Démo-
lissez-moi.

— Je vous accuse d'être le plus orgueilleux des
orgueilleux. Je vous accuse aussi d'avoir toujours eu
si peur de la vie que vous avez dû être presque content
de trouver un prétexte pour vous cloîtrer et pour
faire de vous-même un raté !

— Vous formerez un couple bien assorti avec le docteur, reprit-il. Vous rampez sur la terre sans aucune lumière du dehors. Vous vivez tous les deux comme dans un souterrain.

— Et vous, monsieur Farrel, où vivez-vous ? Assis sur un glacier en face du ciel ? Et le ciel ne veut pas de vous ?

— Qu'en savez-vous, dit-il. C'est Dieu qui a voulu que je choisisse cette forme de vie.

— Il vous l'a dit ? cria Elisabeth.

— Exactement comme le docteur, chuchota John. « Ce sont d'anciennes blessures qui saignent à nouveau, « monsieur Farrel. » Et j'ai dû lui montrer mon dos, mon dos écorché, mademoiselle.

— Parce que vous avez été blessé pendant le débarquement ?

— Qui vous l'a dit ? Le docteur vous a parlé ?

— Non, se débattait Elisabeth, désespérée. Non, il ne m'a rien dit. Il ne me parle pas de ses malades. Mais si vous avez le dos écorché, c'est que vous avez dû être blessé. »

Farrel se leva.

« J'avais cru trouver un refuge près de vous...

— Monsieur Farrel, je vous en prie, dit-elle. Ne croyez pas qu'il ne vous est possible d'avoir confiance que dans ceux qui admettent votre sacrifice. Si vous êtes sûr de vous-même, vous pouvez accepter la contradiction... Je voudrais vous sauver...

— Me sauver ? De quoi ?

— Pardonnez-moi, dit-elle. J'ai eu tort d'être franche. Un très grand tort. Pardonnez-moi. Un jour

peut-être je pourrai vous comprendre, mais il faudrait
que j'y sois préparée. Quand on vous envoie le surnaturel en plein visage, on en a le souffle coupé. N'oubliez
pas que je suis Française. »

Elle s'arrêta.

« Et pas un demi-Américain, un demi-Hongrois,
inadapté, n'est-ce pas ? dit-il, grinçant. Au fond, j'ai
tort aussi de vous en vouloir. Si ma mère m'avait
parlé ainsi à New York, j'aurais pu être un homme
libre. Mais elle m'a ensorcelé avec ses légendes, elle
m'a paralysé avec ses principes. Pour elle, il n'y avait
que le sublime qui existait, le sublime, l'excès en tout,
l'excès dans la bonté et l'excès dans la rancune. Si on
vous avait tendu, un jour, un mouchoir, on devait
garder le souvenir de ce geste pendant toute une vie.
Et si on vous avait dit une phrase méchante, il aurait
fallu en ressentir une bouffée de colère pendant la vie
entière aussi.

— Je n'ai pas le droit de la critiquer, dit-elle, mais
elle aurait dû vous libérer de Fred, elle aurait dû tout
faire pour que vous écriviez vous-même, pour que vous
sortiez de cette amitié paralysante.

— Si elle avait été contre mon seul ami, dit-il, je
l'aurais quittée.

— Entre Fred et votre mère, vous auriez choisi
Fred ?

— Peut-être, oui. Pour me défendre. A l'âge de
vingt-deux ans, ma mère continuait à dire que j'étais
génial, comme si j'étais un enfant prodige. Elle répétait que j'étais fait pour accomplir un acte que personne n'avait accompli jusqu'ici. Elle évoquait ce pays

béni dont elle sortait et où il n'y avait que des héros
et des fantoches, des spectres apprivoisés qui venaient
manger dans sa main comme des cloportes... Il suffisait
qu'elle fasse un geste, qu'elle allume une petite lampe
dans son bureau, qu'elle m'attire dans un de ses fauteuils, et elle m'arrachait hors de la vie américaine
comme si j'avais été happé par un hélicoptère. Subrepticement, elle réussissait à me ramener dans le passé;
elle me faisait croire que je devais réparer toutes les
erreurs que ses ancêtres avaient pu commettre et en
même temps qu'il me fallait être digne de tous ceux
qui n'avaient rien à se reprocher. Un exemple. Je désirais acheter à Long Island, dans un building au bord
de la mer, un petit studio. J'aurais pu en payer la
moitié et donner ensuite le complément du prix sous la
forme d'un loyer. J'aurais aimé avoir un havre où je
serais allé passer mes week-ends.

— Avec Fred ? demanda Elisabeth, soupçonneuse.

— Non, Fred était toujours occupé pendant les fins
de semaines. Mais j'ai pu avoir envie de sortir de New
York, moi aussi... Qu'est-ce que j'aurais donné pour
un espace de quarante mètres carrés, avec une fenêtre
donnant sur l'infini et, en bas, la ville grouillante. Ma
mère m'écoutait, ironique. « Tu rêves d'un studio,
« mon pauvre fils. Dieu sait donc que j'ai réussi — et
« elle s'assombrissait — à faire que la continuité soit
« rompue. Tu es devenu un vrai Américain, John. Tu
« pourrais te contenter d'un ascenseur, d'une pièce,
« d'une fenêtre et de ce que l'on appelle une kitche-
« nette, n'est-ce pas ? pour ouvrir des boîtes de con-
« serve ! — Mais oui, ma mère, avais-je répondu. —

« Alors, fit-elle, te rends-tu compte comme ceux
« qui t'ont précédé, riraient ? Quand tu seras seul dans
« ton fameux petit studio fait de briques et chichement
« mesuré, et quand tu entendras rire, c'est eux qui
« riront. « Qu'est-ce que ce petit Hongrois enfermé
« dans une boîte à conserve ? », s'esclafferont-ils ! »

   « Je me défendais mollement, disant que j'étais Américain. « Depuis quand ? me répondit-elle. Tu aurais
« pu être Américain si ton père avait eu du talent.
« J'aurais accepté de partager sa race, son sang et son
« âme avec un homme génial... — Sans lui, avais-je
« protesté, tu serais restée en Hongrie, écrasée par
« ta mère. — C'est moi qui ai choisi ton père, dit-elle,
« dans la galerie d'art. J'aurais choisi de la même façon
« un Anglais, un Allemand, un Sud-Américain, n'im-
« porte quelle marionnette qui aurait pu me libérer.
« — Ne me dis pas que tu n'as pas aimé mon père.
« — J'aimais sa faiblesse, dit-elle, je l'aimais parce
« qu'il était doux et je le haïssais parce qu'il man-
« quait de talent — Mais, moi, ma mère, tu dois me
« mépriser, dans ce cas-là, parce que je manque de
« tout — Je t'aime, me dit-elle, comme jamais une
« mère n'a aimé un fils, et tu portes en toi plus qu'un
« talent, tu portes en toi la possibilité d'accomplir un
« acte sublime. T'en rends-tu compte, mon petit
« Janos ? » Elle prenait toujours la traduction hongroise
de mon nom John quand elle me parlait de la Hongrie,
pour me lier encore plus à ses souvenirs.

   — Vous devriez écrire un livre, dit Elisabeth.

   — Chère mademoiselle Lemercier, dit John, vous
n'avez aucune idée de la différence qui existe entre

l'histoire qu'on raconte et l'histoire qu'on écrit. J'entends encore la voix de ma mère quand il m'arrive d'évoquer tant de légendes familiales qu'elle aimait dire. Fred avait l'intention de s'occuper de ces légendes. Parce qu'il détestait ce qui est roman, il projetait d'entreprendre, un jour, un voyage au dix-huitième siècle. Il aurait décrit un bal chez mon arrière grand-mère, un déjeuner chez notre oncle, l'évêque. Il aurait présenté les péripéties historiques et sentimentales de ce vieux monde comme l'aurait fait un envoyé spécial. »

Elisabeth devait se dominer.

« Il aurait fait un beau gâchis, votre ami Fred... Ridicule... Et puis tout cela est insensé. C'est vous qui auriez dû écrire. Vous vous rendez compte, depuis dix-huit ans ! Et ainsi, vous pourriez dire...

— ... Que j'ai fait quelque chose, n'est-ce pas ? dit John. Eh bien, mademoiselle Lemercier, figurez-vous que je voulais éviter d'avoir en quelque sorte le bénéfice de ces dix-huit années. Je voulais un acte gratuit.

— Tout m'échappe dans cette affaire, s'exclama Elisabeth. Peut-être chez les hommes, est-ce différent... Mais, franchement, je ne vois pas comment deux hommes occupés pouvaient se consacrer à une amitié aussi dominante. Comment avez-vous pu éviter les médisances ? On ne vous a jamais accusés d'être... »

Elle s'arrêta. Elle était incapable de prononcer le mot.

« Homosexuels, prononça John avec innocence. Du tout. Nous avions chacun nos petites amies. Lui, il attachait assez peu d'importance à sa vie sentimentale. Il n'aurait jamais pu s'attacher longuement à une

femme. S'il avait épousé la fille du patron, il l'aurait
fait pour avoir barre sur le journal.

— Et vous admettez même cela, dit Elisabeth, que
votre ami sublime fasse un mariage d'intérêt !

— Il aurait aimé Patricia à sa façon. Il ne l'aurait
pas trompée. Il n'aurait même pas eu le temps. Vous
savez, dans la vie d'un journaliste en vogue, chargé
de grandes responsabilités, il est difficile de trouver
la place pour deux femmes. Il aurait certainement aimé
Patricia à cause du journal.

— Un drôle d'amour, fit Elisabeth, amère.

— Il supportait difficilement la solitude, continua
John. Il lui arrivait de me téléphoner à deux heures
du matin : « Dis donc, mon vieux, la fille vient de
« partir; elle a des principes, elle ne voulait pas dormir
« ici. Je n'ai plus sommeil, viens. »

— Et vous, répéta Elisabeth en prenant soin de bien
détacher les mots, et vous, homme gentil, vous quittiez
votre lit et vous alliez chez lui.

— Exactement. Enfin, quelqu'un avait besoin de moi.
Je lui apportais une bouteille de bière et je lui parlais de la Hongrie.

— Il n'a jamais eu une maîtresse jalouse de vous ?

— Il n'avait pas de maîtresse, il n'avait que des
filles qui passaient.

— Des filles, répéta Elisabeth agacée. Mais, même
parmi ces filles, il n'y en avait pas une qui aurait eu
assez d'ambition pour parvenir à l'épouser ?

— Je ne crois pas. Comment voulez-vous épouser
le vent ? L'homme qui vous oublie dans un lit encore
chaud, l'homme qui se relève de l'amour comme d'une

maladie, fatigué et heureux, et qui vous parle de reportage. Le journal tenait la première place dans sa vie
et notre amitié se plaçait presque au même rang. Il
n'avait pas peur de moi. Je n'attendais rien de lui. Je
ne représentais pas un lien encombrant. Comment
vous expliquer ? Nous étions des copains, des frères.
Comprenez-moi, mademoiselle Lemercier. Fred avait
brisé le mur de l'isolement autour de moi. C'est par
lui que j'ai pu apercevoir le monde tel qu'il existe,
le monde vrai.

— Et vous, John Farrel, vous n'avez pas rencontré
une seule femme dans votre vie qui vous aurait amené
jusqu'à cette brèche en vous tenant par la main ?

— J'ai essayé, mademoiselle Lemercier. Mais les
rêveurs n'ont du charme pour les Américains que s'ils
sont princes. Je n'étais qu'un prince en ombre chinoise.
Avec mes légendes derrière moi, je n'avais pas de titre.
On aurait pu m'aimer pour un titre, mais quand vous
n'offrez à une fille que le salaire d'un reporter médiocre
et des histoires de châteaux qu'elle ne verra jamais...

— Et vous n'avez pas imaginé, monsieur Farrel,
qu'on puisse vous aimer pour vous-même ?

— Si. J'aurais aimé être aimé. Je n'y ai pas réussi.
Croyez-vous qu'un être humain rencontre toujours
l'autre, celui ou celle que Dieu a créé un jour pour
lui ou pour elle ?

— Non, pas toujours.

— L'amour est inscrit ou non dans un destin.

— Et dans votre destin, monsieur Farrel, il n'y a pas
de place pour une femme ?

— Non, c'est fini.

— Fini à quarante-huit ans ?

— C'est une question de discipline, mademoiselle Lemercier. Et les prêtres qui... »

Elle tapa sur la table et cela lui fit mal.

« Vous n'êtes pas un prêtre, vous êtes un homme vivant, libre et célibataire...

— Il faut que je m'en aille », dit-il, pris de nervosité.

Il reprit :

« J'ai émietté ma vie, mademoiselle Lemercier. Donc je ne suis qu'un moineau. L'aigle est mort.

— S'il vous plaît, dit-elle, timide, pardonnez-moi pour la question que je vais vous poser. J'ai peut-être tort, mais je suis incapable de repousser l'interrogation... Comment avez-vous pu vivre seul pendant dix-huit ans ?

— Oh ! soupira-t-il, combien de fois ai-je eu le désir de serrer dans mes bras un petit être chaud et vivant, de m'abandonner dans une étreinte, de me libérer d'une pression insoutenable ! J'ai compris, au bout d'un certain temps, que la nature peut être subordonnée à la volonté, que la volonté est dirigée par la conscience. Je me suis fait accepter par moi-même la vie d'un prêtre. Non, s'il vous plaît, ne protestez pas. Si, eux, ils peuvent vivre purs, en se mêlant pourtant à la vie courante, en écoutant des confessions brûlantes qui amènent vers eux, pareilles à des laves brûlantes, les secrets de l'âme et du corps humain, si, eux, ils peuvent s'endormir, immobiles, en s'offrant à Dieu, pourquoi n'aurais-je pas pu, moi, faire de même ? En me cloîtrant dans un cimetière, en vivant pour un souvenir, j'ai eu des facilités... Je ne voyais que des femmes vêtues de noir qui arrivaient au printemps... qui arrivaient au mois de mai...

— Oui, dit Elisabeth. Les mois de mai et juin, la saison des Américains.

— Oui, dit John, ces femmes arrivaient vêtues de noir, parfois accompagnées par un second mari rougissant... Ces femmes, des mères prématurément vieillies, des fiancées devenues vieilles filles, des veuves, portaient un grand chagrin dans leurs yeux. Je m'habituais à cette vision de femmes appartenant aux morts. Comme moi.

— Et jusqu'à quand désirez-vous vivre ainsi, monsieur Farrel ? demanda Elisabeth sans force.

— On me délivrera un jour.

— Qui vous délivrera ?

— Un événement me bouleversera peut-être. J'aurai la possibilité de mourir, de mourir par la volonté de Dieu. »

Elisabeth frémit.

« Ne me dites pas que vous voulez provoquer un accident ?

— Non, dit John. Ce serait malhonnête. J'attends une mort libératrice, j'attends que le destin me relève de mes vœux.

— Vous pouvez vivre ainsi jusqu'à l'âge de quatre-vingts ans, dans votre pavillon, cria Elisabeth, et vous serez un vieillard tremblant, malade, vide, à cause de qui ? A cause d'une ombre. »

John s'énerva.

« A quoi bon me tourmenter ? Si, des Etats-Unis,

quelqu'un avait réclamé le corps de Fred, je serais
parti aussi. J'espérais que son père, l'hôtelier, demanderait le rapatriement du corps de son fils. Personne
n'a réagi après sa mort. Les années ont passé lentement. Je me suis habitué à mon éternité. Il y a trois
ou quatre ans, quand on a voulu me remplacer et
me renvoyer aux Etats-Unis, je me suis rendu compte
que, sans ce cimetière, je serais perdu. Où aller,
comment reprendre contact avec les gens et quelles
gens ? Je suis aussi seul que Fred. »

Elisabeth prit une cigarette. Elle attendait que John
lui offrît du feu. Elle n'osait pas toucher au briquet
tant sa main tremblait.

« Vous me faites penser à un criminel américain
qu'on avait oublié dans sa prison, dit-elle, très calme.
Quand on a découvert l'erreur judiciaire, il avait soi-
xante-dix-huit ans. On a voulu le libérer. Il a supplié
à genoux qu'on le garde. Il pensait qu'il allait mourir
très vite en quittant sa prison. Il n'aurait pu manger
sans entendre la sonnerie, ni s'endormir dans un espace
plus grand que sa cellule. Vous serez exactement
pareil un jour. Vous n'oserez même plus sortir de votre
cimetière, tandis que, maintenant encore, vous avez une
chance de pouvoir tout recommencer... Je vous aiderai
de toutes mes forces...

— Vous ne pouvez pas m'aider », dit John, têtu.

Elisabeth insinua d'une voix timide :

« Vous ne voulez quand même pas devenir fou ?

— N'employez pas ce mot, dit-il en se levant. Vous
n'avez pas le droit de me menacer. Je crains ce danger.

— Défendez-vous, insista Elisabeth.

— La mort viendra me chercher, dit John. J'accepte même de la prévoir, de la souhaiter, de la connaître dans ses moindres détails, sans que j'aie l'intention de me défendre. Le Christ a bien su porter sa croix sachant qu'en haut de la montagne il serait cloué sur le bois.

— Votre mort n'apporterait rien au monde coupable, répondit Elisabeth d'une voix sèche. Aucun mouvement capable de traverser les millénaires ne suivrait votre sacrifice. Vous ne fonderiez pas de religion et vous ne trouveriez pas de fidèles. Vous ne seriez qu'un médiocre petit fait divers : un militaire américain qui meurt dans un cimetière. Cela n'aurait aucun intérêt pour personne. »

Elle ajouta :

« Sauf pour moi. »

Elle garda un instant le silence.

« A quarante-huit ans, reprit-elle, on peut recommencer sa vie.

— Je vivais quand Fred était près de moi, dit-il.

— Taisez-vous, chuchota Elisabeth. Je ne peux plus entendre ce nom. Je le hais. »

CHAPITRE X

« DÉTACHEZ vos ceintures », lança l'hôtesse de sa voix chantante. Ann Brandt, assise dans le fauteuil le plus proche de l'entrée de la cabine, jeta un regard méprisant sur la jeune femme. « Quelle gourde ! pensa-t-elle. Attachez vos ceintures, détachez vos ceintures... et cela avec son charme de pin-up ratée. » L'avion s'arrêta à l'instant même. Les moteurs cessèrent de tourner. Le silence pourtant ne dura pas; tous les bruits d'Orly affluaient déjà vers l'avion à peine immobilisé. Ann se leva et mit sur ses épaules son manteau de vison noir. D'un geste sec, elle tira du porte-bagages son grand sac en crocodile noir. Elle l'ouvrit, en sortit ses lunettes noires qu'elle glissa sur son nez. Les grands verres foncés dans une monture noire cachèrent à moitié son visage. Ses lunettes-masque laissaient en liberté son nez fin, son grand front ridé, ses lèvres minces, son menton volontaire. Elle ouvrit alors avec la rapidité d'une habituée son étui à cigarettes en or, y prit une cigarette et l'alluma avec un briquet également en or. Elle descendit sans se hâter. « Au revoir, madame », chantonnait l'hôtesse de l'air. Ann passa devant elle sans faire le moindre signe de tête, empoigna la rampe de la passerelle et descendit. Le talon fin de son escarpin en crocodile noir s'accrocha au caoutchouc décollé d'une des marches. Nerveuse, elle se libéra. Laissant passer devant elle le flot des voyageurs, elle arriva la dernière à la douane. « Vous n'avez rien à déclarer, madame ? », demanda le douanier. Elle haussa les épaules et ne prit même pas la peine de répondre. Elle fit non de la tête. Le douanier dessina avec un certain regret de petites croix blanches sur les valises somptueuses qui portaient les initiales A.B. Un porteur s'affaira autour d'elle. Il posa avec douceur ses lourdes valises sur un chariot. « Vous prenez un taxi ? — Oui », jeta-t-elle. Ses talons résonnaient sur les dalles. « Les voyageurs en direction de New York sont priés de se présenter au contrôle... » New York. Elle venait de New York. La voix de l'hôtesse répéta la phrase en anglais. « Ce qu'elles sont énervantes ! », murmura-t-elle, agacée.

Une fois dehors, elle fut saisie par l'air frais. Le porteur attendait son pourboire. « Je n'ai pas d'argent français », dit-elle avec un accent traînant. Elle lui donna un dollar. Elle s'installa dans le taxi et constata qu'on était bien à l'étroit dans une voiture française. « Ce sera pour où ? demanda le chauffeur, jovial, en se retournant. — A la gare Saint-Lazare », répondit-elle. Elle s'appuya contre le dossier de la banquette, prit une autre cigarette de son sac et l'alluma. Elle s'aperçut que le chauffeur la regardait dans le rétroviseur. « Alors, lui dit-elle, je vous intéresse ? » Celui-ci hocha la tête et décocha une remarque con-

cernant ces étrangères loufoques qui débarquent comme
des martiens.

L'autoroute, entre Orly et Paris, n'offrait pas un spectacle bien engageant. « Le monde est laid », pensa
Ann Brandt, et cette constatation la remplit de joie.
Elle ne se sentait en sécurité que dans un décor dénué
d'âme et de sensibilité. Paris. Elle ressentit à peine une
émotion. Elle connaissait Paris. A la gare Saint-Lazare,
elle payera son taxi en dollars, reprit un porteur et alla
changer de l'argent. Elle prit un billet pour Caen.
« Le train est à quelle heure ? » demanda-t-elle.
L'employé consulta un tableau. « Le prochain, madame, est à seize heures. » Il fallait faire passer le
temps. Elle alla déposer ses bagages à la consigne,
ressortit de la gare, considéra la foule grouillante et
sentit monter en elle un sentiment d'hostilité. « Ils
ne sont pas beaux, les Français, se dit-elle. Ils sont
peut-être intelligents, mais pas beaux. »

Tout près de là, elle entra dans un cinéma permanent. Toujours frileuse, emmitouflée dans son vison,
elle contemplait le film consacré à des nudistes dans
leur île. Pas beaux non plus, ceux-ci... Il y eut,
ensuite, un dessin animé. Elle consulta sa montre;
elle devait attendre encore une demi-heure. Un
homme très grand vint s'asseoir devant elle. La tête
de l'inconnu lui cachait la moitié de l'écran. Elle
sortit du cinéma. L'ouvreuse jeta un lourd regard sur
le somptueux manteau qui l'effleura. Ann Brandt se
dirigea vers un kiosque à journaux et y découvrit des
romans policiers en anglais. Elle acheta aussi un roman
d'espionnage en français. Elle récupéra ses valises et

s'installa enfin dans un compartiment de première classe : dentelles grossières, banquette en drap d'une couleur indéfinissable, odeur refroidie de cigares, photo encadrée de Chambord... « Visitez la France et ses merveilles. »

« Je vais visiter la France et ses merveilles », prononça-t-elle à mi-voix et ses mains nerveuses cherchèrent de nouveau une cigarette. Elle fumait comme on se drogue, avec passion et désespoir.

Le train se mit en marche. Elle se détendit. La fumée emplit le compartiment. Personne n'avait envie de la déranger ni de prendre place en face d'elle. Son visage sans les lunettes offrait des traits ravagés. Ses cheveux noirs accusaient le travail peu délicat d'un coiffeur qui avait vraiment voulu obtenir ce qu'on appelle la teinte aile de corbeau. Elle avait essayé une fois de se passer de teinture, mais ses cheveux poussaient déjà complètement blancs; elle n'acceptait pas cette blancheur. Elle refusait l'âge et ses exigences. Elle avait quarante-huit ans, mais on n'aurait pu dire un chiffre exact en la voyant. Elle pouvait aussi bien paraître plus vieille que plus jeune, cela dépendait de son regard. Petite et très mince, sa silhouette faisait illusion. Au début, ça l'amusait quand on la suivait dans la rue. Elle prenait un plaisir pervers à se retourner et à offrir son visage tourmenté et ridé aux amateurs qui ne cachaient même pas leur désarroi. « Un cou de poulet, se disait-elle souvent, un visage de momie et un corps de trente ans. Et même ce corps... » Il y avait sa poitrine parfaite et son ventre plat. Mais les années s'étaient emparées aussi de ses

mains dont la peau tavelée était sèche et couverte
de rides.

A l'issue d'un voyage qui lui sembla interminable,
elle arriva à Caen. Elle prit un taxi et désigna l'hôtel
qui était en tête de liste dans le guide.

« Au Malherbe », dit-elle au chauffeur.

Celui-ci repéra à l'instant même l'étrangère. Dans
une ville entourée de tant de cimetières, leur cote
était grande. Les étrangers donnaient des pourboires
sans compter. Le chagrin, souvent, enlève aux chiffres
une part de leur importance.

« Qu'aurions-nous fait, dit le chauffeur en enta-
mant la conversation, sans ces braves Américains ? La
Résistance, c'était bien joli, mais sans les héros qui
sont venus mourir ici, qu'aurions-nous fait ? »

Il n'eut pas de réponse. « Serait-elle Anglaise ? »
se demanda-t-il.

« Vous savez, nous avons un très beau cimetière
anglais. Les Anglais ont été extraordinaires auprès
des Américains. Ah ! C'étaient des gars bien, les
Anglais... »

Le silence le fit frémir. « Merde, se dit-il, elle doit
être Allemande ».

« Vous savez, madame, reprit-il d'une voix condescendante, le chagrin, c'est le chagrin. Une maman
allemande a aussi bien mon estime qu'une maman
américaine. Il est d'ailleurs très bien entretenu, le
cimetière allemand. »

Ils arrivèrent devant l'hôtel Malherbe. Le chauffeur
descendit et ouvrit la porte. Ann le regardait avec
dégoût. Elle décida de ne pas prononcer un mot pour

qu'il ne puisse rien deviner d'elle. Il lui tendit un
carton.

« Si vous allez au cimetière de votre choix, appelez-
moi, je suis à votre service. »

Elle accepta l'adresse uniquement afin de pouvoir
l'éviter dans l'avenir. Deux chasseurs prirent ses valises.
Elle gravit les marches du perron, trouva le hall
élégant et aéré, se dirigea vers la réception où un
jeune homme la salua avec déférence.

« Que désirez-vous, madame ?

— La meilleure et la plus calme de vos chambres »,
dit-elle en anglais.

Ann, qui, dans la voiture, avait remis ses lunettes,
les retira. Elle aurait aimé voir le choc produit sur
le visage de ce garçon si bien élevé. Celui-ci ne
broncha pas.

« Désirez-vous en visiter plusieurs et choisir,
madame ?

— Je vous fais confiance », répliqua-t-elle. Sa voix
était presque douce.

Le réceptionniste prononça un chiffre. Le concierge,
de l'autre côté du hall, décrocha une clef et Ann se
trouva dans l'ascenseur. Le chasseur ouvrit la porte
de sa chambre. Elle aima tout de suite la petite
entrée. Elle jeta un coup d'œil dans la salle de bain
et se trouva dans une chambre accueillante et amicale :
un grand lit avec un couvre-lit en satin fleuri, des
rideaux du même tissu, une moquette épaisse, des
armoires confortables... Le chasseur allait partir sans
pourboire. Elle le rappela.

« Tenez. »

Elle glissa deux dollars dans les mains de l'adolescent étonné. Lorsqu'elle fut seule, elle alla vers la fenêtre et regarda la place Malherbe : un monument se dressait au milieu, une prairie s'étendait sur la gauche et, au loin, des bâtiments neufs en marquaient les limites. Elle se sentait bien. Elle prit un bain et se laissa flotter dans l'eau. Elle se glissa ensuite dans un peignoir de bain chaud et se coucha. « Presque le paradis, pensa-t-elle, presque le paradis. »

Elle se fit monter un dîner léger. Elle admira la rapidité du service.

Jusqu'ici, elle avait évité de penser. Femme de tête, femme d'affaires, elle avait le pouvoir d'établir dans son esprit comme un court-circuit et de vivre pendant quelques heures comme dans une chambre noire. C'est vers neuf heures moins le quart du soir qu'elle commença à ressentir des douleurs dans son bras gauche. Elle frémit. Elle chercha ses pilules. Dès son arrivée, elle avait soigneusement glissé le flacon dans le tiroir de sa table de chevet. Elle y prit des petites pastilles blanches. Il y avait aussi une ampoule de morphine dans son sac, mais il fallait quelqu'un qui puisse lui faire la piqûre. Aux Etats-Unis, seuls les médecins ont le droit de donner une piqûre; elle imaginait que c'était le même système en France. Elle décrocha le téléphone.

« Allô, dit-elle d'une voix étranglée.

— Oui, madame, répondit une voix impersonnelle, oui, madame... »

C'était presque la voix d'un autre monde.

« Ecoutez, fit-elle, écoutez. J'ai besoin d'un méde-

cin tout de suite. A l'instant même. Trouvez-moi un
médecin. Je crains d'avoir une attaque cardiaque. Je
ne désire pas mourir dans votre lit si accueillant, ce
ne serait pas gentil vis-à-vis de l'hôtel... Vite un
médecin, s'il vous plaît. »

Elle raccrocha. Le réceptionniste quitta le standard,
sans même chercher la liste des médecins et leur
numéro d'appel. Tout à l'heure, il avait vu le docteur
Laffont traverser le hall de l'hôtel; il avait l'habitude
de passer par le hall pour se rendre au restaurant. Le
réceptionniste savait bien que le docteur Laffont ne
serait pas content. Il venait avec sa fiancée chaque
samedi au Rabelais. C'était leur soirée. Mais si la
cliente américaine allait mourir dans leur hôtel ! Il
préférait prendre cette initiative et, d'un pas rapide,
descendit le petit escalier qui menait au restaurant,
se fraya un passage parmi les garçons et arriva devant
la table.

« Docteur, dit-il, je m'excuse infiniment de vous
déranger. Une cliente a une crise cardiaque. Elle
avait une voix tout à fait étouffée au téléphone. Elle
m'a demandé de trouver un médecin à l'instant même.
Je savais que vous étiez là. »

Laffont lui jeta un regard amer. Elisabeth se mit
à sourire.

« Vous avez bien fait. Cher Roger, vous montez tout
de suite, n'est-ce pas ?

— Pourquoi, dit Laffont, n'appelez-vous pas quelqu'un de Caen ? Je ne suis pas un médecin de Caen.

— Vous êtes médecin », dit Elisabeth.

Elle posa un instant sa main chaude sur celle de

Laffont. Il fut encouragé par ce geste. Il comprenait bien que le seul terrain sur lequel il pouvait impressionner Elisabeth était celui de la médecine. Il prit sa trousse au vestiaire, suivit l'employé et arriva dans la chambre d'Ann. Il comprit aussitôt l'urgence de l'appel. Ann gisait, verte, sur son oreiller. Elle pouvait à peine prononcer :

« Dans mon sac, docteur, la morphine. Je souffre atrocement. »

D'un geste, il congédia l'employé. Rapidement, il trouva le secret du fermoir compliqué. Le sac était doublé de cuir rouge. Il y régnait un ordre méticuleux. Il avait l'impression de commettre un acte interdit, d'entrevoir subrepticement le contenu d'un coffrefort. Poudrier, tube de rouge à lèvres en or, portemonnaie en crocodile, carnet de chèques dans un étui de cuir rouge. Ses doigts reconnurent la boîte d'ampoules. Il en prit une, la scia et remplit la seringue.

« Tournez-vous, dit-il à Ann.

— Je ne peux pas, haleta-t-elle. Donnez-la-moi dans la cuisse. »

Il la prit dans ses bras. Elle était à peine plus lourde qu'une adolescente anémique. Il planta l'aiguille, puis frotta énergiquement la trace avec un morceau de coton imbibé d'alcool.

« Vous allez dormir », dit-il, et il rejeta la couverture sur Ann.

Il s'assit sur le lit, lui tenant le poignet.

« Je ne dormirai pas, docteur, dit-elle. Je suis parmi les très rares que la morphine rend lucides, terriblement lucides. Je m'appelle Ann Brandt. Je viens de

New York. Je suis arrivée ce matin en France. Merci, docteur.

— Vous ne devriez pas voyager dans un état de fatigue pareil, dit le docteur, et il cherchait sur ce visage tourmenté un indice. Quel âge avez-vous ?

— Devinez. »

Laffont détestait cela, surtout à l'égard d'une femme visiblement intelligente. A une autre il aurait pu mentir grossièrement; à celle-ci ce n'apparaissait guère possible. Il lui fit grâce quand même de quatre ans. Quatre ans, c'était une marge normale de mensonge.

« Peut-être quarante-cinq ans, dit-il, détaché.

— Comme vous êtes français ! J'en ai quarante-huit... J'ai eu ma première crise cardiaque il y a trois ans. Contre la douleur j'ai toujours de la morphine. Mais elle ne me noie pas sous les rêves. Je n'ai jamais eu aucun plaisir qui soit dû à la morphine. Elle m'enlève la douleur et, vivante, je récapitule ma vie.

— Vous êtes dans les affaires ? demanda Laffont.

— Jusqu'aux narines.

— Quelles affaires ? »

Elle fit un geste.

« Les antiquités. Je vends à New York des meubles d'origine française.

— Vous êtes la première antiquaire que je vois avec une maladie de cœur. Je considérais ce métier comme ayant au moins le mérite d'être agréable et paisible. Comment réussissez-vous à être pressée avec les vieux meubles ?

— Quand il faut fabriquer du Louis XV, je vous

assure qu'on est pressé ! Depuis vingt ans, je vais prendre pour la première fois de vraies vacances.

— A Caen ? »

Elle haussa les épaules.

« En France.

— Pourquoi êtes-vous venue à Caen ?

— Pourquoi serais-je allée ailleurs ? Quand on commence un voyage, on prend par un bout pour arriver à l'autre bout.

— Vous parlez très bien le français.

— Avec un accent épouvantable », répondit-elle.

Laffont fit la moue. Cela lui était vraiment égal.

« Vous avez pris des leçons ?

— Au lit », répondit-elle, avec une désinvolture préméditée.

Laffont accusa le coup. Ann ajouta :

« C'était mon décorateur : un petit Français qu'écrasaient les gratte-ciel. Vous imaginez une fourmi passionnée... Une fourmi qui décore, une fourmi qui fait l'amour... »

Laffont se leva.

« Le manque de pudeur est un besoin naturel chez certaines femmes, surtout quand elles dépassent l'âge qu'on appelle critique. C'est une question de glandes », dit-il.

Elle esquissa un sourire.

« J'étais aussi franche avant... A vous, peut-être, j'aurais dû dire, en baissant les paupières, que j'avais fréquenté l'Alliance française. »

Laffont referma sa trousse.

« Il y a de nombreux et excellents médecins à Caen.

A votre place, je me ferais examiner par l'un d'eux.

— Des médecins ! s'exclama-t-elle, méprisante. Je les connais. Je ne suis pas venue en France pour m'entendre dire de nouveau que je ne dois ni fumer ni avoir d'émotions. Ils s'acharnent toujours sur les émotions... Ai-je l'air si émotive ? J'en ai eu tant que je ne pourrais plus en avoir. Donc, c'est réglé. Il reste la cigarette : j'y tiens trop. Ainsi, les discours ne serviront à rien. J'ai besoin de piqûres et pas de mots... Je vous dois combien, docteur ? »

Il fit un geste.

« Rien, madame. J'ai interrompu une conversation à laquelle j'attache beaucoup de prix. Je l'ai interrompue pour vous. Ma visite n'a aucun caractère lucratif.

— J'ai l'habitude de payer, docteur, j'ai toujours tout payé.

— Je vous le répète, madame; ce soir, je suis hors de prix. Si vous vouliez m'offrir toute votre fortune, ce ne serait pas suffisant. J'aurais préféré terminer une phrase plutôt que de monter ici. »

Il s'inclina, quitta la chambre, traversa la petite entrée, reprit l'ascenseur pour regagner le restaurant. Avant de franchir la porte de la salle à manger, il s'arrêta pour, sous une eau brûlante, se laver méticuleusement les mains... Elisabeth avait le regard perdu dans la fumée d'une cigarette.

« Voilà, chérie, je suis là. »

Elle sursauta.

« Oh ! tu m'as fait peur. »

Le maître d'hôtel fit rapporter les tripes tenues au

chaud. Soudain, tout semblait inutile. Laffont découvrit les traces des lèvres d'Elisabeth sur le verre. En l'attendant, elle avait dû siroter son vin. Il fit un effort.

« Je m'excuse pour cette interruption. Décidément, je n'ai pas de chance avec les Américains; ils interviennent dans ma vie lorsque je le désire le moins. Je ne peux pas en vouloir à cette femme qui m'a appelé; elle avait besoin d'une piqûre. J'en veux à l'hôtel.

— Tu n'aurais quand même pas laissé mourir quelqu'un simplement pour ne pas interrompre une conversation ! » dit Elisabeth distraitement.

Laffont se pencha vers elle.

« Je ne t'ai pas vue depuis trois semaines. J'ai souffert de cette absence.

— Es-tu capable de souffrir ? Et si oui, comment souffres-tu, Roger ? »

Il haussa les épaules.

« Bien, moque-toi de moi. Parce que je t'ai dit, un jour, que rien ne pouvait me faire de peine... Je me suis vanté. Je voulais paraître fort. Tu me manques, Elisabeth, tu m'as exclu de ta vie d'un jour à l'autre.

— Tu as besoin de moi ou d'une femme ? Est-ce une question d'hygiène ou...

— Ne sois pas sotte, l'interrompit Laffont.

— Moi, sotte ? Pardon, mon cher Roger. C'est toi qui m'as dit que l'homme éprouve en tous les cas le besoin de coucher avec une femme... avec n'importe laquelle... Combien de fois as-tu répété que, pour te mettre au lit, tu n'avais pas besoin d'éprouver de sentiments...

— Je ne comprends pas ton attitude. Tout ce que tu viens de me dire te va si mal. Tu n'es pas faite pour la vulgarité.

— Excuse-moi, chuchota-t-elle, désarmée. Tu as tes raisons, moi j'ai les miennes. Il nous reste la possibilité de parler franchement.

— N'avons-nous pas d'autre avenir ? J'espère qu'il nous reste la vie à vivre ensemble. Je n'ai pas renoncé à toi. Ce serait trop facile de te rendre la liberté à cause d'un caprice...

— Si nous étions mariés depuis des années et que j'aie eu une faiblesse pour quelqu'un, j'aurais pu te dire : pardonne-moi; c'était plus fort que n'importe quelle promesse. Tu m'aurais aimée moins, tu te serais habitué à une vie commune, comportant, désormais, le point de départ d'une discussion. Mais nous ne sommes pas liés juridiquement, Roger; nous ne possédons pas le papier qui prouve que nous avons le droit, vis-à-vis du monde, de coucher ensemble. Ce n'est qu'une liaison... Et même pas la première de ma vie.

— Veux-tu ne pas me mettre au niveau de cette espèce de petit crétin avec qui tu as couché quand tu avais vingt-cinq ans. Tu ne l'as pas épousé... »

« Parce que j'ai compris au cours de la liaison que ce serait inutile. »

Elle garda le silence.

« Allons, dit le docteur, continue. Ce n'est entre nous qu'une liaison. Donc, selon toi, on peut rompre d'une minute à l'autre.

— Mais oui, dit-elle, d'une minute à l'autre, d'un jour à l'autre.

— Il y a une faille dans ton système, ma petite Elisabeth. Tu reproches aux hommes de pouvoir coucher avec n'importe quelle femme sans les aimer. Toi, avec ta fausse ou ta vraie dignité, pour pouvoir te regarder sans rougir dans ta glace, tu as dû te dire que tu m'aimais... Autrement, tu ne vaux pas mieux que ces hommes qui couchent d'ailleurs beaucoup plus difficilement que tu le crois.

— J'avais l'impression de t'aimer, Roger, j'imaginais que je t'aimais...

— Pense à nos souvenirs, la supplia Laffont. Tu ne peux pas les oublier. Quoi qu'il arrive, nous avons un passé commun. Je tiens à ce passé, j'y tiens très fort. Je devine ton corps brûlant. Tu ne nieras pas le plaisir que tu éprouvais dans mes bras. »

Elisabeth avala sa salive.

« Laisse ton orgueil d'homme; je ne voudrais pas que tu sois ridicule. »

Désespéré, il se pencha vers elle.

« J'ai la certitude que je t'ai rendue heureuse avant que...

— Heureuse physiquement », dit-elle.

La chaleur montait lentement sur ses joues.

« Que veux-tu de plus de la vie ? demanda Laffont. Des leçons de métaphysique ? Des explications compliquées ? Le corps humain a si peu de secrets pour moi. Le corps d'une femme est démystifié aux yeux d'un médecin. Le cœur remplit son devoir, il bat. Le sexe accomplit son devoir, il a été créé pour le plaisir. Les seins, si doux et si agréables à prendre dans les mains, ornent une cage thora-

cique molletonnée de chair. Comment voudrais-tu
que j'écrive un poème sur des seins qui ne sont
que glandes et muscles ?

— Merci ! répondit Elisabeth, détachée. Le tas
de chair en face de toi se révèle moins bien appri-
voisé que tu l'aurais pensé. Ce tas de chair est dirigé
par une âme.

— L'âme ? » dit le docteur.

Elisabeth déposa sa fourchette.

« Je suis incapable de manger.

— Moi, j'ai faim », rétorqua Laffont.

Une gouttelette de graisse luisait sur son menton.
Naguère, Elisabeth lui aurait dit avec précaution :
« Voudrais-tu essuyer ton menton ? » Elle aurait
ajouté : « Chéri », pour atténuer le désagrément
d'une remarque qui aurait forcément agacé Laffont.
Maintenant, elle le laissait parler paré de cette
goutte luisante.

« Que veux-tu faire de Farrel ? demanda brusquement Laffont. Il est trop vieux pour être ton
gigolo et trop inconscient pour que tu espères l'avoir
pour mari. Tu cours après une illusion, Elisabeth;
tu cours après un homme qui n'existe pas. Son attitude assez ridicule cache une nature haïssable. C'est
un raté professionnel; c'est un raté qui sait pertinemment qu'autour de l'échec de sa vie il convient
de créer une mise en scène. Quand on voit un raté,
tout le monde rigole. Mais devant une victime
aussi sublime, on se sent l'envie de la cajoler. Tu ne
vas pas tomber dans le panneau, non ?

— Si tu le hais, dit Elisabeth, c'est que tu es

persuadé qu'il est sincère. Un escroc, tu pourrais
aller le trouver, lui taper sur l'épaule et lui dire :
« Laisse tomber, mon vieux, la charmante demoi-
« selle Lemercier m'appartient. » Mais tu n'as
aucune possibilité de lui dire quoi que ce soit. Il
est imperméable. Il suit le fil de ses idées. Il évo-
lue dans un monde qu'il s'est, autour de lui, créé pour
lui-même. Pas d'accès vers M. Farrel, pas de compromis possible, de conversation de copain à copain. C'est
ça qui te met en rage.

— Je n'oublierai pas ce maudit déjeuner dans
l'auberge, dit Laffont. Il est arrivé comme le malheur personnifié.

— J'aurais trouvé une occasion d'aller le voir,
dit Elisabeth, pensive. Il a commencé à m'intéresser
prodigieusement le soir même où tu m'as parlé de
lui pour la première fois, au cours de notre dîner
ici, il y a un mois. Mais oui, Roger. Tu veux savoir
pourquoi j'ai commandé un soufflé ? Parce que
je voulais prolonger la soirée et que tu me parles
encore de lui... »

Laffont froissa sa serviette et la jeta sur la table.
« Qu'ai-je pu te dire, bon Dieu, pour le rendre
à tes yeux si attirant ? Je disais n'importe quoi.
Tu étais en face de moi comme un objet inerte; je
voulais trouver quelque chose qui t'intéresse.

— Et tu m'as intéressée ! Quand tu m'as embrassée, j'ai pensé à lui. Il n'avait pas encore de
visage, mais tu l'avais si bien décrit, Roger. Tu m'as
dit qu'il ressemblait à un aristocrate qui se laverait les dents avant d'être décapité, te souviens-tu ?

Cette phrase m'a plu. Tu m'as dit qu'il était élancé, grand. Tu m'as dit qu'il souffrait et que, pressés par une force intérieure, des rêves naissaient en lui.

— Et c'était suffisant pour toi ?

— Oui. Tu ne connaîtras jamais rien aux femmes, rien, Roger.

— Ça m'apprendra à parler de mes malades...

— Tu respecteras dorénavant le secret professionnel !

— Ma petite Elisabeth, tu m'injuries gentiment, à ta façon. Je te propose un marché : couche une fois avec ton bonhomme et donne-moi de tes nouvelles le lendemain. J'aimerais savoir si, dans ses bras, tu...

— Veux-tu te taire, l'interrompit Elisabeth.

— Me taire ? Tu en demandes trop.

— Partons, s'exclama Elisabeth, partons, s'il te plaît.

— Pars. Moi, je n'ai pas encore terminé mon dîner... Mais tu n'auras pas le courage de te lever de table et de sortir seule... Tu cours après un spectre, Elisabeth. Tu t'imagines dans ses bras. Tu espères Dieu sait quelles délices et tu n'as pas le courage de sortir d'un restaurant... Tu as peur que les Caennais disent demain : « Tiens, tiens, « Mlle Lemercier est partie avant la fin du dîner « avec son docteur. » Pour éviter tout malentendu, je te précise qu'on m'appelle « ton » docteur; tu le sais, non ?

— Le courage ! » dit-elle, féroce.

Elle se leva. Oubliant son briquet, elle prit son sac. Elle se fraya un passage dans le restaurant. Le maître d'hôtel se précipita :

« Vous n'avez pas été contente, madame ? Je suis vraiment navré si le repas vous a déplu. »

Elle se mordit les lèvres.

« Non, merci, tout va bien. J'ai un petit malaise, il vaut mieux que je rentre. Je préférerais que le docteur restât et terminât son dîner... Voulez-vous me donner mon manteau ? »

Elle chercha lentement sa clef de contact. Elle espérait que Laffont la rejoindrait et qu'il lui demanderait pardon. Elle n'aimait pas le quitter après une discussion aussi violente. Elle aurait voulu se réconcilier avec lui. Elle l'attendit en vain. Derrière la porte vitrée de l'hôtel, un chasseur la regardait. Elle prit place dans sa voiture et démarra. La voiture eut un soubresaut de désespoir. Elisabeth traversa la ville à une allure folle.

Arrivée devant sa maison, elle n'eut pas la force d'arrêter le moteur. Pour se donner un temps de réflexion, elle fit trois fois le tour de la place. Presque malgré elle, elle s'engagea dans la rue Penmagnie, traversa la place Saint-Sauveur, descendit la rue Monte-à-regrets, pénétra dans la rue Ecuyère. Elle retraversa la ville et se retrouva sur la route. Son cœur battait. Elle serrait le volant de ses mains gantées. Soudain, elle accéléra. Au bout de quarante minutes, elle se trouva à l'entrée du cimetière de Saint-Laurent. Elle rangea sa voiture auprès de la grille, éteignit ses phares et retira la clef de contact. Tremblante, elle regardait à travers le pare-brise les trois pavillons aux fenêtres éclairées. Elle ne savait pas dans lequel vivait John. Elle décida de tenter sa chance. Elle quitta la voiture sans la fermer. Ses pas crissaient sur le gravier. Elle s'approcha de la première maison, contourna deux arbres et regarda par une fenêtre. Un couple dînait gaiement. Elle s'approcha du second pavillon. Ici, les rideaux étaient tirés. Pourtant, elle devinait une lumière derrière eux. Elle poussa un soupir et appuya sur la sonnette. Ce fut John qui ouvrit la porte.

« Mademoiselle Lemercier ! dit-il, désagréablement surpris. Que voulez-vous ? »

Elle le regardait sans répondre. John continua :

« Les gardiens célibataires n'ont pas le droit de recevoir de visites. Je ne pourrai guère vous laisser entrer. »

C'était trop pour elle. Ses larmes commencèrent à couler. Elle n'avait pas la force de prononcer un mot. Elle regardait ce John hostile, ce John inconnu.

« Que puis-je faire pour vous, mademoiselle ? »

Elle hocha la tête en demeurant silencieuse et s'apprêta à faire demi-tour. John la rattrapa par le coude.

« Je pourrais faire quelques pas avec vous, nous pourrions bavarder. Vous me diriez le but de votre visite. Voulez-vous descendre au bord de la mer par le petit chemin ? Vous savez où est la table d'orientation ? »

Elle fit oui d'un simple signe.

« Venez », dit John.

Ils s'engagèrent dans l'allée. Elisabeth entendait la mer. Elle devinait les croix à sa gauche.

« Je ne vois rien », dit-elle.

Dans cette nuit noire, elle avait la sensation de s'engager dans un tunnel. Ses larmes coulaient toujours. John la prit par la main.

« Venez », répéta-t-il.

Ils dépassèrent la table d'orientation et Elisabeth, dans le sentier en pente, sentit sous ses pieds des marches qu'elle retrouvait périodiquement. Un espace lisse séparait chaque groupe de trois marches.

« N'ayez pas peur », dit John.

Pour la première fois, leurs mains étaient en contact pour un temps plus long qu'une poignée de mains. S'habituant à la nuit noire, elle se souvenait maintenant du chemin. Il lui était arrivé de l'emprunter en plein jour; il menait jusqu'à la plage. Les herbes et les buissons humides frémissaient. Elle sentait l'odeur venue du large. Elle s'imaginait avoir dix-huit ans et se promener avec un garçon de son âge qui, hésitant, chercherait l'occasion de l'embrasser. Elle souhaitait que cette promenade durât l'éternité. Le sable blanc, phosphorescent, apparut enfin.

« Voilà, nous sommes arrivés au bord de la mer, dit John. Il fait souvent plus chaud ici qu'en haut. Voulez-vous vous asseoir un peu ?

— J'ai peur des bêtes, dit-elle. Vous imaginez, si un crabe venait, ou une anguille ou une grosse araignée, je mourrais de peur. »

Elle avançait dans la tiédeur obscure.

« Venez par là, lui cria John de loin. Il y a ici un rocher plat où vous pourrez vous asseoir sans crainte. »

Incertaine, réticente, Elisabeth prit place. Elle tritura de ses mains le sable froid. John s'assit à côté d'elle. Elle tourna la tête vers la mer invisible. Elle entendait le clapotement des faibles vagues qui venaient s'échouer, fatiguées, sur la grève.

« Qu'aviez-vous à me dire, mademoiselle Lemercier ? Vous me recevez avec tant de générosité chez vous et, quand vous venez vers moi, je ne vous offre, pour vous asseoir, qu'un rocher ! Pardonnez-moi, mais c'est le règlement.

— Je ne savais pas où aller ce soir, dit Elisabeth, et j'avais peur d'être seule avec moi-même dans mon appartement. J'ai failli rendre visite à une amie. Qu'aurait-elle pensé de moi si j'étais arrivée chez elle à dix heures du soir ? J'imaginais que vous, qui éprouvez par moment le besoin de trouver un interlocuteur, vous me comprendriez. Je ne vous cherchais pas forcément, vous, monsieur Farrel; je fuyais la solitude. J'ai fait trois fois le tour de la place Saint-Martin. Je me suis donné un temps de réflexion. En définitive, il n'y avait qu'une seule personne à qui je puisse m'adresser... Pardonnez-moi cette familiarité : on ne peut pas raconter à un agent de police, au croisement de deux rues, qu'on a mal...

— Mal, dit John. Pourquoi ?

— Je vis une existence sans issue. J'ai à peu près tout raté et je crains qu'il ne soit trop tard pour recommencer.

— Vous épouserez le docteur, mademoiselle; vous formerez un couple agréable.

— J'ai beaucoup de difficultés à me contenter d'un compromis, dit-elle, enfantine. J'ai rêvé d'un grand amour. Je voulais éprouver un sentiment absolu et le docteur Laffont n'est pas l'homme qui puisse l'inspirer.

— Il existe certainement quelque part dans le monde une femme qui aurait pu aimer le docteur comme vous désirez aimer quelqu'un d'autre. Ce n'est qu'une question de chance. Le hasard d'une rencontre. Mais parce que nous vivons comparti-mentés, entourés de murs et nous faisant seulement des signes par les brèches, il faut nous contenter de ce que le destin nous offre. Il est possible que ce soit mieux que la solitude.

— Je n'en suis pas sûre, s'exclama Elisabeth; juste-ment, je n'en suis pas sûre. Solitaire, je puis encore rê-ver, partir en voyage, m'élancer à la poursuite de quel-qu'un óu de quelque chose. Mais ligotée à lui...

— Ligotée ? fit John.

— Oui, dit-elle, ligotée. Je ne peux pas le regarder sans penser qu'un autre, même pas si loin, doit exister, que quelqu'un que j'aurais pu aimer follement a traversé peut-être déjà souvent la ville de Caen, que j'aurais dû être à la gare pour lui faire un signe, le retenir dans la salle d'attente, et que, m'agrippant à son revers en me haussant sur la pointe des pieds, j'aurais pu lui dire : « Mon-« sieur, vous êtes le grand amour de ma vie. »

— Il vous prendrait pour une folle.

— Mais oui, dit-elle, pour une folle, ou pour une future vieille fille détraquée. Je ne suis pas une vraie

vieille fille, monsieur Farrel. j'ai eu un amant. Avec
le docteur, deux. Le premier, je ne l'ai pas épousé;
il était si insignifiant qu'en vivant auprès de lui
j'aurais eu l'impression d'écrire des lettres avec de
l'encre invisible; je n'aurais même pas pu me relire...

— Où sont vos parents ? demanda Farrel.

— J'ai perdu ma mère très tôt et mon père est
mort dans l'Abbaye-aux-Hommes pendant la bataille.
L'obus est tombé juste au milieu du transept. Il y
eut cinq morts : l'un d'eux était mon père. Mort
curieuse pour un incroyant, ne trouvez-vous pas ?

— Dieu a choisi l'heure et l'endroit, dit Farrel,
comme pour mon ami Fred.

— Non, cria Elisabeth, ne recommencez pas à
parler de lui. Je suis près de vous, désespérée, mais
vivante. Quand vous avez tenu ma main, vous n'avez
pas pensé que vous teniez la main d'une femme
vivante ?

— Je tenais la main de quelqu'un qui avait
besoin d'être guidé dans l'obscurité, dit-il d'un ton
sévère. Et après, mademoiselle Lemercier ?

— Après, dit-elle, faisant un geste d'impuissance,
après ? Ma vie n'a été qu'une chaîne de petites
lâchetés, de peurs médiocres, de faiblesses de second
ordre. Je possède assez d'argent, j'ai des immeubles.
J'aurais pu adopter un enfant. Je n'ai pas osé, monsieur Farrel; vous savez pourquoi ? Je craignais que
les voisins se disent entre eux : « Eh bien, Mlle Le-
« mercier a dû avoir un enfant en secret, de père
« inconnu, au moins inconnu pour les Caennais !
« Et elle le présente comme un enfant adopté. »

— Si vous vous connaissez aussi bien, mademoiselle Lemercier, dit John, pourquoi n'entamez-vous pas maintenant une procédure d'adoption ? Vous vous accusez d'être lâche. Vous avez su définir le mal qui vous rongeait. Remédiez-y ; allez à Paris, rendez-vous à l'Assistance publique. Un enfant vous attend là-bas peut-être.

— Je n'en ai pas la force, dit-elle. J'aurais pu aussi vendre tout ce que j'ai ici, en Normandie, et m'installer ailleurs. J'avais peur de quitter mon milieu, ce milieu où, pourtant, je ne trouve personne à qui me confier... Je me rends de temps en temps à des thés. On dit ici un « rond de dames ». Je mets un petit chapeau — je les achète à Paris —; j'écoute les compliments qui concernent mon magasin. Dans ce néant, je me sens quand même chez moi. Oh ! soupira-t-elle, si vous saviez comme le manque de courage fait mal, monsieur Farrel.

— Vous avez dit tout cela au docteur ? demanda Farrel, attentif.

— Qu'est-ce qu'on peut lui dire ? Vous avez essayé, vous, de lui parler ? »

Il ne répondit pas.

« Vous comprenez, continua Elisabeth, Roger simplifie la vie. De son point de vue, il a raison, mais quel espace reste-t-il pour les pensées ? Où est le souffle dont on a besoin pour respirer mentalement ? Qu'est la grande passion qui peut tout transformer ? Je pourrais devenir une autre si j'aimais. Qui pourrais-je aimer ?

— Vous aimez les voyages, dit-il gentiment. Lors

d'un voyage, un homme vous sourira. Vos regards se rencontreront. Dans un groupe, vous visiterez ensemble quelques monuments et vous direz en même temps que ce monument est laid ou qu'il est beau. Ce serait un début.

— Mais, monsieur Farrel, je voudrais aimer en agonisant de bonheur, en donnant l'essentiel de moi-même, en renonçant à moi-même... Je voudrais pouvoir sacrifier tout à une passion... Et je ne rencontre que des gens logiques, équilibrés, qui ont peur, quand ils la devinent, de cette passion que je porte en moi. Jusqu'ici, j'ai essayé d'habiller en héros chacun de ceux que j'ai connus. J'avais même oublié le physique de Laffont et ne voulais le voir que semblable à un dieu maltraité. Je voulais lui faire dire les phrases que j'aurais aimées entendre. Vous rendez-vous compte ? Je lui ai même demandé s'il était capable de mourir d'amour. Laffont ! »

Elle se mit à rire.

« Laffont mourir d'amour ! Il faut que je sois une imbécile, monsieur Farrel.

— Vous auriez plu à ma mère, dit-il. Elle aurait trouvé pour vous un objet à votre passion; elle vous aurait projetée dans une aventure insolite comme on lance aujourd'hui un satellite dans l'espace. Elle vous aurait procuré ce brûlant foyer autour duquel vous auriez tourné, tourné à mourir de vertige...

— Et vous, dit-elle, vous n'avez rien à m'offrir ? »

Il se mit à sourire.

« Si. Je vais vous reconduire jusqu'à votre voiture. Il est tard. »

Ils se levèrent. Elle avançait. Elle n'avait plus de larmes, elle était vide, fatiguée. Farrel ne comprendrait jamais rien, lui non plus.

« Mademoiselle Lemercier », l'interpella-t-il.

Elle se rendit compte qu'il était loin.

« Vous allez si vite que j'ai de la peine à vous suivre. Pourquoi courez-vous ?

— Je cours ? dit-elle, étonnée. Excusez-moi. Je me suis habituée à cette obscurité...

— Mademoiselle Lemercier, dit-il en se rapprochant d'elle. Vous m'avez honoré de votre confiance et, ainsi, vous m'avez donné la possibilité de revenir souvent à vous. Mais il faut que vous me laissiez mon libre arbitre. Il ne faut pas que vous essayez de m'attirer vers vous et de m'habituer à votre chaleur, à votre douceur. Je me défends déjà difficilement ici contre les attouchements presque charnels de la vie. Si vous me tendez un guet-apens, le plus aimable soit-il, vous m'enlèverez ma force. Promettez-moi de ne pas m'appeler. Je viendrai peut-être tous les jours ou je m'absenterai pendant un mois. Laissez-moi la seule petite liberté dont je puisse encore disposer : pouvoir décider seul d'aller à Caen ou non.

— Mais, dit-elle, si vous avez peur de moi, c'est que j'existe à vos yeux ?

— Vous êtes la première personne à qui je parle de moi-même depuis dix-huit ans.

— Vous me donnez une grande joie, dit Elisabeth.

— Je ne vois pas pourquoi, reprit aussitôt Farrel. Je ne suis personne. »

Elle eut soudain l'impression d'avoir des ailes. Elle

avançait; ses chaussures touchaient à peine le sable
humide. Elle devint légère et jeune.

« Mademoiselle Lemercier, dit Farrel, encore une
demande... Si, un jour, je vous étais livré, malade,
inconscient...

— Vous êtes en si bonne santé, l'interrompit
Elisabeth.

— Non, écoutez-moi, je vous prie. Ce que je dis
n'a peut-être aucun sens réel. Si vous aviez, un jour,
la puissance de me sauver d'un danger quelconque,
je vous le demande solennellement : laissez-moi périr !
Je pourrais vous demander votre parole d'honneur. Ce
serait puéril ? Pourtant, je préfère être enfantin :
jurez-moi.

— Je le jure », dit-elle, et elle ajouta en elle-
même, à l'instant, comme une profession de foi :
« Je jure devant Dieu, devant la mer, devant toute la
« nature qui nous accueille que je ne vivrai doréna-
« vant que pour John Farrel et que je ferai n'importe
« quel sacrifice pour le sauver. Je jure que je le
« sauverai. »

Pour le chemin du retour, elle n'avait plus besoin de
la main de Farrel. Elle alla seule, se fiant à son instinct. Elle vivait des moments d'un bonheur particulier, d'un bonheur abstrait. Ils se séparèrent sur
le chemin qui menait au pavillon de John. Elle lui
dit au revoir, fit demi-tour et rejoignit sa voiture.
Quand elle démarra, les pneus ne laissèrent aucune
trace sur la route goudronnée. Rien ni personne ne
troublaient son voyage dans cet univers paisible.

CHAPITRE XI

John posa la main sur la croix en marbre de Carrare et il ressentit le contact glacial de la pierre. Le soleil amical effleura son visage. Ce fut un moment de paix. Le regard bleu de l'Américain parcourut le cimetière. Les jardiniers passaient avec les tondeuses à gazon. Un vent léger amenait l'odeur de la mer. Farrel soupira profondément. Tournant la tête vers l'entrée du cimetière, il vit alors apparaître une silhouette noire; c'était une femme. Son manteau de fourrure ouvert flottait au rythme de ses pas. Elle se rapprochait. Elle avait des cheveux ébouriffés. Elle portait des lunettes noires. Elle tenait une écharpe dans sa main droite et un grand sac noir dans sa main gauche. Elle marchait vite. Dans l'univers figé et ordonné du cimetière, elle représentait visiblement le désordre. John jeta un coup d'œil sur sa montre; il était dix heures un quart.

L'inconnue accéléra le pas. Arrivée devant le monument qui dominait l'ensemble du cimetière de Saint-Laurent, elle s'engagea dans l'allée de droite, celle qui descendait vers John. Sous son manteau noir, elle

portait un tailleur rouge vif. Elle s'arrêta un instant.
Elle consulta un petit carnet de notes, leva la tête,
regarda et continua son trajet. Arrivée à la dernière
rangée, elle s'engagea sur l'herbe mouillée. Elle se
penchait sur chaque croix et lisait les noms. John la
surveillait. Elle venait de plus en plus près, marchant
maintenant avec peine, retirant difficilement ses talons
du gazon humide. Elle s'arrêta devant John et consulta
de nouveau son carnet. John la salua en anglais.

« Qui cherchez-vous ? ajouta-t-il poliment. Dites le
nom, je vous désignerai la tombe, je les connais toutes.

— Merci. Je n'ai pas besoin d'aide, dit-elle d'une
voix rauque. Voulez-vous vous écarter, monsieur,
j'aimerais voir l'inscription sur cette croix-là.

— Inutile, répondit John. Celui-ci n'a personne.

— Vous permettez ? » dit-elle.

Et elle repoussa presque John. Elle se baissa. Elle
regarda longuement l'inscription, serra les lèvres. Elle
était comme un coureur automobile penché sur son
volant. Rien n'était visible de son visage, que son
front, le nez, les lèvres presque blanches et son menton
volontaire. Lentement. elle prononça :

« Fred Murray... 1916-1944. Voici la croix que je
cherche. »

John, immobile, attendait. Elle se redressa.

« Vous êtes gardien ?

— Oui, madame.

— Vous pourriez m'être utile... Pour un renseignement... Croyez-vous qu'il aurait pu y avoir un
subterfuge quelconque ?...

— De quoi parlez-vous ?

— Aurait-on pu commettre une erreur concernant l'identité de soldats qui sont enterrés ici ?

— Aucune possibilité d'erreur, madame, aucune. »

Elle se mit à sourire.

« Evidemment, vous qui représentez le gouvernement américain, vous n'allez pas me dire qu'on aurait pu échanger une plaque d'identité... Vous croyez à la perfection d'une administration...

— Je crains de ne pas vous comprendre », dit John.

Elle chercha fébrilement dans son sac, prit une cigarette et son briquet. Elle fit jaillir la flamme. John saisit la main qui tenait le briquet.

« Vous n'avez pas le droit de fumer ici. »

Il savait pertinemment qu'il avait déjà vu cette femme et ce geste. Quand et où ?

« Vous plaisantez, non ! s'exclama-t-elle, nerveuse. Voulez-vous me lâcher ? »

John desserra son étreinte à regret. Soudain, il comprit qu'il avait vu cette femme dans son rêve : c'était elle l'incendiaire, celle qui arrivait avec sa torche pour mettre le feu au cimetière. Elle alluma sa cigarette.

« Le règlement, madame, interdit formellement de fumer dans le cimetière. Vous devez le respect à ces morts.

— Sans blague ! dit-elle. Je dois le respect à qui je veux, mais certainement pas à celui-ci. »

Et elle désignait, de sa main droite qui tenait la cigarette, la tombe de Fred Murray.

« Vous persistez dans votre erreur, continua John. Il y a plusieurs Murray.

— Nous arrivons à l'erreur possible, fit-elle. Monsieur, vous n'êtes qu'un employé, mais vous pourriez peut-être avoir le bon sens d'admettre que l'homme en question, l'homme que je cherche, aurait pu échanger sa plaque d'identité avec celle d'un mort afin de pouvoir disparaître ensuite et de mener la bonne et grande vie ailleurs.

— Je préférerais que vous vous adressiez au bureau de renseignements.

— J'en viens. C'est là qu'on m'a donné l'emplacement de la tombe. »

Elle reprit :

« Supposons qu'il soit réellement mort, Fred Murray. Moi, vivante, je fume sur sa tombe et je laisse tomber cette cendre sur les siennes. N'exagérons pas en parlant de cendres... Le sol, ici, est humide. Je suis là depuis cinq minutes et j'ai déjà les pieds mouillés. Lui, depuis dix-huit ans, il doit être pourri. »

John se pencha vers elle. Elle recula.

« Voulez-vous m'embrasser où me battre ?

— Non, dit-il, je voulais sentir seulement l'odeur de l'alcool; vous devez être ivre.

— Ivre, moi ? Je n'ai pas bu un verre de whisky depuis des années. Pas si folle. La vie m'a abîmée déjà suffisamment. Vous croyez que je vais l'aider en y ajoutant l'alcool ? Non, je ne bois que du thé ou du café ou de l'eau minérale; donc je suis lucide et j'ai toute ma raison.

— Enlevez vos lunettes, dit John, je voudrais voir vos yeux.

— Je ne suis pas droguée non plus. Evidemment,

j'admets que ce soit étonnant pour vous, en tant que
gardien, de voir une femme qui ne vient pas pour se
jeter à genoux ni pour faire dire une messe... Je
n'ai pas non plus apporté une jolie petite couronne,
de Caen, pour la déposer pieusement sur sa tombe.
Je sors de vos habitudes, n'est-ce pas ?

— De qui parlez-vous, reprit John en soulignant
chaque mot, de qui parlez-vous ?

— D'un infâme salaud dont le nom était Fred
Murray, d'un individu qui, à New York, était déjà la
pourriture même. Il n'avait pas besoin d'être sous
terre ni d'être dégusté par les vers pour être entièrement décomposé. C'est de naissance qu'il était pourri.

— Que savez-vous de Fred Murray ?

— Tout. Je sais tout de lui. Si vous êtes sûr que
c'est vraiment lui, je m'en irai paisiblement, et je
prendrai un bon petit déjeuner, un café brûlant avec
les fameux croissants français. Je n'ai pas eu la patience
de prendre mon petit déjeuner ce matin; je voulais
arriver le plus vite possible.

— Que faisait-il ?

— Qui ?

— Fred Murray.

— Il était journaliste.

— Journaliste... Où ?

— A New York. »

Elle se mit à sourire.

« Je pourrais vous raconter son histoire. Mais, que
le Ciel me soit témoin, je n'ai pas envie de parler de
lui. Donc, vous croyez qu'il n'y a pas eu d'erreur ?
Depuis des années, depuis qu'on a annoncé qu'il était

mort, j'ai attendu qu'il réapparaisse un jour. Quand mon téléphone sonnait, je prenais l'appareil et j'imaginais que j'allais entendre sa voix, qu'il me dirait : « Allô, Ann, ça va, tu vas bien ce matin ? » Il ne m'a pas téléphoné; mais ce n'était pas une preuve suffisante. J'attendais aussi que ses articles paraissent dans les journaux. J'aurais reconnu son style, même sous un pseudonyme. Je n'ai jamais lu autant de publications qu'après sa mort. Je surveillais chaque mot; pas de traces de Fred Murray. J'envisageais aussi la possibilité qu'il se soit retiré en Amérique du Sud. Il aurait appris l'espagnol; il était doué, le salaud, il aurait pu faire une carrière là-bas, servir un dictateur quelconque, le flatter pour obtenir des décorations ! »

John avait la gorge sèche.

« Quelle raison Fred Murray aurait-il pu avoir de se cacher ?

— Il avait peur de moi ! s'exclama-t-elle. Il m'a anéantie, mais il savait pourtant que j'avais encore des ressources. Je savais beaucoup de choses de lui. Je ne l'aurais jamais fait chanter; le chantage, c'est une sale affaire. J'aurais pu le tourmenter, lui téléphoner, raccrocher dès qu'il aurait dit allô dans l'appareil. Il avait peur de moi parce qu'il m'a fait tant de mal...

— Je vous demande de retourner au bureau de renseignements, dit John, et la personne qui s'occupe des registres vous renseignera amplement. Il y a certainement une erreur de date de naissance ou de prénom.

— Vous prétendez le connaître, dit-elle. Dites-moi donc, vous, quel était le métier de celui-ci. »

Et, de son pied droit, elle désigna la tombe.

John la regardait.

« Je sais que celui qui est enterré ici était journaliste. Mais vous confondez avec quelqu'un d'autre. Fred Murray, c'est un nom courant.

— Donc c'est lui, fit-elle, joyeuse, c'est lui ! Dites donc, et elle se tourna soudain vers John, vous avez un intérêt particulier à le défendre à ce point ? Bien sûr, vous faites votre métier de gardien; mais pour vous, c'est égal ce qu'ont pu faire ceux qui sont en dessous. Vous vous promenez au-dessus, vous vivez, vous n'êtes pas responsable des actes de ce salaud. J'allais dire que la vie est étonnante. Mais la mort est également étonnante. Il a eu, comme emplacement, la dernière tombe, dans le dernier rang, juste face à la mer. Il est là comme dans une loge. Aurais-je pu imaginer Fred enterré au milieu des autres, dans une foule de croix, tel un épi de blé parmi d'autres épis ? Non, il lui fallait une place spéciale, la vue sur la mer ! »

Le regard de John était fixé sur ces lèvres agiles où les mots faisaient apparaître des dents ombrées par un voile jaune de nicotine. Elle eut un sourire.

« Voilà. Puisqu'il n'y a aucun doute possible, je m'en vais. Je dois vous désorienter; vous êtes habitué à ces pauvres femmes qui arrivent en pleurant, un voile noir sur les cheveux, qui prient, qui déposent des fleurs. Je serai bien la première à partir d'ici heureuse. Et c'est aussi la première fois dans ma vie que Fred Murray me rend heureuse. Le seul vrai cadeau qu'il ait fait à sa petite Ann : sa tombe. Merci, Fred ! »

Elle s'inclina devant la croix.

« Merci ! La mort de l'increvable, n'est-ce pas insensé ? Il a été coincé comme un rat. Il a été mal pistonné par le bon vieux Norman Mills. Je ne crois pas que celui-ci l'ait fait exprès de l'envoyer à l'abattoir. Si étonnant que ce soit, il avait toujours eu de l'estime pour Fred. Mais il faut dire aussi que mon Murray à moi était un de ces comédiens... Il aurait mérité un Oscar... Enfin, je vous laisse en paix. Continuez à garder vos morts, oubliez ma visite. A propos de visite, cette tombe en a-t-elle eu d'autres que la mienne ?

— Vous avez parlé de Norman Mills ? » demanda John.

Un engourdissement commençait à le paralyser. Il avait l'impression qu'on l'enfermait vivant derrière un mur de verre. Il répéta :

« Norman Mills.

— Oui, fit-elle, en cherchant dans son sac, c'est un directeur de journal très célèbre. »

Elle tendit un dollar à John.

Celui-ci ne vit même pas le geste.

« Vous avez connu Norman Mills ?

— Je le connaissais par cœur avant de le voir. Fred Murray me le racontait tous les jours en détail. Le vieux a fait cela, le vieux a décidé ceci, le vieux ci, le vieux ça... Je connaissais ses tics, ses hobbies. Pourtant, quand je l'ai vu pour la première fois, il m'a semblé beaucoup mieux que dans les descriptions de Fred. Fred était incapable de décrire honnêtement quelqu'un; il fallait qu'il ajoute un détail ou un élément susceptible de le mettre en valeur, lui. Les êtres n'existaient qu'en fonction de lui.

— Vous êtes injuste, dit John.

— Vous faites cause commune avec un défunt que vous n'avez jamais connu, dit Ann. Pourquoi êtes-vous aussi solidaire ?

— C'est moi qui ai connu Fred Murray, lança-t-il d'une voix sourde. Ce n'est pas vous !

— Vous l'avez connu, dit-elle, railleuse. Tiens ! Quand on l'a inhumé ?

— Non, fit-il, je l'ai connu à New York.

— Quel hasard, dit-elle. Où l'avez-vous connu et pourquoi ?

— Je l'ai connu mieux que n'importe qui, continua John, et je suis sûr que vous faites erreur.

— Il y avait peut-être, s'écria-t-elle, un autre *Evening Star*, un autre Fred Murray, une autre Ann Brandt. Ann Brandt, c'est moi.

— Je n'ai jamais entendu parler de vous, dit John.

— Donc, vous n'avez pas connu le vrai Murray.

— Si, dit John, c'est vous qui n'avez pas connu le vrai Fred.

— Ecoutez, mon vieux, j'en ai assez de ce dialogue de sourds. Je m'en vais manger mes croissants et boire enfin un bon café.

— Ann Brandt, prononça distinctement John. Il ne m'a jamais parlé de vous; donc, vous n'existiez pas.

— Je n'existais pas. Touchez ma main... La peau est ridée et sèche, mais c'est quand même une main de femme. Je ne suis pas un spectre. Et encore, à l'époque,

avec lui, j'étais belle. Pas trop, pas une future
Miss Dallas ou Miss New York, non. Mais j'étais une
femme plaisante, plutôt jolie. Vous ne pouvez pas
imaginer, n'est-ce pas ? »

D'un geste rapide, elle arracha ses lunettes de soleil.

« Regardez l'œuvre de Fred Murray, regardez mon
visage... »

John découvrit les yeux tourmentés d'Ann Brandt,
le réseau de rides qui, comme une toile d'araignée,
couvrait sa peau.

« Dites donc, continua-t-elle, maintenant que vous
savez mon nom, dites le vôtre.

— John Farrel. »

Soudain, elle se transforma. Elle le regardait, éper-
due d'étonnement. Tout un registre de sentiments
parcourut son visage : d'abord ahurie, puis effrayée,
plus tard étonnée et, à la fin, amusée. Elle éclata d'un
rire artificiel.

« Vous vous appelez John Farrel, dit-elle en haletant. Vous ne me dites pas ça sérieusement ?

— Si.

— Alors, dit-elle, il va falloir que j'achète un
chapeau, que je le mette, que j'arrive ici devant la
tombe et que je l'enlève pour saluer Fred Murray.
John Farrel ici, avec lui, dans ce cimetière. A le servir
encore ? Mais pourquoi ? cria-t-elle. Expliquez-moi ?
Ce pauvre John, comme il vous appelait. Qu'est-ce
qu'il veut, le pauvre John, d'un cadavre ! »

Elle s'agrippa à son bras.

« Dites-le vite, qu'est-ce que vous faites ici ?

— Je suis gardien », dit-il.

Et les deux murs en verre se resserrèrent tellement autour de lui qu'il sentait presque sur ses lèvres le contact des parois lisses et froides.

« Vous connaissez mon nom, prononça-t-il difficilement.

— Oh ! là ! là, soupira-t-elle. Si je le connais. Par cœur. Qu'est-ce qu'il a pu m'ennuyer avec vous !... »

Elle alluma une autre cigarette.

« Pourtant, vous l'amusiez bien.

— Tout cela n'est pas vrai, dit John. Vous êtes habile... Mais tout cela n'est pas vrai.

— Pas vrai, dit-elle, fine et cruelle. Vous dites que ce n'est pas vrai. Et le recueil de nouvelles que Fred voulait écrire avec les histoires de vos ancêtres ! N'avez-vous pas eu, John Farrel, une grand-mère légèrement cinglée ?... L'histoire du duel m'a beaucoup plu. Il aurait gagné beaucoup d'argent avec vos histoires. Les Américains aiment l'exotisme. Il me disait toujours que la Hongrie était votre côté chinois. »

D'un geste sec, le destin souda les deux murs en verre autour de John. Il n'avait plus la possibilité de faire aucun mouvement.

« Il m'a aussi raconté, continua Ann, comment vous lui avez refilé tous vos tuyaux dans la salle d'attente de Norman Mills... Nous avons toute une vie à nous raconter, John Farrel, toute une vie ! La vie de Fred Murray nous promet de bonnes conversations. Evidemment, dit-elle, j'aurais pensé à tout, mais pas à ça... J'avais trouvé normal que vous soyez disparu... Fred m'avait toujours dit que vous étiez un

incapable et que, sans lui, vous n'auriez même pas
pu garder votre place au journal...

— Allez-vous-en, dit John, allez-vous-en !

— Avec vous, dit-elle. Où habitez-vous ?

— Dans un pavillon, près de l'entrée.

— Je renonce pour vous à mes croissants. Sans
doute pourrez-vous au moins m'offrir un café... Dites-
moi, sur sa chaîne d'identité, il y avait bien une
médaille attachée ?

— Oui, acquiesça John presque malgré lui. Une
médaille qu'il avait reçue de sa mère. Une jolie
médaille : un ange qui se penche sur un berceau.

— Sa mère ? Il ne l'a jamais connue ! s'exclama
Ann. C'est moi qui lui ai acheté cette médaille...
A l'époque, j'étais encore un peu romantique et, lui,
il était si superstitieux... Avant la guerre, la médaille
était attachée à sa montre, n'est-ce pas ?

— Oui, dit John.

— Bon, nous sommes sûrs que nous parlons de la
même personne. Vous me donnez, en même temps,
la certitude qu'il est bien enterré ici, qu'il n'y a
aucune chance de le revoir. Voyez-vous, je suis venue
en vacances; j'ai tout mon temps. Nous allons pouvoir bavarder... Et ce café ? Allons le boire chez vous ! »

John se dirigea machinalement vers le pavillon. Un
des tondeurs de gazon lui cria un mot. John fit un
signe négatif de la main qui voulait dire : « Plus
tard, je m'occuperai de vous plus tard. » Ils arrivèrent devant la maison.

« Je ne peux pas vous laisser entrer; je n'ai pas le
droit, ici, de recevoir une femme.

— John Farrel, dit-elle, malicieuse, suis-je une femme ? Soyez honnête. Admettons même l'hypothèse la plus banale : deux êtres se trouvent sur une île déserte; nous sommes ces deux êtres; auriez-vous envie de coucher avec moi ? Non, n'est-ce pas ? C'est visible aussi pour les autres. Je ne compromets personne, hélas !... »

John jeta un coup d'œil sur les paupières gonflées d'Ann Brandt, sur ses traits creusés par la crise de la veille. Il ouvrit la porte.

« Alors, vous me donnez la permission d'entrer dans votre sanctuaire. C'est gentil. »

Elle pénétra dans le vestibule, enleva son manteau et l'accrocha à une patère.

« C'est par là ? » demanda-t-elle et, sans attendre la réponse, elle pénétra dans le living-room.

John la suivait. Il n'avait pas encore repris tout à fait ses esprits depuis l'apparition d'Ann. Il regardait le dos fragile de la femme sur lequel flottait une veste rouge. Celle-ci paraissait trop vaste pour elle. Les cheveux courts ne cachaient pas la nuque. Il aurait suffi d'un minuscule geste sec et dur... Ann serait tombée comme un pantin. Elle siffla entre ses dents :

« On dirait un vrai musée... Et lui, le voilà, présent ! »

Elle s'approcha du bureau et contempla la photo agrandie de Fred.

« Notre petit Fred à nous deux. Qu'il est mignon sur cette photo ! Vous ne trouvez pas ! Il avait dû prendre son visage de gamin joyeux... »

Une émotion dangereuse montait en elle. Ses mains

s'engourdissaient et des taches noires dansaient devant
ses yeux. C'était comme si elle regardait le monde à
travers un filet de pêcheur. Ces taches noires la tourmentaient souvent. Elle avait besoin de toute sa force
pour rester debout. Elle se raccrochait à sa propre
volonté. Elle s'assit dans un des fauteuils profonds.
Elle posa sa tête sur le dossier recouvert d'une bro-
derie.

« Et mon café ? » dit-elle, en esquissant un sourire.

Ann semblait réconfortée. Elle redevint agressive.

« Vous voici transformé en statue de sel. J'attends
mon café.

— Je vais vous le préparer, dit John lentement.
Venez avec moi. »

La cuisine était minuscule. Quand ils y seraient,
en prenant la boîte de café, il pourrait laisser retom-
ber maladroitement son bras sur la nuque frêle. Elle
se tairait pour la vie. Après, il avouerait tout. Il
entrerait en prison comme dans un couvent. Il échan-
gerait le cimetière contre une cellule. Ann posa son
regard noir sur lui.

« Vous avez du poison chez vous ?

— Du poison ? »

Elle se mit à sourire.

« Non ? Quelle chance ! Vous me détestez. Vous
avez une envie irrésistible de me voir disparaître. J'ai
l'habitude qu'on me déteste. Je me méfie des gens qui
font semblant de m'aimer. La haine me réconforte. Je
me sens solide sur mon terrain quand on me hait.
Vous auriez pu me démolir si vous aviez demandé
grâce ou si vous aviez eu peur de la vérité. Mais

vous me haïssez, Farrel : j'ai touché à votre Dieu...
Et parce que vous avez la force de me haïr, j'aurai
la force de vous parler. Merci de ne m'avoir pas
désarmée. »

John alla à la cuisine, prit la cafetière, versa le
café moulu dans le récipient. Il poussa la porte cou-
lissante d'une armoire suspendue au mur, sortit deux
tasses qu'il mit sur un plateau. Il n'oublia ni les
cuillères, ni le sucre. Il attendait patiemment que
l'eau monte dans l'appareil à moka.

Ann sentait son côté gauche presque paralysé. : Non,
se disait-elle, rageuse, non, je ne veux pas crever
avant de savoir la fin de l'histoire. » « Un, deux, un,
deux, un, deux, un, deux » : elle s'était mise à respirer
profondément. Elle bloquait l'oxygène dans les poumons, puis expirait avec un léger sifflement. Elle remit
ses lunettes noires. Elle tira ainsi un rideau de sécurité
entre elle et les événements. « Un, deux, un, deux,
un, deux » : la respiration l'aidait. Elle se détendait.
Elle vit reparaître John. A travers ses lunettes, tout
était devenu gris foncé : la photo de Fred, les broderies, les livres, les tapis.

« Vous avez quelques jolis meubles, lança-t-elle.
Comment devient-on collectionneur dans un cimetière ? La présence perpétuelle de la mort aurait dû
vous incliner à l'humilité et vous détacher des biens
matériels. Pour qui collectionnez-vous ? Pour vous ?
Vous avez un ravissant petit bureau Directoire.
Un vrai. J'ai mis dix-sept ans pour apprendre à distinguer à peu près le vrai du faux et, encore, je me
trompe parfois... Si votre bureau est à vendre...

— Avec ou sans lait ? demanda John, l'interrompant.

— Avec du lait. »

Elle but une gorgée, chercha fébrilement son sac qu'elle avait glissé à ses pieds, l'ouvrit, prit son étui à cigarettes, en tira une qu'elle alluma.

« Vous ne fumez pas ? »

Il ne répondit pas. Elle bavardait.

« Mes pieds sont gelés. Quand on vient dans votre cimetière après la pluie, il faut mettre les bottes... Derrière moi, la photo, c'est votre mère dans son costume de Hongroise, n'est-ce pas ? Cette photo se trouvait, à New York, sur la petite table, dans l'atelier de votre père. C'est une photo du portrait qu'il a fait de votre mère.

— Que désirez-vous de moi ? » demanda John. Il ajouta, hésitant : « Madame Brandt.

— N'exagérons rien, répondit-elle. Je n'ai jamais été Madame; pour l'état civil, je m'appelle Mlle Brandt. J'ai congédié mon décorateur français le jour où, parlant de moi, il a dit aux ouvriers : la mère Brandt. J'ai gardé les ouvriers français et j'ai congédié l'amant, parce que, le petit décorateur, il était mon amant... »

Elle garda un instant le silence... »

« Il y a quinze minutes, vous ne soupçonniez même pas mon existence. Votre meilleur ami, prétendez-vous, n'avait jamais parlé de moi. Mais si je pense que les rares bonnes nuits que vous avez pu passer, c'était grâce à moi. Il lui arrivait de vous réveiller à l'aube pour que vous veniez lui tenir compagnie quand il restait seul dans son lit refroidi. Lorsqu'il ne télé-

phonait pas, c'est que je restais, moi, dans son lit
jusqu'au matin. Après, j'ai pris l'habitude de partir.
Je n'aimais pas la tête de la femme de ménage qui
arrivait à l'heure du petit déjeuner. Et puis, il ne
donnait que très peu de place à l'amour. Entre deux
portes, à la va-vite. Il était toujours pressé... Je lui
avais suggéré de se faire installer un canapé dans son
bureau, au journal. Cela aurait été tellement plus
pratique, pour lui, de faire convoquer l'Elue et de la
caresser entre la rédaction de deux titres. Il n'aurait
même pas oublié une virgule. Il aurait même pu, tout
en embrassant une femme, prendre des notes. Je ne
me suis pas plainte, à l'époque; je souriais d'orgueil.
J'étais suffisamment puérile... J'étais éblouie d'être la
maîtresse d'un grand journaliste, tout comme j'aurais
été fière d'avoir comme amant un homme d'Etat ou le
vainqueur de l'Himalaya. Dans ma jeunesse, j'étais
plutôt snob. Il ne vous l'a pas dit ?

— Il ne m'a jamais rien dit de vous...

— Comme la franchise vous va mal, répondit-elle,
aigre. Votre honnêteté a un côté pesant. Je n'ai jamais
compris votre amitié, l'amitié d'une sauterelle étince-
lante et d'un éléphant... La sauterelle, c'était notre
Fred. »

Elle tendit sa tasse.

« Encore, s'il vous plaît. »

Il lui versa du liquide épais. Elle mit trois sucres.

« C'est bon pour le cœur », dit-elle moqueuse.

Elle se sentait mieux.

« Après ce café, je vous demanderai de partir, dit
John. Si Fred ne m'a jamais parlé de vous, c'est que

vous n'occupiez qu'une toute petite place dans sa vie. Il avait des choses plus importantes à me raconter que son aventure avec vous. »

Elle s'exclama :

« Une toute petite place ! Allons, un peu de lucidité, Farrel. J'ai été sa maîtresse pendant huit ans. Pendant huit ans, j'ai espéré qu'il m'épouserait. J'étais celle qu'il abandonnait, qu'il retrouvait. J'étais celle qui pardonnait toujours et qui le recevait les bras et le lit ouverts. J'étais celle qui comprenait ses sautes d'humeur, à qui il pouvait aussi téléphoner à toute heure, même en pleine nuit, pour expliquer sa journée, pour demander son conseil, pour vérifier une possibilité d'avenir. A moi, il racontait comment il se jouait de l'un ou de l'autre, et il attendait que je le félicite.

— Si vous avez accepté ce rôle, dit Farrel dégoûté, c'est que vous n'aviez pas le choix. Vous auriez pu le quitter.

— J'ai eu l'ambition, comme toutes les femmes idiotes, de le transformer, répliqua Ann d'une voix rèche. J'ai connu, une fois, dans ma vie, un drogué qui avait pu guérir... Fred, je n'ai jamais pu le guérir de sa malhonnêteté.

— Il était le plus honnête et le plus franc des hommes... Le journal était sa vie, dit John.

— Sa carrière », souligna Ann.

Il haussa les épaules.

« Ça revient au même. Il voulait faire carrière par et pour le journal. »

Ann se mit à sourire.

« Il voulait gagner, être le premier. Pour le journal, il aurait été capable de mordre un lion. Et Dieu sait s'il était lâche, notre ami Fred, aussi bien sur le plan physique que sur le plan moral.

— Vous donnez là une preuve éclatante que vous ne le connaissiez pas, dit John. Je n'ai jamais vu quelqu'un qui fût plus courageux... J'étais au courant de ses aventures; vous n'avez jamais dû l'impressionner, pas un instant. C'est votre échec qui vous a rendue enragée.

— En vous regardant, dit Ann, très calme, j'aimerais définir la frontière entre la bêtise immense et la sagesse infinie. »

John se leva.

« Puis-je vous reconduire à votre voiture ?

— Non, dit-elle, je reste. »

Elle continua, après un moment :

« Il m'a raconté qu'une fois on vous avait pris, tous deux, pour des pédérastes et que vous étiez rouge de colère.

— Lui aussi ! dit John. Nous nous sentions humiliés. Ça s'est passé dans un motel. Par économie, nous avions pris une seule chambre. Pendant le dîner, le patron nous a lancé une remarque désagréable. Nous sommes partis dix minutes plus tard.

— Vous étiez peut-être rouge de colère, John Farrel, mais lui, il s'amusait. Il m'a fait le tableau de votre gêne, il m'a décrit comment vous étiez devenu écarlate jusqu'au bout des oreilles. Il aimait votre innocence. A la fin, quand je lui ai objecté que rougir n'était qu'une question de circulation du sang, il était presque

désolé. Il aimait les situations scabreuses. Il se délec-
tait des malentendus. Il a même prétendu qu'il n'aurait rien eu contre vous si vous aviez manifesté des
tendances homosexuelles. Cela aurait presque flatté
son orgueil; en même temps, il aurait pu vous faire
marcher davantage, vous rendre jaloux.

— Vous êtes ignoble, dit John.

— C'est bien possible, Farrel, mais parce que je
n'ai pas du tout l'ambition d'être une sainte, autant
être ignoble. Pourquoi aurais-je choisi la médiocrité,
le compromis ? »

John s'appuya sur la table.

« Je vous oublierai aussi rapidement que Fred vous
a oubliée. Vous n'avez pu être, pour lui, qu'un mal
fugitif et vous ne serez pas le malheur qui s'installera
dans ma vie. Je ne croirai jamais un mot venant de
vous. Reprenez votre voiture, partez.

— Cinq francs l'heure d'attente, dit-elle d'une
voix sèche. A ce prix, je puis me permettre de m'attar-
der. Je paierai même beaucoup plus pour vous contempler, Farrel.

— Je suis un spectacle gratuit, répondit-il. L'argent
ne m'intéresse pas.

— J'en parlerai tant, dit-elle, qu'il vous impression-
nera. Le fait même que je possède beaucoup d'argent
vous apparaîtra comme une immense injustice. D'ici
quelques jours, mentalement, vous distribuerez ma
fortune aux œuvres sociales. Mais je mérite mon
argent, Farrel, je le mérite très fort. J'ai fait ma fortune
toute seule.

— Pourquoi avez-vous choisi de demeurer solitaire

après la mort de Fred, si vous l'avez tant détesté ?
demanda Farrel.

— Me marier avec quelqu'un, avec qui ? Fred était
ma vie. Il créait autour de moi un mélange de plaisir
et d'enfer perpétuels. Le moindre souvenir qui le
concerne reste éclairé dans ma mémoire. Tout y est :
chaque phrase, chaque geste, chaque mot, chaque mensonge. Je suis capable de sentir encore sur ma peau
ses caresses. Il avait un répertoire falsifié que j'aimais :
ses compliments ! Il me racontait que j'étais indispensable à sa vie, que, sans moi, il se trouverait désorienté. Je me pâmais de plaisir et, dans mes moments
de faiblesse, j'imaginais même que c'était vrai. Combien
de fois j'ai voulu le remplacer. A l'époque, j'étais la
petite femme brune, aux yeux pétillants, que les
hommes appréciaient. Je sortais avec eux. J'avais l'illusion de pouvoir rendre Fred jaloux... J'étais une
compagnie agréable; toujours élégante, spirituelle...
Avec moi, il n'y avait pas de danger d'une liaison
longue. Les hommes sentaient que j'étais, pour la vie,
prise par quelqu'un d'autre. Ils ne couraient donc
aucun risque. Dans ces moments d'égarement voulu,
je constatais que, sans Fred, je n'éprouvais qu'ennui
mortel. Qu'aurais-je dû faire ? Il est resté le seul qui
ait pu m'intéresser. Et si tout a, en définitive, abouti
à la haine, c'est qu'il s'agissait d'une sorte d'amour à
l'envers. »

Autour d'eux, la fumée s'épaississait. Au-dehors,
des nuages noirs se rassemblaient sur le ciel métallique.
John se leva et alla vers la fenêtre.

« Il va pleuvoir », dit-il.

Puis il se retourna vers Ann.

« En quoi tout cela me regarde-t-il ? Admettons votre vérité... Vous avez connu Fred Murray, vous avez eu une liaison. Vous n'êtes ni la première ni la dernière femme abandonnée par un amant. Je ne vois pas la raison de votre férocité à vouloir le démolir. Si j'étais une autre femme, si nous avions été rivales, je comprendrais votre désir de vengeance. Mais, dans les conditions présentes, contre qui voulez-vous lutter et de quoi voulez-vous me convaincre ? »

Elle se recroquevilla sur elle-même, pareille à une étoile de mer qu'on aurait heurtée avec un bâton.

« Les raisons ? grommela-t-elle. Voulez-vous ou non connaître les faits ? Voulez-vous savoir comment il vous appelait dans l'intimité ?

— Non, dit John. J'ai toujours préféré ne pas savoir l'opinion des autres sur moi.

— Vous avez un côté Armée du Salut sympathique. Un enfant de chœur mal grandi qui chante dans les rues. Il vous manque la petite sonnette et la tirelire. Vous êtes le prototype du volontaire pour les quêtes. A l'école, on a dû tout vous faire faire, les corvées les plus désagréables, les tâches les plus ingrates, n'est-ce pas ? »

John ne put s'empêcher de sourire.

« J'ai toujours été fasciné par l'Armée de Salut. A l'âge de treize ans, en plein hiver, un jour, je me suis aligné auprès d'un petit groupe et j'ai chanté avec eux. Etonnés, ils ont d'abord subi mon enthousiasme; ensuite, ils m'ont prié de partir. »

Il ajouta :

« Evitez donc de parler de Fred, ça n'en vaut pas la peine. Partez. »

Elle haussa les épaules.

« Ne me dites pas que vous êtes pressé. Evidemment, à vous, le journal ne manque pas. Fred a toujours dit que vous n'étiez pas un...

— Je ne veux pas savoir ce qu'il a dit !

— Si vous ne me croyez pas, ayez le courage d'entendre. Vous pourrez alors éprouver au moins de l'admiration pour ma méchanceté fertile, pour mes trouvailles insolites... Eh bien, Fred a toujours répété que vous n'étiez pas un vrai journaliste, que vous aviez trop d'imagination, que cela nuit à un reporter. Vous auriez été capable d'inventer un fait divers au lieu de le décrire : défaut très grave. Pourtant, il aimait bien votre imagination quand il s'agissait de vos ancêtres, par exemple.

— Laissez mes ancêtres tranquilles, dit John. J'avais raconté certaines histoires à Fred parce que, entre êtres humains, si on veut créer une atmosphère d'amitié, si on veut prétendre se connaître, il faut explorer au-delà de soi-même. »

Ann intervint.

« Pour charger votre interlocuteur avec les dons ou les tares de ses prédécesseurs ! Voilà un système bien féodal, Farrel. Si quelqu'un, avec un père cordonnier, avait le talent de Michel-Ange, vous lui diriez : rentre dans tes pénates, tu n'as pas d'ancêtres.

— Vous interprétez mal mes paroles, se défendit John. Quand on a la chance de savoir qui sont ceux qui nous ont précédés, on s'appuie sur leur légende

comme sur des béquilles. On est, par eux, comme
éclairés... Si j'avais eu comme ami le fils d'un cordonnier, j'aurais tout fait pour connaître le cordonnier.

— Mais vous n'avez rien fait pour connaître le père
de Fred.

— Il ne le voulait pas. »

Elle s'exclama :

« Evidemment, il ne le voulait pas ! Ils étaient
brouillés, n'est-ce pas ? Ce père ne voulait pas que
son fils soit journaliste ? C'est bien cela ?

— Mais oui, dit John, exactement.

— Ça ne m'étonne pas qu'il vous ait appelé « le
pauvre imbécile » !

— Injuriez-moi tranquillement, dit John. Vos
paroles ne m'atteignent pas. Je les écoute comme
on écoute la pluie. Les mots clapotent. Ils pourraient m'endormir...

— Comme vous mentez mal... En vérité, vous brûlez
de curiosité.

— Non, parce que je suis persuadé que vous mentez,
dit John.

— Vous croyez que j'invente ! protesta Ann. En
tout cas, moi, si je raconte mes inventions, Fred, lui,
tenait bien secrètes les siennes. Il avait si peur qu'on
lui vole une de ses étincelles ! Il ne m'a jamais montré un seul de ses manuscrits avant de le publier.
Pas même celui de son reportage sur *Les Américains
en exil*. « Tu pourrais en parler à quelqu'un, disait-
« il. Un texte ne doit jamais être raconté. »

— J'ai rarement vu quelqu'un, dit John, réaliser
une idée aussi somptueusement que Fred avec ses

Américains en exil. Quand je lui ai suggéré ce reportage...

— Quoi ? s'exclama Ann, c'était votre idée, son premier grand succès !

— Mon idée, dit John, en haussant les épaules. Tout le monde a des idées. Le monde est peuplé de rêveurs et de rêves avortés. Pour moi, l'homme qui écrit et qui publie, c'est lui qui compte. La naissance d'une idée, qu'est-ce que c'est ? On est en face d'un paysage, d'une situation, d'un problème politique, et on dit un mot... J'ai dit ce mot et lui, il a su faire un livre... Parce qu'il était un créateur. »

Ann se mit à sourire et dit en traînant les mots : « Même de l'au-delà il est capable de me faire sursauter de colère. Savez-vous qu'un jour, après avoir fait l'amour, encore couché paisiblement à côté de moi, il m'a raconté son sujet.

— Donc, dit John, il ne cachait pas ses pensées !

— Oh ! il voulait simplement connaître ma réaction, s'assurer que l'idée était bonne. Une précaution. Mais j'ai dû jurer trois fois sur la tête de mes parents que je n'en dirais pas un mot. Et, après, quand il est revenu, habillé, de la salle de bain, il m'a fait jurer sur ma tête à moi parce qu'il ne croyait pas que je respecterais la tête de mes parents !

— Il était superstitieux, expliqua John; il pouvait être terrorisé à la vue d'un chat qui traversait la rue devant lui !

— Dites, attaqua Ann, pourquoi n'avez-vous pas écrit vous même ce reportage ?

— Parce que je n'avais ni la taille ni la force.

— C'est lui qui vous a dit que vous n'étiez pas fait pour écrire, n'est-ce pas ?

— Evidemment, répondit John, il voyait clair en moi, il était de bon conseil.

— Vous a-t-il donné un pourboire sur ses droits d'auteur considérables ? A-t-il dit : « Mon cher John, « grâce à toi, j'ai écrit un best-seller, partageons » ?

— Vous imaginez que j'aurais accepté ? s'étonna John. Je ne suis pas un commerçant.

— Il ne vous a rien donné, répéta Ann, rien ?

— Il m'a rapporté d'Angleterre une pipe.

— Une pipe... C'est une idée qui ne lui a pas coûté cher ! »

Ann s'arrêta, changea de visage :

« Farrel, je veux savoir la vérité.

— Quelle vérité ? demanda John. Et pourquoi, vous qui mentez sans cesse, me parlez-vous de vérité ?

— Je veux savoir comment il s'est comporté au cours des derniers jours, juste avant le débarquement. Je veux entendre de votre bouche honnête qu'il avait peur, Fred Murray, qu'il crevait de peur.

— Et vous désirez savoir quoi encore ?

— Comment il vous a parlé de moi, comment il me désignait ? Est-ce qu'il disait : ma petite Ann, ou cette foutue garce, ou la maîtresse que j'ai ? Ou la bonne femme avec qui je peux tout faire ?

— Il ne m'a jamais parlé de vous, je vous l'ai dit déjà.

— C'est le comble. Ou vous mentez et, cette fois-ci, vous mentez habilement, ou je devrai accepter qu'il ne vous a effectivement rien dit de moi. Mais, dans ce cas-là, pourquoi ?

— Parce que vous n'étiez pas assez importante, madame Brandt. Parle-t-on d'un mouchoir qu'on perd ou d'un rhume qu'on attrape ?

— Encore madame ! dit-elle d'une voix agacée. Appelez-moi Ann ! Nous nous verrons si souvent, cela facilitera les communications entre nous. Ann et John. C'est presque le titre d'une histoire. Un peu vieux jeu, bien sûr, mais nous ne sommes plus jeunes. Ann et John, dans un cimetière, se racontent une histoire.

— Quand reprenez-vous l'avion ? demanda John.

— Mais je reste ! Je trouve que la Normandie est un pays accueillant. Et j'ai la chance inouïe de vous avoir trouvé. C'est formidable !

— Parce que vous croyez que je vais vous revoir ? demanda John, très calme. Vous vous trompez.

— Si, fit-elle aussitôt, vous allez me revoir et souvent, je vous le promets. Vous saurez qui était votre ami Fred. »

John avait l'impression que le visage d'Ann grandissait au fur et à mesure qu'elle parlait. Ce visage énorme flottait dans la petite pièce comme un ballon monstrueux sur lequel on aurait peint une figure. Il baissa un instant les paupières.

« Vous vous sentez mal ? » demanda Ann, faussement bienveillante.

John se secoua.

« Non, dit-il, je me sens très bien. Merci. »

Ann le provoqua. Elle voulait le voir sortir de son calme apparent, de sa fidélité inexpugnable comme une forteresse.

« Vous n'étiez pas son seul ami, Farrel. Il en

avait beaucoup. Le monde entier était son ami. Il embrassait tout le monde. Avez-vous déjà vu un homme embrasser d'autres hommes ? Lui, il leur tapait sur l'épaule, il éclatait de joie, même quand il avait envie de les envoyer au diable. C'était un des secrets de son succès : les gens se sentaient aimés par Fred Murray; donc on l'aimait. Il était séduisant, le salaud ! Savez-vous comment je l'ai connu ?

« A l'époque, commença Ann, je tenais une petite boutique sur Madison Avenue. Je vendais des parfums français. Le magasin avait été conçu et installé par un décorateur qui y avait placé des meubles Louis XV; inutile de vous dire qu'ils étaient tous faux. Je marchais sur une imitation de Savonnerie. Le cadre était si joli que j'avais apporté la seule pièce de valeur que je possédais : une tapisserie du XVIIᵉ siècle. Elle me venait d'une tante allemande qui l'avait achetée à Paris. Cette tapisserie authentique prêtait une apparence de vérité à toutes ces fausses antiquités. J'avais vingt-deux ans, je n'avais pas une ride. J'étais moins maigre, j'avais une jolie poitrine. J'étais ravie qu'on m'ait confié cette boutique de luxe. J'étais prête à la conquête du monde. Je voulais réussir honnêtement, gentiment. Fallait-il que je sois plaisante pour qu'on m'ait prise comme vendeuse ! La plupart des acheteurs étaient des hommes. Ils s'imaginaient, les pauvres, pouvoir obtenir tant de faveurs avec ces parfums que je vendais. Quand ils entraient, ils lapaient presque l'odeur comme des chiens qui se précipitent sur le sang frais. L'odeur était gratuite et le prix des flacons astronomique. Il y avait de minuscules récipients en cristal pour de petits cadeaux, ce qu'on appelle des attentions. Avec le cristal ciselé, la boîte doublée de velours, cela faisait beaucoup d'effet. Mais le liquide ? Pas plus que des larmes, à peine quelques gouttes. J'avais aussi de grands flacons pour les gens riches. Je fermais toujours tard. L'envie d'acheter des parfums se situait généralement entre cinq et sept, l'heure des rencontres amoureuses. Les hommes, se précipitant à leurs rendez-vous, cherchaient, au dernier instant, le cadeau qui pourrait amadouer la belle. Je n'ai jamais été une vraie innocente. Je cultivais en moi de sournoises pensées. Au cours de ces heures délicates, dans cette serre de parfums, je m'imaginais tenancière de maison. Seule, je souriais. « Si j'avais un escalier intérieur, un petit escalier derrière de lourds rideaux... Et, au premier, des chambres et, dans chaque chambre, une fille différente vêtue d'odeur... J'aurais dit au client achetant *Brise du matin* : « Montez donc, « entrez dans la chambre trois »; là, il aurait trouvé une Suédoise blonde au yeux bleus, parfumée de cette même *Brise du matin*. Pour les parfums puissants, pénétrants, j'aurais eu des Orientales, peut-être même une femme à la peau d'ébène. Une petite Américaine, pour l'eau de Cologne... J'aurais fait fortune. J'aurais sans doute aussi terminé ma vie en prison.

« Fred Murray, continua-t-elle, est arrivé dans mon magasin à six heures un quart. Quelques minutes avant qu'il entre, j'avais regardé ma petite pendule posée sur une commode. Ainsi, je me souviens de l'heure exacte. Ce jour-là, j'avais envie de fermer, d'aller danser dans une boîte, de me dégourdir les

jambes et l'esprit. Il est entré. Je le vois encore. Il
était élégant, pas trop, juste suffisamment pour plaire.
Il y avait autour de lui une atmosphère indéfinissable de séduction. Le col de sa chemise était aussi
impeccablement blanc qu'il avait dû l'être à neuf
heures du matin. Il devait changer de chemise deux
fois dans la journée. Il était aussi mince que vous;
donc il paraissait grand. Il ne portait pas de chapeau,
malgré le froid, ce qui me plaisait. Il avait des mains
expressives, les doigts légèrement noueux, les ongles
coupés à l'extrême limite. Il avait les mains d'un
intellectuel. Il ne m'a pas dit bonsoir. C'était, pour
lui, comme si j'étais transparente. Il allait d'un meuble
à l'autre considérant les parfums qui y étaient exposés.
Je m'avançai vers lui. « Vous désirez ? » Il me jeta
un regard hostile. « Je préfère choisir seul, je n'ai
pas besoin de vous. Je ne suis pas sûr d'acheter. Je
regarde. L'entrée est libre, non ? » Clouée dans mon
coin, me sentant complètement inutile, je l'observais.
« C'est un patron, ai-je pensé; il est impossible que
cet homme soit un employé, un subordonné, un gratte-
papier. Il doit avoir l'habitude de commander. Pourtant, il est si jeune. Aurait-il de son père hérité une
fortune ? Travaille-t-il dans l'entreprise familiale ?
Aurait-il épousé une femme très riche ? » Je sais,
Farrel, que tout cela peut vous sembler insolite. Pourtant, une femme sait pertinemment, à l'instant même
d'une première rencontre, si elle pourra, à un moment
donné, coucher avec un homme, et elle sait, trois
quarts d'heure plus tard, si elle pourra l'aimer aussi.
J'appréciais l'allure de Fred, cette insolence due à

l'indépendance et à l'argent. Je ne l'imaginais pas
forcément honnête; je ne recherchais pas l'honnêteté.
J'attendais l'homme que je pourrais aimer. Le choix
n'est pas si grand. Même à vingt-deux ans, le destin
cloisonne les êtres; il met partout des frontières. On
est toujours condamné à rester dans un vieux cadre
si on n'a pas une soudaine ouverture miraculeuse...
Il prit dans sa main le plus petit des flacons. « Le
prix ? » demanda-t-il sans me regarder. « Serait-il
avare ? pensais-je. Pourquoi a-t-il choisi le plus petit
et le moins cher des flacons ? A qui va-t-il donner ce
si mince cadeau ? A-t-il une femme dans sa vie qu'il
aime si peu ? Et s'il l'aime si peu, c'est qu'il sera
bientôt libre... » Je ne voulais pas admettre qu'il soit
avare. C'était ma première erreur, Fred Murray l'était.
J'ai indiqué le prix. Il allait déjà ouvrir son portefeuille quand son regard s'est fixé sur la coiffeuse
Louis XV où se trouvaient exposés les vaporisateurs
en cristal. Il était tout à coup comme fasciné par
ce meuble. Il déposa le flacon au bord du comptoir.
Il vint vers cette coiffeuse et la toucha. Il caressait
presque la surface vernie. Je devinais tout ce que
représentaient ses mains sensibles. « Vous voulez me
vendre cette coiffeuse ? — Elle n'est pas à vendre, elle
fait partie du décor du magasin, elle appartient au
propriétaire. — Si elle était d'époque, dit-il, elle
vaudrait une fortune. — Pourquoi croyez-vous que
ce soit une copie ? » Je ressentais tellement sa présence physique que ma poitrine tendue me faisait mal.
« Elle est évidemment fausse, dit-il. Ce n'est pas à
moi que vous raconterez qu'elle est d'époque. Vous ne

mettriez pas une pièce de musée dans une boutique
de parfums ! » J'ai lancé comme défi : « Pourtant,
regardez sur le mur, la tapisserie, elle, est d'époque;
et elle m'appartient, à moi ! » Son regard effleura
la tapisserie, ses pensées étaient ailleurs. « Vendez-moi
la coiffeuse. — Je vends des parfums. — Vous avez
bien tort. Vous feriez fortune, à New York, avec vos
fausses antiquités. Vous êtes, aussi, suffisamment hau-
taine et désagréable pour vendre des objets chers. »

John soupira profondément. Il se souvenait d'une
tapisserie ancienne suspendue au-dessus du lit de
Fred. Quand il l'avait interrogé au sujet de l'origine
de cette pièce rare : « Comment as-tu eu cette mer-
veille ? », l'autre avait répondu : « C'est un héritage,
John. J'ai des relations secrètes en Europe. Cette
bonne vieille Europe que tu aimes tant doit bien
rendre certains services ! »

Ann se leva. Avait-elle senti qu'il était impossible d'aller plus loin, d'échauffer davantage l'atmosphère de la pièce, que les mots étaient en train
d'ébranler les murs, qu'elle avait obtenu son grand
succès d'étonnement et de frayeur ? Ou bien était-elle
seulement fatiguée de sa victoire provisoire ?

« Je reviendrai un de ces jours, dit-elle. Je reviendrai sûrement. »

Elle se dirigea vers le vestibule et décrocha sa fourrure de la patère. Elle semblait fatiguée. John la
rejoignit.

« Vous vous réfugiez dans le silence, constata Ann.
Emmenez-moi déjeuner à Caen.

— Non », dit-il.

Elle hocha la tête.

« Je retourne seule. Je vais aller à l'hôtel et me coucher. Savez-vous que j'ai une maladie de cœur ? Je vous donne cet espoir : mon cœur s'arrêtera peut-être au milieu d'une phrase. Cela vous ferait plaisir. Connaissez-vous l'hôtel Malherbe ?

— Je n'y ai jamais habité. »

Elle soupira.

« Quand je pense que, dans une heure, je prendrai un bain tiède, et que je me coucherai. C'est le paradis, cet hôtel. Et je me plongerai dans un roman policier. J'adore les gangsters : eux, ils sont honnêtes et francs. Ils tuent avec tant de facilité... Avouez que vous aimeriez me tuer, John Farrel ? »

Il s'impatienta.

« Je ne vous demande qu'une chose, c'est de ne plus revenir.

— Ce n'est pas la peine d'essayer de m'en dissuader. Et si vous partiez entre-temps, je vous poursuivrais jusqu'au bout du monde pour vous parler de Fred. Si même je devais mourir et que vous deviez mourir, nos deux âmes se rencontreraient et je vous parlerais encore de lui. Deux âmes sur une branche d'arbre, comme deux oiseaux invisibles. Une deuxième vie uniquement pour pouvoir parler de Fred et vous expliquer qui il était. »

Elle sortit. Elle referma la porte derrière elle. John entendit le crissement de ses pas sur le gravier et, de sa fenêtre, il la vit s'éloigner. Elle planait, avec son manteau flottant, comme une chauve-souris aveuglée par le soleil.

CHAPITRE XII

D'un jour à l'autre, les affaires s'amélioraient. C'était, de nouveau, la saison des Américains qui commençait... Chaque année, le printemps les ramenait lors de l'éclatement des bourgeons. Elisabeth les trouvait sympathiques. Elle aimait leur bonne nature joviale et leur admiration pour les meubles anciens. Confiants, ils ne marchandaient pas. Ils échangeaient quelques paroles pour se bien convaincre de l'utilité d'une forte dépense et, après, acceptaient le prix avec un simple hochement de tête poli. Elle n'avait d'ailleurs jamais essayé de vendre une copie pour un meuble authentique. Honnête, elle dormait mieux.

Une des amies d'Elisabeth s'engageait comme guide-interprète durant la « saison » de ces touristes atlantiques. Elle répétait, en se moquant d'eux, leurs questions étonnantes. Elle pouffait de rire en décrivant leur égarement à l'intérieur de l'Abbaye-aux-Hommes. Désorientés par le passé, intimidés par la beauté, ils sortaient de ces visites comme des convalescents.

Elisabeth, avec son sens inné de la justice, les défendait. Elle constatait avec regret qu'au cours des der-

nières années le nombre de ces visiteurs diminuait.
Les groupes étaient moins nombreux. Intimidés en
accomplissant leur premier voyage, des Américains
solitaires apparaissaient. La saison des Américains
était devenue surtout celle de couples venus sur les
traces d'un fils perdu. Les parents avaient le chagrin
fidèle.

En peu de temps, Elisabeth venait de vendre un
bureau Directoire, un tapis de prière en soie et une
garniture de cheminée. Elle était ravie d'être débar-
rassée de la méchante petite pendule et des deux
personnages nus, en bronze, qui l'entouraient. L'ache-
teur américain aurait aimé trouver aussi la cheminée
elle-même, avec son ancienne garniture de marbre,
pour en orner sa maison auprès de Cleveland. Elisabeth l'avait envoyé chez un antiquaire spécialisé.

Elisabeth vivait encore dans le souvenir de la soirée
qu'elle avait passée avec John sur la plage. Depuis,
en parlant avec ses clients, il lui était arrivé de perdre
le fil de ses pensées, de se répéter ou de garder le
silence. Pour la première fois, elle éprouvait la sensation qu'elle ne pouvait plus être seule. Elle ressentait la présence de John. Elle eût aimé s'en libérer.
Elle fermait alors le magasin et, dans son appartement,
elle se mettait à ranger. Elle supprimait ses vieux
vêtements. Elle vidait ses armoires. Elle téléphonait à
une amie, présidente d'une œuvre de charité, et celle-
ci lui envoyait un clochard distingué à qui elle remet-
tait un grand paquet. Elle demandait à sa femme de
ménage de tout nettoyer méticuleusement. Elle projetait de faire repeindre ses pièces. Instinctivement,

elle cherchait ainsi à se détacher de ce qui aurait pu, chez elle, lui rappeler Laffont. Elle s'attaquait même aux tiroirs. Dans la corbeille à papiers vide, elle jetait des objets inutiles, de vieilles boîtes, des souhaits de bonne année, l'annonce du changement d'adresse de son fumiste, une carte venant de Palma... La signature était illisible; qui avait pu l'envoyer ?

Elle s'installait dans une délicieuse et meurtrière attente. Peut-être Farrel donnerait-il signe de vie. Par moments, l'avenir semblait lui promettre un éventuel bonheur, mais elle se dégrisait aussitôt. Sortie de ses rêveries, elle espérait à peine. Elle souhaitait plus de romantisme que d'amour physique. Son corps en veilleuse, elle avait cessé de rêver d'étreintes et de plaisir. Sa soif de paroles, de sentiments et de secrets était au contraire insatiable. Jalouse du passé de Farrel, elle se tourmentait. Elle imaginait, dans les bras de l'Américain, des filles indifférentes qui auraient exécuté comme un devoir les gestes rituels de l'amour payé. Ou bien, transportant ses craintes, elle frémissait à l'idée que l'âme secrète de Farrel, son mysticisme violent, sa verve acerbe, pourraient cacher une impuissance. Le sublime ne serait-il chez lui que la façon de reconnaître un échec ? Elle aurait voulu provoquer une explication. Et, peut-être, se défaire de sa passion.

Au bout de neuf jours, Laffont entra dans le magasin. Il semblait avoir maigri et une odeur d'éther l'entourait. Elisabeth se trouvait derrière son bureau; elle y resta.

« Je peux te parler ? lui demanda Laffont.

— Tu ne me dis pas bonjour ? »

Il eut un geste désabusé.

« Oh ! tu sais, les mondanités,... Je n'ai ni le temps, ni le talent de jouer la comédie. Ferme la porte ici et allons dans l'arrière-boutique; j'ai à te parler. »

Obéissante, elle tourna la clef dans la serrure et éteignit les lumières du magasin.

« Si tu voulais qu'on bavarde en haut... dit-elle, timidement.

— Ne te donne pas la peine d'être polie, répliqua-t-il d'un ton sec.

— Je n'y peux rien, dit-elle. Je comprends que tu me détestes, mais je n'y peux rien. »

Laffont se laissa choir dans un fauteuil.

« Je viens de faire transporter un jeune garçon avec une crise d'appendicite à l'hôpital. Tandis que je suivais l'ambulance avec ma voiture, j'ai aperçu Farrel au bord de la route. Je l'ai vu clairement dans la lumière de mes phares. Il se tenait un peu penché; il ressemblait à un épouvantail. J'ai pu m'arrêter presque devant lui. Je l'ai interpellé. J'aurais voulu rencontrer son regard. Il était comme un somnambule, un mort qui se tenait debout.

— J'y vais, dit-elle, fiévreuse. Je prends la voiture et je vais le chercher.

— Il n'y est plus. Au bout de dix kilomètres — j'ai vérifié la distance au compteur — j'ai fait demi-tour. Je craignais qu'il se fasse écraser. Il n'y était plus.

— Je n'oserai pas appeler le bureau central, dit Elisabeth, tremblante. Et puis, je lui ai promis de ne pas l'appeler.

— Voudrais-tu tenir cette promesse ? demanda Laffont. Il y en a d'autres que tu n'as pas tenues. »

Il se pencha vers elle et la prit par la main.

« Tu cours après quelqu'un qui n'existe que par ses souvenirs. Ce n'est qu'une ombre hantée par d'autres ombres. Tu voudrais livrer bataille contre une armée de spectres ? Tu prétends, soudain, vaincre l'au-delà ? Ce serait te battre avec un mort. Va au cimetière, ouvre la tombe, gratte avec tes mains la terre humide, hurle dans le crâne vide d'un squelette, dis-lui qu'il te cède son ami.

— Il me suffit de l'aimer, répondit Elisabeth.

— Comme c'est beau ! répondit Laffont. Tu te contenteras donc d'une idée ? Pour être plus près de la terre et de ses plaisirs que tu veux mépriser, n'aurais-tu pas plutôt envie de venir dans mes bras ? Je t'emporterais au premier étage, je franchirais le seuil, toi dans mes bras, je te couvrirais de baisers... Dans ton lit, ta tête sur mon épaule, après la fatigue de l'amour, apaisée, tu me parlerais de lui... Ainsi, j'accepterais le plus odieux des compromis. Mais je n'ai pas le choix... Donne-moi ta présence et je lui laisse ton âme.

— Je n'accepterais pas une vie de compromis, dit-elle.

— Alors, tu n'auras rien, fit-il. Je t'ai offert mon sacrifice à moi et il te paraît un marché sordide. Tu sais bien que je rate toujours tout. Je suis fidèle à moi-même, ce soir, Elisabeth. Pour ne pas te perdre, j'aurais accepté une ombre comme rivale et, toi, tu ne veux que l'ombre... Tu resteras l'âme et les mains vides. »

Elisabeth chuchota :

« Il vit dans l'absolu. »

Elle se tut, désarmée. Elle ajouta, timidement :

« Moi aussi, je voudrais vivre dans l'absolu. »

Il se leva.

« Je n'insiste pas... Je ne suis pas amateur pour une course dans le néant. Bonsoir, ma petite. »

Il n'était pas question pour elle de le retenir. Il s'attardait devant la porte du magasin. Pourtant, il savait qu'elle ne l'appellerait pas.

La nervosité secouait John Farrel comme une poussée de fièvre. Il essayait de se raisonner. Il voulait garder le contrôle de lui-même. Il se persuadait qu'Ann Brandt n'avait dû être qu'une parcelle infime dans l'existence de son ami, qu'elle avait dû broder ces histoires au cours des années en les nourrissant de rancune parce que Fred, un jour, l'avait abandonnée.

Cessant de tourner comme un fauve dans sa cage, il s'aventura, à la nuit, sur la grande route. Il était attiré par les voitures qui passaient. Les phares lointains et minuscules lui apparaissaient phosphorescents comme des vers luisants. Au fur et à mesure que la distance diminuait, les vers luisants grandissaient. L'air vibrait du bruit des moteurs. A chaque voiture, c'était comme une rafale de vent qui secouait John, et celui-ci se laissait presque frôler par les autos. Il imaginait un choc et, après, le néant. Il attendait un signe. A un moment donné, il reconnut le docteur qui, par sa vitre baissée, lui adressait la parole. John

eut alors la sensation qu'un piège se refermait sur
lui. Il attendait un secours et voilà qu'il se retrouvait
face à face avec le docteur. Une douleur plus forte
taillada soudain son dos. Il se réfugia dans son mutisme.
Enfin, le docteur partit. Farrel retraversa la grande
route et retourna au cimetière. Il eût voulu téléphoner à l'hôtel Malherbe et supplier Ann Brandt de ne
plus revenir. Mais il n'avait plus la force d'agir. Il
rentra, obéissant, dans son enfer.

Le lendemain, Ann Brandt arriva vers trois heures
de l'après-midi.

« Alors, demanda-t-elle, j'entre ou je n'entre pas ? »
Il s'effaça. Elle alla directement au petit salon.

« Si je vous disais : Garçon, un crème ! Vous ne
trouvez pas que les bistrots français ont un charme
fou ? On s'appuie sur un comptoir, on vous sert une
tasse de moka et vous avez du sucre à volonté.

— Je vous apporte du café, dit-il docilement. J'ai
déjà tout préparé. »

Il revint bientôt avec un plateau.

« Vous voilà plus gentil, aujourd'hui, s'exclama-
t-elle. Seriez-vous en train de comprendre ? Voudriez-
vous me persuader qu'un homme n'est pas si lent à
réagir, qu'il ne faut pas des mois, sinon des années
pour qu'il reconnaisse une erreur ? Seriez-vous plus
subtil que le disait Fred, moins buté, moins fidèle ? »

John s'assit.

« Buvez.

— Votre amabilité m'inquiète, dit-elle. Quels sont
vos projets ? Seriez-vous curieux comme tout le monde ?

— J'aime entendre parler de Fred, dit-il, tenace.

— A votre service; je ne manque pas d'histoires à vous raconter !

— Savait-il que vous étiez aussi malfaisante ? » demanda John.

Elle soupira.

« Nous voilà dans la bêtise. Si vous croyez que Fred se préoccupait de la bonté ou de la méchanceté de quelqu'un. Il utilisait les gens.

— Vous étiez donc aussi bien lente à comprendre, remarqua John. Vous avez mis des années pour reconnaître qu'il ne vous aimait pas. Vous auriez dû le quitter.

— L'amour m'a retenue », dit-elle.

Sa voix était ironique.

« J'étais peut-être sensible au fait qu'il avait eu une enfance malheureuse. »

John rectifia.

« Son père ne voulait pas qu'il soit journaliste. Ce n'est pas un malheur, c'est un malentendu. Il faut aussi admettre qu'un homme qui est propriétaire de deux hôtels désire voir son fils entrer auprès de lui dans les affaires.

— Vous savez ce qu'il faisait, son père ? Elle se mit à crier. Il était barman dans un petit bar, à Chicago ! Sa mère est partie avec le représentant en whisky; celui-ci venait au bar, chaque mois, pour prendre les commandes. Le père est resté seul avec sa petite veste courte aux revers de satin et les olives sur le comptoir. Fred avait neuf mois quand sa mère a tout quitté. Il commençait tout juste à savoir se tenir assis dans un parc installé dans la cuisine. La nuit, il dor-

mait dans un panier que son père posait à côté de
son lit. En grandissant, il a eu vite horreur de la
misère. Dès l'âge de dix à douze ans, il ne rêvait que
d'argent. Dans la rue, il jouait aux dés avec les gosses;
il trichait, on le battait. Pour quelques cents de plus,
il préférait quand même courir le risque de tricher.
Croyez-vous qu'on puisse avoir une estime exagérée
pour un père qui secoue les shakers, qui ramasse les
pourboires et qui conduit jusqu'aux toilettes les ivrognes en proie à la nausée ? Il devait les tenir sous les
aisselles pendant qu'ils vomissaient...

— Vous mentez, dit John, faiblement. Je connais
même le dessin des rideaux de la maison de Cleveland
où il a vécu. Je connais même ses objets préférés.

— Petit, il jouait avec des noyaux d'olives et des
cure-dents ! continua Ann. Son père l'a découvert
dans les bras de l'entraîneuse du bar, alors qu'il n'avait
que quatorze ans; au moins il a appris l'amour sans
frais. Comment aurait-il pu vous raconter à vous ses
incursions dans la boue, à un monsieur aussi distingué,
au digne descendant de tant d'aïeux ? Il fallait bien
inventer de jolies histoires. Vous lui auriez donné des
complexes s'il n'avait pas menti; vous l'avez incité au
mensonge. Vous planiez dans vos sphères célestes et
lui, le bagarreur, l'homme sans scrupule, il voulait
franchir la ligne d'arrivée avant vous. Quel grand
service vous lui avez rendu dans la salle d'attente de
l'*Evening Star* !

— Il serait entré en tous les cas à l'*Evening Star*,
dit John. Il avait un talent exceptionnel; on l'aurait
découvert. Si j'ai pu lui servir de tremplin, tant mieux;

je lui aurai épargné quelques semaines d'attente.

— Vous lui avez épargné le porte-à-porte humi-
liant d'un journal à l'autre, les premières déceptions...
Chez Norman Mills, avec votre maladresse involon-
taire, vous lui avez préparé le terrain. Quel contraste
de voir arriver, après vous, un Fred agile, intelligent,
humble !

— Tant mieux », répéta John.

Autour de lui, la pièce basculait légèrement. Il était
pris de vertige. Il luttait contre l'illusion que les meubles dansaient autour de lui. L'ensemble formait un
manège qui tournait lentement. John y était attaché;
il tournait aussi.

« Reconnaissez, dit Ann, que je vous rends actuellement un grand service. A quoi bon vivre dans un
mirage ? Dites-moi : vous êtes resté ici pendant dix-
huit ans à cause de lui ?

— Oui, dit John, à cause de lui.

— Il vous a eu jusqu'à la moëlle, dit Ann. Pour
une réussite, c'est une réussite. C'est formidable ! Encore
après sa mort, il a réussi à vous paralyser et à vous
retenir auprès de sa tombe.

— Je suis resté de moi-même, dit John.

— Evidemment, il n'a pas ouvert son cercueil pour
vous interpeller et vous demander de rester là. Ce
n'est pas ça que je veux dire, dit-elle. Le fait est
qu'il a pu exercer sur vous une telle emprise que
vous êtes devenu son esclave. Etiez-vous lié par une
promesse ? Vous a-t-il fait jurer de lui garder fidélité
jusqu'à la fin de votre vie ? Il en aurait été capable.

— Non, dit John, tout est beaucoup plus simple.

Il n'y est pour rien; c'est une revanche que je prends sur le destin. J'aurais dû mourir; c'est lui qui est mort. Donc, j'ai décidé de ne pas vivre ma vie. »

Elle se pencha vers lui.

« Si vous pouviez être franc, John Farrel, pas avec moi, vous me détestez, mais avec vous-même... Ne croyez-vous pas que votre sacrifice n'est qu'égoïsme ou paresse ? Ne trouvez-vous pas qu'il est plus facile de se retirer dans un cimetière et de garder une tombe que de lutter tous les jours pour la vie ? Ne cherchez-vous pas simplement un prétexte pour fuir le monde ?

— Non, répondit John, j'aurais voulu vivre différemment. J'ai choisi cette forme d'existence à cause de lui. »

Ann soupira.

« C'est tragique. J'espérais que vous alliez vous trahir, que j'aurais la satisfaction de découvrir qu'il ne vous avait quand même pas eu à ce point. Mais non : il vous a vaincu. Vous avez fait tout cela délibérément, de votre propre gré. Il faisait ce qu'il voulait avec les gens. Après sa visite dans ma boutique... Vous vous souvenez ?

— Il vous a acheté un flacon de parfum...

— Oh ! dit-elle en souriant. L'acheter ? Il contemplait ce flacon d'*Amour perfide* et il me dit : « Accor-« dez-moi un pourcentage sur le prix; votre marge « de bénéfice supporte certainement une petite dimi-« nution. » Son charme impertinent, son insolence élégante me séduisirent. »

John se mit à sourire.

« C'est vrai qu'il avait beaucoup de charme, Fred.

— Vous, se rebiffa Ann, vous ne retenez que le mot « charme » !

— Et vous, dit John, lui avez-vous accordé son rabais ? »

D'un geste coléreux, Ann écrasa sa cigarette.

« Je lui ai donné le flacon en cadeau. Voilà ce que j'ai fait. Je voulais lui couper le souffle, tout en sachant que je paierais le flacon de ma poche. J'avais peu d'argent à l'époque. Mais c'était le geste, l'art pour l'art. Je voulais qu'il se souvienne de moi.

— L'a-t-il accepté ? demanda John.

— Il m'a même demandé un emballage cadeau. A l'époque, je faisais très mal les nœuds. J'ai passé des minutes à faire son paquet. Il me regardait travailler. Il me parlait. Déjà, il savait qu'il voulait monter une affaire de vieux meubles.

— Il n'a pas pu accepter de vous un flacon de parfum ! s'exclama John. Pourquoi l'aurait-il accepté ? Il vous voyait pour la première fois de sa vie.

— Et vous croyez que ça l'a gêné ? Du tout. Il me considérait déjà comme une future collaboratrice. Il lui avait suffi de passer un quart d'heure dans mon magasin pour comprendre l'effet produit par de vieux meubles, mon utilité dans une entreprise, et pour calculer mentalement ce que cela pourrait rapporter et comment il pourrait monter l'affaire. En un quart d'heure. Qui dit mieux ? Il est parti en disant que j'entendrais parler de lui. Il souligna aussi qu'il me remercierait d'une façon particulière pour le flacon. Je le regardais, abasourdie. Après son départ, le magasin semblait vide. Il m'a téléphoné le lendemain matin, vers onze heures. J'avais justement, dans la boutique, une Hindoue en sari, une merveilleuse brune avec un point bleu sur le front. Au lieu de la servir, de la flatter, de lui offrir des flacons de plus en plus grands, hypnotisée, je me suis accrochée au téléphone et j'ai écouté la voix de Fred. Il m'invitait à dîner le soir même au quartier chinois. Il m'inondait d'idées et de mots. Avec son débit rapide, il m'isolait du monde. L'Hindoue s'impatientait. Elle plissait le front, la tache bleue se rétrécissait. Elle pianotait de ses longs doigts raffinés sur le comptoir. Dans l'autre main, elle tenait un demi-litre de *Liaison secrète*. C'était un de mes parfums les plus chers. Emportée par le délire verbal de Fred, je voyais, dans une fumée magique, notre usine à nous où se fabriqueraient en série des meubles Louis XV. Le regard noir de l'Hindoue cherchait le mien. Elle savait que je parlais à un homme. J'avais beau vouloir être impersonnelle, tenter de faire croire que j'avais un interlocuteur qui m'était indifférent, cette femme savait que je parlais avec l'homme qui m'intéressait le plus, en tout cas beaucoup plus qu'elle ou que n'importe quel parfum. « Oui, répétais-je, oui, vous avez raison. Oui, je vais « envisager une série de solutions à vous proposer. » Je pensais déjà à la façon dont j'allais m'habiller pour ce dîner. Fébrilement, je choisissais dans ma garde-robe. A l'époque, j'avais une poitrine agréable. J'avais décidé de ne pas mettre de soutien-gorge et de porter, ce soir-là, une petite robe noire très décolletée. L'Hindoue à la fin détacha son regard. Elle devinait peut-être mieux que moi le destin qui m'attendait à cause

de ce coup de téléphone. Elle déposa délicatement le
flacon de *Liaison secrète* sur la petite coiffeuse Louis XV.
Elle esquissa un faible sourire pour souligner qu'elle
ne gardait pas de rancune. Elle partit, la tête haute,
sans bruit, comme si elle n'avait pas voulu être le
témoin d'une scène intime. « J'ai une cliente qui vient
« de sortir du magasin, ai-je dit à Fred. Vous ne
« pouvez pas me retenir au téléphone si longtemps...
« — Vous n'avez rien perdu, me dit-il, faites-moi
« confiance. » Et il m'a désigné l'endroit où je devrais
me rendre.

« Il ne vous a pas offert de vous emmener chez
lui ? demanda John.

— Pour tendre un piège, vous vous y prenez bien
mal, John Farrel. Cela se voit sur vous à cinq mètres.
Vous essayez de m'avoir. Vous savez très bien qu'à
l'époque Fred vivait à l'hôtel. Il a eu son appartement
à Central Park à peu près un an plus tard.

— Pourquoi avait-il quitté son appartement donnant sur Central Park ? demanda John sans attendre.

— Vous imaginez encore que je ne le sais pas, dit
Ann. A cause des Porto-Ricains. Il adorait cet appartement. Le matin, il voyait le parc, il pouvait s'y promener parfois. Un jour, apparurent, dans la rue, les
Porto-Ricains. Ils occupèrent une première maison,
appartement par appartement. Toute la rue était
perdue. Leur progression n'était qu'une question de
temps. Ils amenaient leurs parents, leurs amis, leurs
connaissances. Les Blancs fuyaient les maisons où les
Porto-Ricains s'étaient introduits. Fred, tenace, est resté
longtemps. Il a failli être le dernier locataire blanc.

— Il n'était pas raciste, dit John.

— Il était raciste, reprit Ann, soudain blême de colère. J'en sais quelque chose !

— Il vous a pourtant donné rendez-vous au quartier chinois.

— Ne confondons pas un dîner mondain et le racisme. Il pouvait très bien apprécier la cuisine chinoise et imaginer avec dégoût un éventuel mélange de sang. La cuisine exotique n'a jamais fait de mal à un raciste; le mariage, si.

— Vous allez loin. Vous reprochez à Fred de n'avoir pas épousé une Chinoise, une Porto-Ricaine ?

— Fred Murray était un criminel, chuchota Ann. Et j'ai, moi, été la victime d'un...

— D'un quoi ? demanda John.

— Non, dit-elle. Je peux le livrer, lui, mais pas me livrer moi-même. Vous n'êtes pas suffisamment adulte, à quarante-huit ans, pour que je vous raconte...

— Quoi ?

— Rien. Nous avions donc rendez-vous au quartier chinois. Il devait être un habitué. La patronne vint nous accueillir... Avez-vous été avec lui dans un restaurant chinois ?

— Jamais, dit John. Je n'aime pas la cuisine chinoise.

— Il ne s'agit pas de votre goût personnel. Vous l'auriez fait s'il vous avait invité. Vous n'auriez pas refusé à Fred.

— Non, reconnut John. Nous allions souvent à Greenwich Village.

— Il avait ses quartiers selon ses amis. Il isolait bien son monde. Il connaissait les habitudes de beau-

coup de petits restaurants. Il a demandé pour lui un
rouleau impérial et moi j'ai mangé du poulet aux
amandes.

— Vous avez aussi une mémoire gastronomique.

— Je croquais les amandes et je l'écoutais. C'est là
qu'il m'a exposé l'affaire.

« Nos compatriotes, m'a-t-il dit, adorent les anti-
« quités. Ils ne s'y connaissent point. C'est notre avan-
« tage. Le rêve de n'importe quel Américain, c'est
« d'avoir chez lui un meuble européen, si possible
« ancien. Même s'il sait que c'est une copie, il est
« impressionné... Avez-vous de l'argent, Ann ? »

« J'ai failli avaler de travers une amande. « J'ai
« mon salaire de la boutique, c'est tout.

« — Une petite fortune personnelle ? insista-t-il.

« — Non.

« — Rien à vendre ?

« — Non.

« — Ce n'est pas vrai. Vous êtes en train de mentir.
« Comment voulez-vous fonder une association en
« mentant ? »

« J'avais les dents pleines d'amandes.

« — Je ne mens pas. Et de quel droit me posez-
« vous toutes ces questions ?

« — Parce que nous devons faire fortune ensemble.
« L'argent appelle l'argent. Sans une base de départ,
« aucune possibilité de démarrer.

« — Pourquoi supposez-vous que j'aurais pu avoir
« de l'argent ?

« — Parce que vous avez une tapisserie d'époque.
« Elle vaut une fortune.

« — Oh ! me suis-je exclamée, la tapisserie ! La
« seule belle chose que je possède; elle vient de ma tante.

« — Donc, elle est réellement à vous.

« — Mais oui. »

Il posa sa main sur la mienne.

« — Appelez-moi Fred, je vous appellerai Ann, c'est
« plus facile. »

« A regret, je retirai ma main.

« — Vous êtes faraude, dit-il. Combien vaut-elle,
« la tapisserie ?

« — Peut-être deux mille dollars, peut-être plus.

« — Alors, s'exclama-t-il, joyeux, nous sommes
« sauvés. Je vais créer une société à partir de vous.
« Vous y figurerez pour un apport de deux mille
« dollars. J'aurai des hommes d'affaires sérieux qui
« sauront comprendre, et puis, vous ajoutez au capital
« votre connaissance des œuvres d'art. Et moi...

« — Et vous, combien donnerez vous ?

« — Je donnerai des idées. Soyons audacieux.
« Qu'avons-nous à perdre ? Vous allez partir pour
« Paris, vous suivrez des cours à l'Ecole du Louvre.
« Ce n'est pas une école difficile; souvent, les femmes
« du monde qui n'ont rien à faire s'y inscrivent...
« Après, vous ferez un stage chez un antiquaire. Je
« choisirai l'endroit. L'ensemble prendra un an. Alors,
« vous reviendrez et nous ouvrirons, dans une des
« avenues les plus chics de New York, un magasin
« où n'entreront que les gens riches. Il faudra que les
« pauvres, les médiocres, les curieux, ceux qui auraient
« tendance à demander un crédit, soient, avant même
« de franchir le seuil, découragés. Il faudra que la

« boutique sente l'argent lourd. On n'y traitera que
« des affaires importantes. Pas de bricoles, pas de
« petits flacons de parfum, mais des tapisseries, du
« Directoire, de l'Empire, du Louis XV !

« — Et qui va me payer ce voyage ? Qui va me
« payer mon séjour en Europe ?

« — Vous prendrez une avance sur votre salaire.
« Ecoutez-moi : vous allez avoir des actions pour
« deux mille dollars; vous serez, en même temps,
« salariée puisque vous vous occuperez du magasin;
« sur votre salaire, on retiendra, pendant quelques
« mois, une somme qui amortira les frais de votre
« voyage en Europe. C'est clair, non ?

« — Encore faut-il trouver les hommes d'affaires
« qui marcheront dans cette combine ?

« — J'en ai déjà un. Depuis hier. Des relations.
« Ann, tout est une question de relations dans la vie.
« Je suis allé interviewer, il y a cinq mois, un magnat
« du cinéma dont le violon d'Ingres est une collection
« de jades. Il est pourri d'argent. J'ai pris contact avec
« lui hier soir. En principe, il est d'accord. J'en trou-
« verai un second...

« — C'est le départ qui est difficile, lui ai-je dit.

« — Tous les deux, nous sommes assis sur votre
« tapisserie comme sur un tapis magique.

« — Je ne la vendrai jamais, ai-je affirmé. Jamais.
« C'est la seule chose à laquelle je tienne, Fred. »

« Il réfléchissait.

« — Bien. On va emprunter deux mille dollars sur
« cette tapisserie, sous la condition que vous puissiez
« la racheter avant deux ans. Si vous ne le pouvez pas,

« vous la perdrez. Il faut prendre des risques. Sans
« risques, on patauge dans la médiocrité. Nous serons
« riches, Ann.

« — Et vous aurez une part égale dans la société ?
« ai-je demandé.

« — Une part égale parce que je suis modeste,
« dit-il. J'aurais dû avoir plus : c'est l'idée qui compte. »

Ann se pencha vers John.

« Vous vous souvenez, John Farrel, vous m'avez dit,
hier, que les idées n'étaient rien. Eh bien, votre meilleur ami a su bien faire fructifier la seule idée qu'il
ait eue dans sa vie.

— N'exagérez pas ! » dit John qui, après un instant,
ajouta :

« Déjà, quand il venait chez nous, il admirait beaucoup les meubles anciens de ma mère... Il m'a dit
souvent que ce décor détonnait à New York...

— Il a vu de vieux meubles chez vous ? demanda
Ann.

— Mais oui, que ma mère avait reçus de Hongrie.

— Il vivait de nous, s'exclama-t-elle.

— Non, dit John. Vous êtes aussi injuste que féroce.
Pourquoi voudriez-vous interdire à quelqu'un de
regarder, d'enregistrer et de comprendre. C'est une
forme de talent que de saisir l'occasion... »

Ann reprit :

« — Vous êtes née pour être patron, m'avait-il dit.
« Le mot me séduisit. Etre patronne d'une entreprise,
« qui aurait pu résister à une telle tentation ? Mira-
« culeusement, il trouva des capitaux et je suis partie
« pour l'Europe avec la mission de bien apprendre les

« styles et de découvrir des fournisseurs de faux vieux
« meubles. Nous avons couché ensemble la veille de
« mon départ. C'était une sorte de signature de contrat.
« La rapidité distraite de son comportement me déçut.
« Le plaisir est venu après, dans la conversation. Il est
« resté assis sur le lit. Il me parlait du journal, de ses
« relations. « Ce pauvre John ! » Grâce à vous, j'ai ri
« alors que j'allais quitter l'Amérique le lendemain. Il
« m'a raconté que, le jour précédent, il vous avait
« réveillé vers quatre heures du matin pour que vous
« lui apportiez une bouteille de bière. Quand je lui
« ai dit que j'aimerais vous connaître, il s'est fait dis-
« tant, se contentant d'ajouter : « Il n'a pas tellement
« d'intérêt, ce pauvre John; on verra cela quand tu
« reviendras de Paris. » Je suis donc partie comme la
« propriété de M. Fred Murray, le corps effleuré, l'âme
« brûlante, le budget serré. Je me suis installée dans
« un petit hôtel parisien. Je suivais les cours de
« l'Ecole du Louvre. J'ai appris, en même temps, à
« m'habiller. J'étais fidèle à Fred. Je lui écrivais des
« lettres d'amour débordantes d'espoir. Il ne vous a
« jamais lu mes lettres ? Il aurait bien été capable de
« se moquer de moi avec vous comme il se moquait
« de vous devant moi. »

John se souvenait très bien qu'un jour Fred lui
avait montré un paquet serré entre deux élastiques.
« Ces lettres sont bien amusantes, avait-il dit. Tu
veux les emporter chez toi pour les lire ? Tu es un
grand sentimental, elles devraient te plaire. — Quelles
sont ces lettres ? — Oh ! soupira-t-il, moi, je reçois
des lettres d'amour d'Europe. Quel luxe, n'est-ce pas ? »

« Il ne vous a pas lu mes lettres ? insista Ann. Je
ne dis pas que j'aurais honte ni que je serais gênée.
J'aurais simplement le plaisir de le haïr encore plus.
Alors, John ?

— Non, fit-il. Je n'ai lu aucune de vos lettres. »
Quelques instants plus tard, il s'interrogeait sur les
raisons de son mensonge. Pourquoi voulait-il épargner
cette femme ? Peut-être parce qu'elle était une femme...
et que, même en face des débris d'une existence féminine, il fallait demeurer chevaleresque. Il y avait
aussi en lui la solidarité de l'amitié; dans ces moments,
il considérait Fred tout à fait comme s'il était vivant.
Et John savait bien qu'un gentilhomme, ainsi que le
disait souvent sa mère, parle très discrètement d'une
femme à son ami et ne parle jamais de son ami à
aucune femme.

« Alors, John Farrel, ces lettres ?

— Il était discret, reprit John. Vous voyez, il s'est
comporté élégamment vis-à-vis de vous, si tant est
que ces lettres ont jamais existé.

-— Hélas ! oui, dit-elle. En tout cas, vous êtes prodigue de compliments; vous associez l'adjectif « élégant » à Fred. Et avec vous, croyez-vous qu'il se soit
comporté élégamment ou, au moins, honnêtement ?
Vous êtes vraiment le pauvre John ! Mon Dieu, comment peut-on être aussi puéril ?... Vous ne le voyez
pas déjà différemment maintenant ? demanda-t-elle.

— Tout ce que vous me dites ne change rien...

— Il avait un visage différent pour chacun de nous,
répondit-elle dans un souffle.

— Avez-vous le même visage pour tout le monde ?

Lui avez-vous toujours dit vos pensées secrètes ?
N'avez-vous jamais joué la comédie avec Fred Murray ?

— Si, dans son intérêt, répliqua-t-elle. Si.

— Alors, dit John, vous avez pu mentir aussi, ou
changer de visage. Qu'avez-vous à lui reprocher ?

— Sa roublardise. Il aurait marché sur des cadavres
pour réussir.

— Le mot est déplacé, dit John. Il n'existe plus.

— Et vous, demanda Ann Brandt en se penchant
vers lui, pourquoi avez-vous décidé de rester ici à
garder sa tombe ?

— Qui pourrait m'obliger à vous répondre ? dit-il.

— Cette réponse vous ferait-elle peur ? Fred aurait-il
tant fait pour vous sans que je le sache, pour qu'il
mérite ce sacrifice ? Ou bien auriez-vous à ce point
mal agi à son égard pour que vous soyez pris par un
remords si grand ?

— J'ai un remords, dit John. Le talent, la verve
éblouissante, le rythme trépidant sont morts. Et moi,
pauvre bougre sans envergure, je respire, je mange, je
profite du soleil.

— Tout cela n'est pas clair, dit Ann. Il m'est difficile
d'accepter l'idée que vous soyez plus compliqué que
dans les descriptions de Fred. Un élément m'échappe...
Maintenant, John Farrel, écoutez-moi bien : je vous
libèrerai de ma présence si vous me racontez comment Fred Murray s'est comporté durant les derniers
jours avant le débarquement, alors qu'il était coincé
comme un rat.

— Coincé ? dit John. Le mot n'est pas du tout
exact. Isolé.

— De nouveau, il vous a présenté un autre visage de lui-même. Aurait-il eu la force de ne pas trahir sa peur ?

— Pourquoi aurait-il eu peur ? demanda John.

— Nous n'en sortirons jamais », soupira Ann.

Elle désignait la photo.

« Et il est là, sur votre mur, et il s'amuse ! Vous ne l'entendez pas rire ? »

Ann était presque à la limite d'une crise nerveuse.

« Enfin, reprit-elle, je ne comprends toujours pas pourquoi vous êtes resté ici.

— Parce qu'il ressemblait à celui que j'aurais voulu être.

— Vous auriez aimé être tricheur, menteur, carriériste ? fit Ann, désespérée.

— J'aurais aimé, dit John, avoir sa souplesse. Sa facilité... Son aptitude à établir avec les autres des contacts chaleureux...

— Vous étiez jaloux.

— Je l'admirais.

— Alors, reprit Ann, pourquoi n'auriez-vous pas voulu en faire autant ? Pourquoi n'avoir pas cherché à copier son style de vie ? Je vous le demande à nouveau : C'est par paresse ou par orgueil ?

— Par fidélité.

— Moi aussi, j'ai été fidèle, répliqua-t-elle. Je lui ai tout donné de moi-même.

— Grâce à lui, dit John, j'ai pu sortir de l'univers dans lequel ma mère s'enfermait. Elle était à ses propres yeux une princesse. Mon père, lui, se considérait comme le plus grand peintre méconnu de son époque. Quand j'allais faire les courses chez l'épicier, on se moquait de moi. Mes camarades m'évitaient. Pour eux, j'étais issu d'une famille trop originale. Je comprenais la peur qu'éprouvent les gens de couleur. Mentalement, j'étais un homme de couleur, parce que j'étais différent... Avec Fred, ce sentiment de gêne avait disparu. Il lui suffisait de me taper sur l'épaule et de lancer : « Amène-toi, avec ton arrière-grand-oncle « farfelu, l'évêque qui avait tant mangé ! » C'était une des histoires que je lui avais racontées... « Parle-m'en « encore, ça me donnera de l'appétit. » Ou bien il me disait : « Ton arrière-grand-mère aurait été une « vedette de cinéma sensationnelle. Tu l'imagines à « Beverley Hills ? » Un jour, j'ai eu le courage, grâce à lui, de me trouver ridicule. C'était merveilleux.

— Pourquoi avez-vous choisi le métier de journaliste ?

— J'ai cherché longuement avant de me décider, répondit John. A une époque, j'envisageais d'être professeur. L'idée d'une classe féroce m'a fait frémir... Je n'avais aucun talent pour peindre... Aurais-je voulu devenir ingénieur ? Je n'étais pas mathématicien. Tandis que les mots venaient facilement sous ma plume. Des images me servaient volontiers à évoquer les faits. J'aimais traduire les choses en formules. Comme disait Fred, c'était mon côté Europe centrale. J'imaginais qu'enrôlé dans un journal comme dans l'armée, je ferais partie d'un commando en contact permanent avec la vie. Une demi-colonne de création par jour, ce n'est pas beaucoup et cela peut être tout pour un homme. J'aurais voulu entrer dans un journal comme

à la Légion étrangère, en quittant mes complexes,
mon passé, en m'éloignant aussi de ma mère. J'aurais
aimé disparaître dans une communauté où je n'aurais
été qu'un rouage. J'aurais voulu scier ces chaînes dorées
des traditions familiales qui faisaient de moi un géant
à la maison et qui me rapetissaient aux mesures d'un
nain dans la rue. De toute ma force, je voulais devenir
un Américain comme les autres, un Américain sans
passé. J'aimais voir flotter dans le vent le drapeau
avec ses étoiles. Quand je revenais à la maison comme
Américain, je me heurtais au mur hongrois qu'était
ma mère. « Tu prends leurs habitudes, protestait-elle,
« n'oublie pas que... » Et je voulais oublier. Pourtant,
plus je m'accrochais à la terre américaine, plus l'Europe
m'attirait. Je m'imaginais en France, en Allemagne,
en Italie. Je me voyais sous le ciel hongrois, cherchant
l'emplacement des ruines d'un château. Qui m'aurait
fait confiance, qui m'aurait donné l'argent pour le
billet d'avion, qui aurait cru que ce grand type un
peu timide pourrait écrire un reportage. Personne.
J'aurais aimé au fond voir le pays de ma mère...
Qu'aurais-je trouvé, en réalité, moi, pauvre rêveur, à
la poursuite des carrosses et des duels ? »

Ann ne le quittait pas du regard. Elle alluma une
nouvelle cigarette et interrogea soudain :

« L'idée d'interviewer les hommes d'Etat européens
venait de vous ?

— Il fallait tout l'allant de Fred, sa souplesse, son
audace pour que ce rêve se réalise.

— Il fallait également sa perfidie, continua Ann.

— Son génie. »

Ann haussa les épaules.

« Vous êtes incorrigible.

— Seulement raisonnable. Vous m'imaginez dans le bureau d'un homme d'Etat anglais, lui posant les questions les plus brûlantes concernant la future guerre mondiale ? Il fallait une aisance immense, une perspicacité aiguë, une sensibilité presque féminine. Fred était capable de saisir le moment de faiblesse de l'interlocuteur, ce petit flottement d'inattention ou de fatigue grâce auquel il pouvait s'installer dans son enquête, et on ne pouvait plus le chasser.

— C'était un tricheur, dit Ann.

— Sommes-nous honnêtes ?

— Vous êtes croyant ? demanda Ann.

— J'ai la conviction qu'un être surnaturel et puissant gouverne notre vie. Est-ce la foi ? Je ne pourrais guère vous répondre.

— Vous allez à la messe ? » reprit Ann.

Si John avait décelé un soupçon d'ironie dans sa voix, il n'aurait pas répondu. Il la devinait grave et attentive.

« Je ne suis qu'une âme errante dans les églises. J'aime les églises vides et j'y cherche le courage d'interpeller celui qui... Connaissez-vous la cathédrale de Bayeux ? Sa beauté tire les larmes des yeux. »

Ann toussota.

« Je voulais y aller en touriste, mais elle est toujours fermée entre midi et deux heures. Quand le sacristain déjeune, une des beautés de l'Europe est sous clefs.

— Ce n'est qu'un détail, dit John. Vous auriez dû

attendre devant le porche et rendre ainsi hommage,
sinon à Dieu, du moins à la beauté.

— Vous vous moquez de moi, dit-elle avec aigreur.
Vous me voyez debout devant une cathédrale fermée,
les larmes aux yeux ?

— Quel souvenir avez-vous gardé de votre séjour
à Paris ?

— Le souvenir de l'absence de Fred. Je comptais
les jours. J'ai repris le bateau en chantant de bonheur.
Dans une lettre reçue avant mon départ, il m'avait
expliqué qu'il serait chez lui, dans l'appartement qu'il
avait trouvé donnant sur Central Park. Je portais un
petit tailleur parisien. Je me suis regardée dans la
glace de mon poudrier et j'ai découvert que j'étais jolie.
Le taxi s'est arrêté devant la porte de l'immeuble.
J'ai pris l'ascenseur. Dans mon sac se trouvait le cadeau
pour Fred : un porte-cartes en ivoire que j'avais
acheté au Marché aux Puces. Je sonnai. Personne ne
répondit. Je suis restée de midi à cinq heures devant
la porte fermée de Fred. Il est arrivé fiévreux, heureux.
Ce qu'il disait était plausible. Il pratiquait à la
perfection l'art de la réconciliation. Il était en retard
parce qu'il avait été envoyé à Long Island à la suite
du suicide d'une célébrité scientifique qui avait préféré
s'ouvrir les veines plutôt que d'aboutir dans ses recherches atomiques. Sur ses lèvres, l'événement prenait
aussitôt une telle importance que je répétai à Fred :
« Comme tu avais raison. Evidemment, il ne fallait pas
« hésiter. » J'étais une idiote. Au lieu d'attendre devant
sa porte, j'aurais dû tout simplement aller chez moi.
Il me fit entrer. J'ai été frappée par un décor insolite.

La couleur jaune citron des rideaux s'harmonisait
avec la moquette vert gazon. Fred n'avait que des
objets ultra-modernes, des lampes perchées sur leurs
tiges tordues et, garnissant la table de chevet, une
lampe montée sur une défense d'éléphant. « Du véri-
« table ivoire, me dit-il, touche-le. Il est sensationnel,
« n'est-ce pas ? — Où as-tu eu cette lampe extraor-
« dinaire ? — Chaque objet a son histoire, ma petite.
« — Tant de nouveautés en six mois, avais-je souli-
« gné, souriante. Tu as déménagé, tu as changé de
« cadre, tout est neuf chez toi. » Je cherchais les traces
d'une femme. Sous prétexte d'admirer, j'ouvrais les
penderies, les tiroirs, j'entrais dans la salle de bain.
Elle était rouge et grise. « Ann, lança-t-il tout à
« coup, et comme toujours lorsqu'il était gêné, il s'était
« mis à bredouiller. Ann, tu sais que j'ai été obligé de
« donner ta tapisserie en garantie de l'argent qu'on
« nous a prêté pour notre société. Eh bien, mes associés
« ont désiré que je la garde chez moi. J'aurais préféré
« qu'elle soit déposée dans le coffre-fort d'une banque.
« Je leur ai même proposé de te la rendre en souli-
« gnant la confiance qu'ils pouvaient avoir en toi.
« Mais ils tenaient très fort à ce que cette tapisserie
« restât chez moi... Dès que tu auras récupéré, sur
« les bénéfices de notre affaire, la somme que tu as
« empruntée pour ton voyage et pour ton séjour à
« Paris, la tapisserie te reviendra. — Où est-elle ? »
ai-je demandé, la gorge serrée. Il alla vers la penderie
de l'entrée et en sortit un rouleau soigneusement
emballé dans du papier de soie. Il posa la question :
« Ne crois-tu pas qu'il vaudrait mieux qu'elle soit

« aérée ? Je ferai ce que tu veux... Evidemment, elle
« peut même rester pendant un an dans mon armoire.
« Mais, pour elle, ce serait peut-être mieux d'être sur
« un mur ? Tu vois, j'ai juste un panneau au-dessus
« de mon lit. Serais-tu d'accord pour qu'on l'accroche
« provisoirement à cette place ? » Il était comme un
petit garçon désireux d'obtenir un jouet précieux et
qui veut convaincre ses parents que, s'ils le lui achètent,
il ne l'abîmera pas. J'imaginais que, dans quelques
mois, il me dirait : « Vous allez bien ensemble, la
« tapisserie et toi. Veux-tu m'épouser ? Et nous habi-
« terons ici, tous les trois. » Je n'aurais rien aimé
davantage, dans la vie, que de devenir sa femme. Si
j'avais pu tant soit peu attacher à moi cet homme
courant-d'air, cet homme papillonnant, cette libellule
brillante qui se posait sur les êtres et qui s'envolait,
je vous assure que j'aurais pu supporter ses infidélités,
ses trahisons, ses complots perfides, ses mensonges. Je
voulais au moins avoir un acte de mariage. Je voulais
qu'il m'appartienne devant le monde et je lui aurais
offert sa liberté en récompense. Je nous voyais célèbres
tous les deux, liés pour la vie dans la gloire, la réussite... »

Elle s'arrêta un instant.

« Après avoir enlevé mes chaussures, je suis montée
sur le lit recouvert d'une fourrure; j'ai planté deux
clous dans le mur; j'ai moi-même accroché ma tapisserie. Fred éprouvait un véritable bonheur physique.
Emerveillé, il regardait... Imaginez une momie dans
un self-service. La confrontation des époques était,
dans le style de l'appartement, ridicule et émouvante.

J'ai été récompensée. Fred s'est consacré à moi jusqu'au
lendemain matin. Il m'a prise sur la couverture de
fourrure. J'aurais aimé moins de hâte; j'aurais voulu
savourer chaque seconde avec lui. Mais Fred n'était
pas celui qui perdait son temps. Je suis restée sur la
peau de lama, les vêtements à peine défaits, le cœur
lourd. Je me suis réfugiée dans l'eau chaude de la
baignoire grise. Je regardais le mur rouge. C'était
hideux et amusant. Fred m'a apporté son peignoir
de bain. Je lui ai pardonné. J'ai dîné avec lui. J'ai
bu beaucoup de champagne. Lui, il buvait très peu;
il ne supportait pas la boisson. Il m'a raconté ce soir-
là qu'un explorateur de retour à New York lui avait
donné la lampe en ivoire. « Il y a encore des gens
« généreux, tu vois. » Je ne le croyais guère. Donner une
pareille lampe à un petit journaliste... Ou bien avait-il
déjà fait un tel chemin que... « Il a eu deux colonnes,
« l'explorateur, ajouta-t-il, et un beau titre. » Nous
nous sommes recouchés. J'avais amené avec moi la
bouteille de champagne et, le verre à la main, je
rêvais de notre avenir. Il glissa sa main sur ma poitrine. J'ai laissé tomber le verre sur le tapis. Il m'a
reprise dans ses bras, presque rêveur. « Tu penses à
moi ? » ai-je dit peu après. J'avais si peur qu'il ne
m'échappe, même dans ces instants. En guise de réponse,
il posa ses lèvres sur les miennes. J'ai dormi près de lui.
J'ai préparé son petit déjeuner. Je crois que ce fut
l'un des plus heureux jours de ma vie. Il m'a fixé
alors mon emploi du temps; tous mes rendez-vous avec
les associés étaient indiqués. « Je te laisserai doréna-
« vant agir seule, dit-il, tu t'arrangeras avec eux. Ne

« te laisse pas posséder; sois une vraie femme d'affaires, « ma petite. » Dès la fin de cette semaine-là, deux hommes d'affaires new-yorkais ont mis à ma disposition les locaux de notre futur magasin d'antiquités. J'étais gérante avec la possibilité de racheter, un jour, leur participation. Vous vous sentez mal, John Farrel ?

— Non, dit John, non. Je pensais à cette lampe. Il m'avait dit que c'était un cadeau de son père.

— Pour vous, dit Ann, il a dû imaginer un père. Avec moi, sa vie était plus simple. Ma mère était pauvre et vivait avec sa sœur à Milwaukee. Mon père l'avait quittée. Devant vous, il lui fallait inventer...

— Je ne l'aurais pas aimé moins s'il m'avait dit la vérité, répliqua John.

— Avec votre snobisme latent, vous auriez pu, malgré vous, le mépriser un peu... »

Farrel se redressa dans son fauteuil.

« Vous vous mettez à le défendre ? A le défendre contre moi ? »

Un silence lourd passait sur eux. John avait froid.

« Je m'en vais bientôt, dit Ann.

— Voulez-vous un autre café ?

— Oh ! vous savez, dit Ann, avec mon cœur... Il est curieux que nous nous soyons rencontrés ici, reprit-elle plus tard.

— Cela a dû être ainsi décidé au début de notre vie », dit John.

Ann se mit à sourire.

« Quand je pense à ce que le brave Norman Mills a dû faire pour pistonner Fred... pour lui trouver

un bon refuge où il aurait porté l'uniforme comme
un déguisement... »

John l'interrompit.

« Fred avait seulement demandé à Norman Mills
d'intervenir pour que nous restions ensemble.

— Eh bien, il a réussi, le père Norman Mills ! Il
a si bien utilisé ses relations qu'il vous a envoyés dans
l'enfer !

— Sur le bateau, dit John, tout mon être était
tendu vers un but précis : il fallait que Fred reste
vivant. Ce matin-là, dans l'eau jusqu'à la taille, j'avan-
çais. Sous mes pieds lourds, le sable était déjà l'Europe.
J'ai alors oublié Fred un instant. A peine sur la plage
normande, je me suis jeté à genoux, j'ai embrassé la
terre européenne... »

Il la supplia :

« Partez, Ann Brandt. »

Elle se leva.

Il tourna le commutateur. Ils se dévisagèrent.

« Je vais prendre mon manteau », dit Ann.

Il l'accompagna jusqu'à la porte. L'air, dehors, était
embaumé du parfum des fleurs prêtes à éclore.

« Que le printemps peut être triste... », dit-elle à
mi-voix.

Il s'enferma dans son silence. Elle s'éloigna rapidement.

CHAPITRE XIII

Elisabeth souffrait de l'absence de John. Elle essayait de remplir ses journées. Elle lui avait promis de ne pas l'appeler. Elle tenait sa promesse. Elle sentait ses nerfs à fleur de peau. Elle avait envie de courir vers lui, de se jeter à ses pieds, de lui avouer son amour. Elle se trouvait ridicule.

Par moments, elle passait par des périodes d'épouvante. L'attente l'usait. Elle feuilletait fiévreusement des brochures d'agences de voyages et partait dans ses rêves pour le Mexique ou le Vénézuéla. Elle imaginait qu'elle vendrait sa boutique, qu'elle irait à Paris et qu'elle s'installerait au Village suisse ou au Marché aux Puces. Emmitouflée dans de vieilles écharpes trouées, les jambes jusqu'aux genoux dans des bottes fourrées, elle grelotterait devant sa marchandise. John, évidemment, la découvrirait un jour. Il dirait : « C'est vous, mademoiselle Lemercier ? » Elle répondrait : « Oui, c'est moi, monsieur Farrel. » Et puis il s'en irait, comme d'habitude. Elle se voyait aussi patronne d'un magasin d'antiquités sur la rive gauche. Fardée, élégante, elle vendrait des tapisseries très cher aux gens

aisés. Elle leur ferait don de sa culture raffinée. Sa
culture ? Elle se rendait compte qu'elle devrait tout
apprendre, qu'elle ne savait du monde que des défi-
nitions usées, qu'elle voyait les idées, les courants
politiques, la situation mondiale uniquement à travers
les titres de son journal; elle tombait dans des excès
d'humilité, s'apostrophant verbalement et s'accusant
d'une bêtise insipide. « Je n'ai rien appris dans la
vie, se disait-elle, désespérée. J'ai une vision approxi-
mative de tout, je ne connais rien à fond. Comment
serais-je digne de lui ? » Elle voyait passer les Américains devant sa boutique. Elle les observait.

Le soir, seule dans son appartement, elle avait
envie de hurler, d'ouvrir la fenêtre et de crier aux
gens qui passaient sur la place Saint-Martin : « J'aime
un homme qui n'existe pas, j'aime un spectre. » Elle
tournait en rond. « Je l'aime, répétait-elle, je l'aime
à en mourir. » Elle s'asseyait en face de son téléphone.
Elle regardait l'appareil. Ce téléphone n'était qu'un
monstre muet. « Je l'aime », reprenait-elle. Seule dans
son lit, elle reconstituait le visage de John. Souvent,
le matin, son oreiller était humide. Elle pleurait dans
son sommeil.

John attendait aussi. Il avait comme des poussées
de fièvre. Parfois, une bouffée de chaleur l'envahissait.
Son dos lui faisait mal. Il découvrait, sur sa veste de
pyjama, des taches; ses blessures suppuraient. Il essayait
de se soigner. Il glissait sous sa chemise une serviette
pour isoler ce dos meurtri du contact des vêtements.

Ses rêves l'entraînaient loin. Dans un monde à l'envers, il était au centre des souffrances. Il se voyait sur une croix, les bras étendus, les jambes clouées. Son sang coulait sur un mur qui partageait le monde en deux... Il tournait en rond dans son pavillon comme une bête malade qui voudrait se mordre. Il cherchait le trait d'union entre l'Homme et Dieu. Il avait failli, en dix-huit années, parvenir à constituer le monde abstrait qui lui convenait. Ann Brandt avait renversé l'équilibre de son univers.

Il se souvenait du jour où il avait repris conscience dans un hôpital. Couché sur le ventre, la tête posée sur le drap rugueux, il n'avait entendu que la voix d'une infirmière. Cette voix douce lui expliquait qu'il était vivant. Il s'était renseigné au sujet de Fred Murray. Quand on lui avait répondu que Fred était mort et qu'il était inhumé provisoirement dans un petit cimetière normand, il était resté muet. « C'est une farce macabre, s'était-il dit. Pourquoi laisser vivant celui qui n'est pas utilisable ? J'étais la victime idéale. Pourquoi enlever l'autre, le génial, le futur grand patron, celui qui aurait pu conquérir le monde et servir des causes utiles. » Il avait pleuré de colère et de chagrin. Longtemps, il avait fixé en face de lui le mur peint à l'huile. Pas une rayure, aucune trace d'usure. Il se trouvait dans une chambre fraîchement repeinte.

Quand on put le retourner et le faire asseoir, il avait découvert une fenêtre en face de lui et les arbres déjà lourds de leurs fruits. « C'est l'été », disait tous les jours l'infirmière, Mme Baumard. Elle faisait la même constatation chaque matin et l'annonçait à John comme une nouvelle exceptionnelle.

« Comme vous devez être heureux, monsieur Farrel ! Vous avez pu survivre au débarquement. Vous êtes parmi ces privilégiés qui étaient prêts à donner leur vie généreusement et que Dieu a épargnés... Je ne sais pas si vous êtes croyant, monsieur Farrel. Croyez-vous en Dieu ?

— Je ne sais pas, avait-il répondu.

— Parce que, si vous en éprouviez le désir, avait insisté Mme Baumard, je vous donnerais vos pantoufles et une robe de chambre et nous pourrions aller à la chapelle. Même d'ici, vous pouvez apercevoir le clocher de notre petite chapelle.

— Où est mon uniforme ? » avait demandé Farrel.

La réponse était venue :

« Il ne restait pas grand-chose de votre uniforme quand on vous a apporté ici. Il y avait encore les deux côtés de la veste. Tout le dos et votre chair elle-même ont été emportés par une rafale de mitraillette. Je vous ai mis de côté les morceaux. Vous les montrerez à vos enfants. Savez-vous que, lorsqu'on vous rapatriera, vous aurez droit à un peu d'argent ?

— Non, avait-il dit soudain. Je ne veux pas être rapatrié. »

Il avait été saisi par une peur panique à l'idée de se retrouver à New York. De revenir au journal, d'expliquer à tout le monde que Fred était mort... D'aller sur la tombe de sa mère qui l'interrogeait de l'au-delà : « As-tu accompli un acte sublime, mon fils ? »

« Quelqu'un vous attend à New York, avait continué Mme Baumard.

— Où avez-vous appris si bien l'anglais ?

— Avant la guerre, j'ai passé trois années en Angleterre dans une maison pour malades mentaux. Je suivais des cours du soir. Je bavardais aussi avec mes
malades... Vous avez vos parents à New York ?

— Ils sont morts, avait dit John.

— Une petite amie ?

— Je n'ai personne, avait répété John, personne. »
Mme Baumard avait voulu le consoler :

« Vous n'avez que vingt-huit ans. Le bel âge !... Et
vous allez pouvoir dire : « J'ai tout fait pour l'Europe.
« Je lui ai offert ma vie et elle n'a pris que mon
« dos. » Dieu vous aime, monsieur Farrel, pour vous
avoir fait sortir vivant de cet enfer. Venez, levez-vous.
Je vous aiderai. »

Il avait obéi. Elle s'était mise à genoux. Glissant
les pantoufles sur les grands pieds décharnés de John,
elle avait délicatement posé sur ses épaules une robe
de chambre.

« On dirait qu'elle est un peu grande, avait-il
commenté.

— Vous êtes maigre, monsieur Farrel. »

Il s'était appuyé sur elle. Il avançait en faisant claquer les pantoufles sur les dalles.

« J'ai passé la moitié de ma vie dans les couloirs,
avait alors confié Mme Baumard. Ils sont toujours
longs dans les hôpitaux. Un jour, je ne sais quel malheureux m'a dit : « Ils n'ont pas de fin, ces tunnels,
« madame Baumard; on ne voit pas la lumière au

« bout. » Je lui ai répondu : « Mon pauvre, qu'est-ce
« que je devrais dire, moi qui cours dans les couloirs
« depuis vingt ans. » Seulement, mon manège à moi
avait un sens. Tout au long de mes couloirs, il y a
des portes et, derrière ces portes, des malades qui
m'attendent.

— Les corps mutilés, diminués, ne vous dégoûtent
pas ? demanda John.

— Il faut aimer les malades comme on aime les
enfants... Avec leurs petits mensonges, leurs faiblesses,
leur tristesse. Tout cela, monsieur Farrel, n'est qu'une
question de vocation. »

Une vocation. Le mot avait résonné dans la tête
de John. Une vocation. Quelle était la sienne ?

Sortis du hall de l'hôpital, ils s'étaient trouvés sur
les marches dorées par le soleil d'été.

« Ce sont toujours les marches qui semblent les
plus difficiles à vaincre. Appuyez-vous bien fort sur
moi; n'ayez pas peur. Je suis petite, mais forte; j'en
ai soutenu de plus lourds que vous. »

« Il fait chaud », s'était-il dit à mi-voix. Il avait
failli perdre une pantoufle sur les graviers. Les rayons
jaunes coulaient sur son visage comme un liquide
doré.

Près de la petite chapelle, John s'était senti ridicule.

« Je ne crois pas que je voudrais y entrer, dit-il.

— Entrez par curiosité, avait-elle suggéré. Quel
risque courez-vous avec Dieu ? »

La chapelle ne contenait que trois rangées de bancs
de chaque côté. Sur le petit autel, quelques œillets
fatigués, attachés à leur tige de fer, se tenaient droits.

Assis, John s'était senti mieux. Mme Baumard s'était mise à genoux, cachant son visage dans ses mains. Le silence n'avait été égratigné que par un bruit d'avion et, ensuite, il s'était refermé autour de John, qui avait regardé les quelques taches multicolores que formaient les rayons de soleil en traversant les vitres. La dentelle de la nappe d'autel était reprisée à plusieurs endroits. John souffrait de l'absence de Fred...

« Vous êtes fatigué ? avait demandé Mme Baumard en se relevant.

— Un peu. Si j'avais de l'argent, je vous le donnerais, et vous achèteriez des fleurs pour la chapelle.

— Ne vous inquiétez pas, avait-elle répondu, souriante, alors qu'ils étaient déjà dehors. Le gouvernement américain va vous prendre en charge. Vous aurez des vêtements, de l'argent de poche et le voyage. Il paraît que New York est une ville impressionnante. C'est vrai, monsieur Farrel ? Quand je pense que vous serez là-bas bientôt... »

A ce moment exact, John avait compris qu'il resterait en Europe. Près de Fred.

Ann Brandt revenait tous les jours, comme une douleur fidèle. Elle parlait.

« Alors, lançait-elle. Je continue ?

— Oui, disait-il, continuez. »

Ann complétait son récit.

« Nous avons monté très vite l'affaire des meubles. L'amabilité de Fred, son enthousiasme à vouloir créer une société, cachaient bien son véritable but. On lui avait accordé un pourcentage sur les ventes. Quand je l'ai appris, j'ai été à peine étonnée. C'est lui qui avait mis l'affaire sur pied; pourquoi aurait-il dû nous offrir des bénéfices considérables sans participer lui-même au succès ?

« Ma première boutique était à Madison. Au début, nous étions plutôt mal organisés. Je n'avais pas de garde-meubles. J'ai dû tout entasser dans le magasin même. Le succès fut foudroyant. Trois semaines après l'inauguration, j'avais tout vendu. Je prenais les commandes. Je promettais aux amateurs une livraison dans les deux mois. Je soulignais que chaque meuble serait accompagné d'un certificat d'authenticité. Je leur expliquais comment je sillonnais périodiquement la France pour découvrir des trésors. En fait, les meubles commandés ou achetés en Europe arrivaient lentement. Je n'en avais pas assez. Nous piétinions impatiemment en cherchant une solution. Je prenais l'avion comme on prend le métro. J'assurais une liaison constante entre Paris et New York. J'avais à mon service des ébénistes, de petits artisans, qui me fabriquaient du Louis XV, du Louis XVI et, aussi, de jolis petits bureaux Directoire. L'un de ces artisans travaillait avec son fils. Celui-ci connaissait le métier aussi bien que son père. J'ai pu le convaincre de s'installer à New York. Il se prétendait plutôt décorateur qu'ébéniste. Il avait un goût inné et il s'y connaissait admirablement en meubles. Il donnait aux amateurs des conseils pour le style et pour les proportions. « Vous croyez pouvoir trouver un meuble « qui irait dans ce coin ? » lui demandait-on sou-

vent. « Mais oui », disait-il. Il parlait peu. Ses petits
« oui » et « non » secs, ses courtes phrases anglaises
prononcées avec un fort accent, lui donnaient un
charme certain. A la fin, nous avons décidé de faire
venir des compagnons menuisiers, de les installer en
dehors de New York et de fabriquer des meubles sur
place.

« Fred me téléphonait souvent. Il adorait appeler
la nuit, quand il me savait dans mon lit avec un
paquet de cigarettes à portée de la main. Je lui appar-
tenais. Il me racontait les problèmes du journal. Je
connaissais, par ouï-dire au moins, tout le monde. De
vous, il ne parlait pas souvent. Il prétendait qu'il vous
voyait à peine. Pourquoi avait-il dressé ce barrage
entre nous ? Pourquoi n'a-t-il jamais voulu que nous
nous rencontrions ?

« Il était beaucoup trop vaniteux pour demander
ou accepter un avis. Mais il aimait tâter le terrain,
me raconter ses projets et, de mes réactions, dédui-
sait la réaction éventuelle des autres. Je posais des
questions. Je me réfugiais derrière les points d'interrogation et les points de suspension. Je lui donnais
le temps de réfléchir et l'incitais à me répondre en
détail. Il explorait ainsi avec moi les affaires difficiles,
et en découvrait, de lui-même, les points épineux.
J'étais toujours à sa disposition. Pour nos rencontres,
j'acceptais l'heure et le jour qu'il me proposait. Je
renonçais, au dernier instant, au programme établi
depuis des semaines s'il me téléphonait parce qu'il
avait envie d'improviser avec moi une soirée... J'étais
fraîche et mince. Je me maquillais à peine. Je buvais

peu. Je m'habillais à Paris; j'étais élégante. Il aimait
me montrer... J'avais l'air de coûter cher. Une vraie
femme de luxe, quoi... J'étais la femme « prodigieuse »,
qui a monté une affaire sensationnelle. On parlait
de moi dans les journaux mondains. J'avais déjà un
bon paquet de dollars à mon compte en banque.
Sans que Fred ait eu à dépenser un centime, j'étais
devenue quelqu'un. J'ai meublé son appartement avec
des meubles d'époque, des vrais. Je les rapportais de
Paris. Le prix de ces meubles disparaissait dans les
frais généraux de la société et dans mes notes de
voyage. Pour couvrir ces achats, il fallait que j'appa-
raisse comme fort dépensière aux yeux de mes associés.
Mon affaire était rentable et ils fermaient les yeux.

« Fred avait gardé ma tapisserie au-dessus de son
lit. Après avoir remboursé les frais de mon premier
séjour à Paris, je l'avais rachetée à la société et je la
lui avais donnée. Comme cadeau. « Ce n'est pas
« possible, me dit-il, mollement, c'est trop beau... Ne
« sois pas si généreuse avec moi. » Il faut avouer
qu'il se défendait très peu. Moi-même, je n'étais pas
si désintéressée en lui faisant ce don. J'espérais qu'il
finirait par m'épouser. Pour l'encourager, je lui ai
raconté, un jour, que j'avais une amie qui s'était
mariée pour un temps d'essai, et qui avait promis
qu'elle divorcerait sans pension alimentaire si leur
ménage ne marchait pas. J'avais inventé l'histoire
d'un bout à l'autre en souhaitant qu'elle serait pour
lui l'occasion de dire : « Quelle bonne idée, imitons-
« les ! » Il était resté indifférent, m'écoutant à peine...

« Les années cependant passaient avec une rapi-

dité affreuse. Les saisons se confondaient dans l'attente.
Je vivais dans un demi-bonheur. La signature de Fred
devenait de plus en plus célèbre. Il commençait à me
cacher. Il aurait été fort gêné qu'on puisse l'accuser
d'une liaison aussi solide qu'un mariage. Il se serait
senti moralement atteint. Il savait qu'on se détache
presque aussi difficilement d'une maîtresse officielle
que d'une femme légitime. Pour éviter d'être vus
ensemble, il inventa les petits dîners en tête-à-tête,
ou chez lui ou chez moi. « Tu ne trouves pas qu'on
« est mieux dans l'intimité », me disait-il. J'avais
gardé, dans son appartement, des chemises de nuit,
une robe de chambre, des pantoufles. Il y avait un
certain nombre de ses pyjamas dans un tiroir de ma
commode. Grâce à sa nature imprévisible, à ses fan-
taisies, nos rencontres, après quelques années, gardaient
encore la fraîcheur d'une aventure.

« Il parlait souvent de Norman Mills. Il l'appelait
« le Patron ». « Il n'a qu'une seule héritière, disait-il,
« sa fille. Elle pourrait épouser n'importe quel idiot...
« et le journal appartiendrait à celui qui aurait la
« fille. Il aime beaucoup sa petite Patricia... Petite
« pour lui, mais un peu grande pour moi ! — Tu la
« connais personnellement ? ai-je demandé. — Je lui
« ai été présenté. Je me suis trouvé un jour dans le
« bureau de son père lorsqu'elle est entrée. Elle
« arrivait en plein milieu d'une réunion. Elle s'est
« assise dans un fauteuil, exhibant ses jambes; avec
« un pinceau, elle a corrigé le contour de sa bouche.
« Je sentais son parfum. Elle a des chevilles épaisses;
« elle s'habille mal; si tu pouvais la conseiller. —

« Moi, la conseiller ? » Il haussa les épaules. « Je
« plaisante. Patricia Mills devrait maigrir d'abord, et
« s'habiller mieux après. Si je pense, ajouta-t-il,
« poursuivant son idée, que n'importe quel imbécile
« pourrait avoir ce journal, n'importe qui ! Il suffirait
« qu'elle fasse la connaissance d'un crétin sur un
« terrain de golf ou dans un de ces country-clubs
« qu'elle fréquente... Elle fait du cheval aussi. Je
« voulais m'y mettre, mais j'ai horreur des chevaux;
« je les trouve trop grands ! » Je l'écoutais attentivement, sans l'interrompre. La peur s'installait en moi.
« Supposons, continua-t-il, que Norman Mills meure.
« Elle, célibataire, hérite du journal. Il lui faudrait
« trouver un homme de confiance sur qui elle s'ap-
« puierait. Pour que je devienne l'homme de con-
« fiance, il faudrait que son père lui parle de moi. »
Ann alluma une cigarette.

« Vous m'écoutez, John Farrel ?

— Oui, dit celui-ci, je vous écoute.

— Je donnais des conseils à notre ami Fred...
Aveugle, je ne voyais pas qu'en me parlant de Patricia
il était déjà en train de m'enterrer. Ce que j'ai pu
être bête... Je lui ai suggéré, par exemple, de
s'inscrire au club de golf dont faisait partie Norman
Mills. Celui-ci a même été son parrain pour son entrée.
Résultat : je voyais Fred de moins en moins. Et puis,
j'ai eu une idée de génie, et celle-là m'a exécutée. J'ai
proposé à Fred d'inviter chez lui Norman Mills avec
sa fille et de leur offrir un dîner français accompagné
de vins français. Je lui ai trouvé une cuisinière française. En extra.

« Le jour de ce dîner, j'ai passé tout mon après-midi chez Fred. C'est moi qui ai dressé la table. J'avais choisi une nappe en organdi brodé de fils d'or, et des candélabres du xviiie siècle avec des bougies rouges. J'ai chambré les vins. J'ai arrangé les fleurs dans les vases — des bouquets aériens. Mon expérience de la vie française me servait à chaque instant. J'avais expliqué au maître d'hôtel qu'il devrait présenter le vin de façon à montrer l'étiquette aussi bien à Norman Mills qu'à sa fille.

« Fred est arrivé juste avant mon départ. Il m'a embrassée à peine. Il a jeté un coup d'œil sur la table et s'est exclamé : « Tu es merveilleuse, Ann, tu es « unique. Je te laisse, maintenant, je dois prendre « un bain. Crois-tu qu'il faille que je me rase ? » Son menton était toujours bleu le soir. Il se rasait deux fois par jour. Je me promenais dans l'appartement. Il sifflait dans la salle de bain. Je humais les odeurs. J'allumais de mes mains les bougies, pour quelques instants, afin de voir l'effet. Le grand living-room meublé maintenant d'antiquités s'épanouissait dans la douce lumière. Par la porte entrouverte vers la chambre à coucher, le premier regard tombait sur ma tapisserie que j'avais fait éclairer spécialement par de minuscules projecteurs invisibles. J'aurais aimé être chez moi dans cette maison... J'avais le cœur déchiré parce que je devais partir. J'avais décidé d'aller seule au cinéma. Je me dirigeai jusqu'à la porte de la salle de bain. Je frappai. Fred se tut. « Je peux entrer ? — Oui », dit-il. Il était en train de s'asperger d'eau de Cologne. Je voulais qu'il réussisse. « — Ecoute-moi, Fred, lui

« ai-je dit. Devant eux, n'aie pas l'air toi-même
« émerveillé de vivre dans un aussi joli appartement...
« Que cela te soit naturel... Et ne bronche pas si on
« tache la nappe en organdi ! Fais une remarque en
« passant sur la perfection du Corton 1925. Mais
« cache ton bonheur de gosse devant son arbre de
« Noël... Tu as l'habitude de vivre dans ce cadre. Ne
« parle pas trop de toi-même. Glisse un compliment
« à l'oreille de Patricia au sujet de sa robe, même si
« elle est laide. Dis qu'elle a su la choisir en pres-
« sentant le cadre qui l'attendait... N'imagine pas
« qu'il te faille saisir la chance de ta vie en racontant
« tous tes projets à Norman Mills sous prétexte qu'il
« se sera livré à toi, à ta table. Fais semblant au
« contraire de laisser passer l'occasion... Ne parle pas
« du journal... Quand, lui, il en parlera, demande-
« lui de te faire la grâce de l'oublier pour que tu
« puisses te sentir, ne fût-ce qu'une soirée, à égalité
« avec lui. — Je vais attraper froid », grogna Fred,
maussade. Pourtant je savais qu'il avait tout enre-
gistré. « Tu me prends pour un imbécile », dit-il,
un peu après, dans la chambre à coucher, pendant
qu'il passait une chemise... « Merci toujours pour tes
« conseils. Et, surtout, merci pour la jolie table. Quelle
« maîtresse de maison tu es ! » J'espérais qu'il allait
ajouter : « Dis donc, si tu m'épousais ? » Non. Il a
demandé seulement quelle cravate il devait mettre.
J'ai choisi la cravate.

« En partant, je n'avais plus envie d'aller au cinéma,
de m'asseoir dans une salle, de sentir autour de moi
des étrangers, de respirer l'air usé par tant de pou-

mons fatigués, de voir une histoire d'amour sur l'écran.
Il valait mieux me réfugier chez moi. Grelottante, je
me suis couchée et j'ai bu une tasse de lait chaud.
J'attendais son coup de téléphone. Il m'a appelée vers
minuit et demi. Il était encore dans la peau de son
personnage. Il était presque distant avec moi, hau-
tain. Il a fallu que je lui crie au téléphone qu'il
pouvait redevenir Fred, l'unique, l'indispensable...
Je lui ai fait comprendre que c'était à moi et pas
aux Norman Mills qu'il parlait maintenant. « Nous
« avons eu un succès, ce soir, chérie, toi et moi ! me
« dit-il enfin. J'ai regretté de n'avoir pu te cacher
« dans un placard. Si tu avais vu leur tête. » J'avais
une phrase au bout des lèvres : « Pourquoi n'ai-je
« pas pu rester ? » « Ma petite Ann, continua-t-il,
« tu rendras heureux un homme, un jour. Tu as le
« souci des détails, tu aimes les nuances... » Ces phrases
me semblaient familières, mais il les disait si bien que
j'avais l'impression que c'était lui qui les avait inven-
tées et pas moi.

« Quelques mois après le fameux dîner, il fut
nommé *editor-in-chief*. Il devenait officiellement
l'adjoint de Norman Mills. Nous avons fêté sa nomi-
nation, mais, dans ses pensées, il était déjà plus
loin. « Ce n'est qu'une étape, ma petite, m'a-t-il dit.
« Pourquoi veux-tu avaler le monde ? » J'étais effrayée
pour lui de sa gourmandise. « Une étape, répéta-t-il,
« tenace; je veux avoir le journal à n'importe quel
« prix. » Ses nouvelles responsabilités l'éloignèrent
encore davantage de moi. Il se lançait dans la vie
mondaine. Il adorait être invité. Volubile et spirituel,

il brillait lors de ces dîners qui font les carrières à New York. Vous le voyiez moins, vous aussi, à cette époque ?

— Je ne me suis guère rendu compte du changement, dit John, fatigué. Nous travaillions dans le même immeuble, nous nous voyions dans les couloirs, il me tapait sur l'épaule, il m'emmenait au bar pour boire un pot. Il était présent.

— Comme vous étiez facile à contenter, John Farrel ! En fait, vous étiez, comme moi, une victime.

— Comment osez-vous prononcer ce mot de victime ? protesta John. Nous sommes sur la terre et, lui, il est en-dessous. Qui a gagné ?

— Lui, dit-elle, féroce.

— Je suis là de ma propre volonté, répliqua Farrel.

— C'est ce que vous croyez, dit Ann. J'ai souvent agi malgré moi, au cours de ces années, en croyant que j'obéissais à moi-même et, en fin de compte...

— Que s'est-il passé après ? demanda John.

— Je le voyais très peu. Je me sentais malade. J'ai cru, pendant six semaines, que j'avais un cancer à l'utérus parce que je n'avais pas mes règles. »

Farrel sursauta.

« Quoi ? Seriez-vous choqué ? Le corps humain est soumis à des phénomènes naturels qui ont leur nom. Je suis allée chez un gynécologue, livide, tremblante de peur. Je comprenais soudain le prix que j'attachais à la vie. Le docteur m'a examinée, puis il m'a félicitée : j'étais enceinte de deux mois. Le monde a changé aussitôt autour de moi. Au lieu d'un mal épouvantable, je portais en moi le paradis : un enfant. Le

médecin a dû être frappé par ma réaction. Il était
le témoin d'une sorte de résurrection. J'avais envie
de l'embrasser, de lui baiser la main de reconnaissance. « J'ai vu souvent de jeunes mères émues, me
« dit-il, mais comme vous, madame, pas encore...
« Vous devez être bien fatiguée pour que votre sensi-
« bilité soit à ce point à fleur de peau. Il vous faudra
« vous reposer. » Il se pencha vers moi. « Voulez-vous
« que je téléphone à votre mari ? Les jeunes mères,
« souvent, aiment que le médecin explique au père de
« leur enfant comment il doit se comporter. Elles
« n'osent jamais lui réclamer simplement la tendresse.
« Si elles osaient, elles la demanderaient par ordon-
« nance et je devrais prescrire une dose de bonté et
« de patience. Que fait-il votre mari ? » « Il est jour-
« naliste », ai-je répondu; et j'avais les larmes aux
yeux. Le moment était à ce point béni que je me
voyais mariée. Je croyais chaque mot que je pro-
nonçais. « Mon mari est journaliste, répétais-je fière-
« ment. Il sera si heureux. » « Il s'appelle Brandt,
« constata le docteur; il est d'origine allemande ? »
« Oui. » « Et moi, dit le docteur, je suis d'origine
« irlandaise... Voilà, je vais prescrire un médicament
« contre vos nausées. Je vous conseille de revenir une
« fois par mois pour une visite de contrôle, c'est plus
« sage. Vous n'avez aucune activité personnelle ? » J'im-
provisai : « Je tape à la machine les articles de mon
« mari. Actuellement, il prépare un livre et c'est moi
« qui dactylographie son manuscrit. Maintenant, je sais
« bien lire son écriture. Vous savez, au début de notre
« mariage, je déchiffrais avec difficulté ses cartes pos-

« tales. Il a une écriture curieuse, très serrée. »
« J'aime les femmes actives, dit le médecin. Mettez-
« vous au lit avec une petite table que vous poserez
« sur votre couverture, et tapez. »

« Je suis sortie de l'immeuble comme hypnotisée.
C'est en faisant signe à un taxi que je me suis rendu
compte que je n'étais pas mariée avec Fred. Jusqu'à
quel point le rêve peut vous emmener dans des bon-
heurs insolites, John Farrel !... Il fallait que j'aille au
journal pour annoncer à Fred la grande nouvelle.
J'étais persuadée qu'il allait m'épouser sans plus
attendre. J'ai pu même imaginer qu'il avait voulu
cet enfant. Lui qui se contrôlait dans les instants les
plus précieux de son existence, il avait peut-être eu
tout exprès un moment d'oubli, pour que se précise
notre avenir à nous deux par l'intermédiaire de l'inconnu que je portais en moi. Je serais enfin Madame
Fred Murray et l'enfant serait l'accomplissement de
notre amour.

« Le chauffeur de taxi était un Noir bienveillant.
Il se retournait vers moi avec un large sourire amical.
Je le regardais étonnée. Il attendait que je lui donne
l'adresse. Bégayante, je lui ai dit : A l'*Evening Star*
et j'ai ajouté, ivre de fierté, qu'il devait aller lentement parce que j'attendais un enfant. Il m'a dit alors,
de sa voix gutturale, qu'il en avait quatre et qu'il
habitait à Brooklyn où sa famille possédait une petite
maison. Je le trouvais sympathique. Il me conduisait,
ses mains noires à plat sur le volant, à travers un
New York soudain pour moi inconnu... Vous vous
sentez mal, John Farrel ?

— Non », fit celui-ci. Mais la voix d'Ann le tourmentait; elle s'éloignait, se rapprochait, le brûlait.

« Quand j'entrai dans l'immense hall de l'*Evening Star,* poursuivit Ann, mes talons claquaient sur les dalles comme des castagnettes. Je me suis renseignée auprès du portier. Il m'a indiqué l'étage où je trouverais Fred Murray, *editor-in-chief.* Au douzième étage, j'ai dû m'adresser à un huissier qui m'a fait remplir une fiche en insistant pour je définisse l'objet de ma visite. Il m'a agacée. J'étais la maîtresse de Fred depuis bientôt huit ans, et personne ne me connaissait au journal. J'écrivis : « Personnel. » J'ai souligné deux fois le mot. L'huissier a haussé les épaules, a pris le papier et a disparu. Quand il est revenu, il m'a fait entrer dans un salon d'attente. Il me semblait inimaginable que Fred puisse me faire attendre. Il devait être en conférence. Je ne voulais pas me renseigner auprès de l'huissier qui ne me connaissait pas. Depuis huit ans, ce n'était que ma seconde visite au journal ! J'étais ce qu'on appelle une femme discrète. Il y avait des numéros de l'*Evening Star* éparpillés sur la table. Je n'y ai pas touché. Je me sentais élégante avec mes gants blancs qui montaient jusqu'au coude; je ne voulais pas les tacher d'encre d'imprimerie. J'ai attendu exactement vingt-deux minutes. Le même huissier est venu me chercher. Il m'a fait traverser des couloirs, a frappé à une porte et m'a fait entrer dans le bureau de Fred. Je le voyais pour la première fois dans son royaume. Il s'est levé. J'ai aperçu son sourire figé. Il est venu vers moi. « Quelle bonne sur-« prise, ma chérie ! dit-il sans conviction. Quel bon

« vent t'amène ici ? » J'attendais qu'il me propose un
fauteuil. Je ne crois pas qu'il en ait eu l'intention. Je
lui ai tendu mon visage. « Veux-tu m'embrasser ? »
Il jeta un coup d'œil sur sa montre; ce geste était
devenu un véritable tic. « Je n'aime pas mêler ma
« vie professionnelle à ma vie privée, mon trésor »,
répondit-il, agacé. Il me désigna une porte à double
battant, capitonnée de cuir. « Tu sais que c'est la porte
« du bureau de Norman Mills. Il peut entrer à l'im-
« proviste. — Donc, un journal est aussi un couvent,
« ai-je dit. Tu n'as pas le droit de recevoir de visites
« féminines ? Cela me fait plaisir. — Ne plaisante pas »,
répondit-il, hérissé. Je me suis assise prudemment sur
l'accoudoir large d'un fauteuil. Il s'était appuyé sur
un coin de son bureau. « Alors, Ann », me dit-il.
Il avait l'air pressé.

« Je regrettais déjà ma démarche. J'aurais dû lui
annoncer la nouvelle au cours d'un petit dîner intime.
Pourtant, j'avais imaginé qu'elle était d'une telle
importance pour nous deux qu'il valait mieux la lui
annoncer au journal. « J'attends notre enfant », ai-je
prononcé. Je sentis que mon propre sourire était
comme une caresse. Il ne broncha pas. « Tu dis ? »
Il jeta un coup d'œil sur sa montre. « Je suis enceinte;
« pour le mois de novembre prochain, nous aurons
« un enfant, un petit Murray, futur journaliste. J'aban-
« donnerai les antiquités juste avant la naissance. Nous
« quitterons nos deux appartements; nous en louerons
« un dans Park-Avenue. Nous recevrons enfin ensemble.
« Je vais faire tapisser les murs de la nursery d'une
« toile bleu ciel lavable. Il en existe à Paris. L'enfant

« peut même dessiner sur le mur, tu enlèves tout d'un
« coup d'éponge. Nous engagerons une nurse. Je
« recommencerai à travailler après l'accouchement. »
Il me dévisageait. Je décelai dans son regard une
curiosité froide. J'avais soudain l'impression d'être un
numéro de music-hall, une femme-serpent en train
de se plier en accordéon. D'un seul coup d'œil, je
vérifiai mon tailleur, mes chaussures, je cherchais sur
moi le détail qui aurait pu susciter le regard mal-
sain de Fred. Il était temps, maintenant, qu'il vienne,
qu'il me prenne dans ses bras et que je puisse verser
enfin des larmes de bonheur sur le revers de sa veste,
ces larmes qui frissonnaient sous mes paupières depuis
l'examen, ces larmes que j'avais retenues difficilement
pour que nous pleurions, tous les deux, ensemble.

« C'est une plaisanterie un peu forcée », me dit-il.
Pendant un instant, je fus presque soulagée. Evidemment, il n'avait pas dû croire que je parlais sérieusement. Nous n'avions pas du tout le genre « parents ».
Moi, dans le rôle de mère, c'était déjà assez extraordinaire. Mais qu'un enfant lui dise un jour « papa »,
c'était presque incroyable ! Radieuse, je lui ai déclaré :
« Non, mon amour, je ne plaisante pas. Nous aurons
« un beau bébé dans sept mois. » Il s'assit derrière son
bureau. Il pianotait sur le sous-main. « Allons au fait.
« Tu es enceinte de deux mois ? — Oui, mon chéri. »
Je refusais la peur qui montait le long de mes jambes
comme une couleuvre. « Tu as attendu longtemps,
« dit-il, sec. — Je voulais être sûre. » Il se mordillait
les lèvres. « Bon ! Nous trouverons un médecin qui
« arrangera tout cela habilement et rapidement. » Je

refusais de comprendre. « J'ai un excellent gynécologue,
« ai-je dit. Son cabinet médical est près du magasin;
« ce sera commode pour les visites de contrôle. » Il
baissa les paupières. « Quel genre de médecin, est-ce ?
« Un honnête, un impeccable, ou un homme intel-
« ligent avec qui on peut parler ? — Je ne vois pas.
« — Tu veux que je mette les points sur les *i* ? Ferait-il
« un avortement ? » Je reçus le mot en plein visage.
Rassemblant toute ma force, je m'approchai de Fred.
Je voulais lui dire... « Reste où tu es, coupa-t-il, le
« patron peut entrer à n'importe quel instant. Je ne
« veux pas lui offrir la vision d'une fille qui pleure.
« Il déteste la familiarité. Je ne peux pas me permettre
« le luxe qu'il interprète mal une situation. Quand il
« s'agit du journal, il est très soucieux des apparences. »
« J'ai eu, soudain, une envie irrésistible de hurler.
Je sentais monter en moi un hurlement qui ébranle-
rait les murs, un hurlement qui ferait tomber les
briques sur la tête de ce Norman Mills si soucieux
des apparences. Je voulais hurler et je voyais les
gens accourir de partout vers moi. Je hurlerais jusqu'à
tomber morte. En pensant à l'enfant, je me suis domi-
née. « Je suis ta maîtresse depuis huit ans. Au lieu de
« me cacher, tu pourrais me présenter à ton fameux
« patron et lui annoncer notre mariage. Je veux cet
« enfant, il faut que tu m'épouses. — Je ne t'épou-
« serai jamais, répondit-il. Jamais. Inutile d'insister.
« J'attire ton attention, continua-t-il, sur le fait que
« je serai tout à fait solidaire avec toi quand il s'agira
« de réparer cette maladresse qui aurait pu être fatale
« si tu avais attendu trois semaines de plus. — Fatale

« pourquoi ? » demandais-je. Il haussa les épaules.
« Ne fais pas l'imbécile. Les avortements ont une
« limite dans le temps. Ensuite on court, paraît-il,
« un risque certain. Elle serait fatale aussi en ce qui
« concerne nos relations, parce que si, par malheur,
« tu avais dû garder cet enfant, tu m'aurais, moi,
« perdu. J'ai horreur des enfants. J'ai été l'enfant le
« plus malheureux que la terre ait porté. Je n'ai
« aucune envie de regarder, hébété de soi-disant
« bonheur, mon descendant. Je fais ma carrière pour
« moi. Tout doit être créé pour moi et disparaître
« après moi. J'ai une œuvre à accomplir; je vais
« réformer ce journal. Le patron est vieux, il va se
« retirer de l'affaire. Je prendrai tout en mains. — Mais
« pourquoi cela concerne-t-il l'enfant ? — Je veux
« être libre, ajouta-t-il. Je serai ici le patron. — C'est
« lui qui te l'a dit ? » J'étais très étonnée d'être encore
capable de prononcer ces mots. Dédaigneux, il haussa
les épaules. « Lui, il n'a rien dit. Il se croit vert et
« éternel. Mais... »

« Fred continua :
« — Et puis, j'ai aussi des problèmes avec la guerre
« dans laquelle l'Amérique, c'est sûr, va entrer. Il
« faut que je sois réformé. Parce qu'il a besoin de
« moi, il va faire jouer ses relations pour que je passe
« avec élégance à travers les filets de l'armée. Je
« n'accepterai aucune entrave : ni l'armée, ni l'Europe,
« ni l'enfant, ni toi, ni rien. Je veux le journal. — Et
« moi, je veux l'enfant, lui ai-je dit. Je vais le gar-
« der. — Le garder ? Pour qui ? — Pour moi. — Tu
« n'es qu'une pauvre petite bonne femme, dit-il,

« ironique. Avoir un enfant né de père inconnu n'est
« romantique que dans la vieille littérature de 1900 !
« A notre époque, on évite des accidents de ce genre.
« Voudrais-tu envoyer à l'école un petit Brandt dont
« le papa est perpétuellement absent, lui expliquer,
« à dix-huit ans, qu'il y a eu un pépin avec Papa.
« Et, quand je dis dix-huit ans, je suis généreux;
« un gosse de sept ou huit ans se rend compte qu'il
« y a quelque chose de gênant dans son état-civil.
« Ni les professeurs ni les camarades d'école ne sont
« des enfants de chœur. On cogne, et on cogne encore
« plus sur celui qui ne peut se défendre; j'ai reçu
« beaucoup de coups. Il ne te pardonnera jamais. Il
« ne me connaîtra jamais. Je refuserais de franchir
« ta porte si je savais que, dans la chambre à coucher,
« un tas de chair vagissant m'attend pour m'emprison-
« ner. » Je suis devenue lucide et calme. « Tu ne m'as
« jamais aimée, ai-je dit — Aimer, qu'est-ce que ça
« veut dire ? On bavarde et on couche ensemble. Tu
« peux appeler cela amour. Moi, j'appelle une relation
« comme celle-là une liaison, une liaison agréable et
« un jeu d'équilibre qui a réussi. Ton grand charme,
« c'est de n'être pas ma femme. Mon nom n'apparaît
« même pas sur les registres de la société. Mais, si tu
« aimes le mot amour, ce mot charmant et si délectable
« pour les femmes, s'il te fait plaisir, je peux te décla-
« rer, l'âme tranquille, que je t'ai aimée. A la rigueur,
« je pourrais même te dire que je t'aimerai... à la
« condition du moins que tu ne perdes pas trop de
« temps pour te faire opérer. — Tu voudrais donc
« tuer un enfant ? — Un fœtus n'est pas un enfant,

« c'est un fœtus. — C'est un être vivant dès l'instant
« de la conception. — Me voilà bien renseigné, soupi-
« ra-t-il. Ecoute : Tu feras selon tes désirs. Si tu te
« fais opérer, je paie la moitié. C'est équitable, non ?
« Si tu ne te fais pas opérer et que tu accouches d'un
« enfant qui pourrait être aussi bien de moi que de
« quelqu'un d'autre... » J'ai fait un geste. « Ne t'énerve
« pas, ma chérie, dit-il. Je ne conteste pas la pater-
« nité. Je sais que tu es la fidélité même. J'apprécie
« cette qualité. Je n'en ai jamais demandé autant,
« d'ailleurs, mais je l'accepte de tout cœur. Soyons
« raisonnables. Pourrais-tu présenter une seule preuve
« que cet enfant est de moi ? Crois-tu pouvoir m'in-
« tenter un procès ? Y aurait-il un témoin qui nous
« aurait vus passer ensemble une nuit dans un appar-
« tement ? Je suis inattaquable, Ann. Si tu désires
« garder l'enfant, tu me perdras. — Tu veux faire
« de moi une meurtrière ? ai-je lancé. — Tu es ner-
« veuse, riposta-t-il. Je le comprends... Veux-tu que
« je te procure une adresse ? Il faudra la trouver, ce
« n'est pas facile. Je n'aimerais pas, en tout cas, qu'on
« te brutalise ou qu'on te fasse mal. »

« — Je m'en vais », lui ai-je dit. Je me tournai
comme une automate vers la porte. Il se précipita
vers moi. « Je veux être tenu au courant. Je te télé-
« phonerai comme d'habitude. Il ne faudrait pas trop
« tarder. Je m'inquiéterai de ta santé. Je te préviens
« que si tu gardes l'enfant, tu ne me reverras plus.
« J'ai besoin d'avoir une vie privée limpide, sans
« aucune tache, sans mystère. Je ne supporterais pas
« l'idée d'une petite femme cachée qui m'attendrait en

« larmes toute la journée et qui me trahirait forcé-
« ment. »

« Soudain illuminé par une idée, il se mit à sourire.

« — Après cette petite opération, va faire un voyage...
« Où tu voudras... » Dans l'instant même, j'avais la
conviction qu'il aurait aimé me voir retenue comme
otage politique quelque part dans le monde. Je devinais, dans ses yeux, la flamme minuscule de ses désirs
malveillants. Je me voyais courir vers un avion, être
arrêtée par un employé. Quelqu'un hurlait : « L'Amé-
« rique est en guerre depuis vingt-quatre heures. On
« va confisquer votre passeport, madame. » S'il
l'avait pu, Fred m'aurait envoyée en Allemagne. Sachant que j'étais juive, il aurait eu l'espoir de me
faire exterminer. Il ne lui serait plus resté que les
revenus d'une société anonyme avec une autre gérante.
J'étais devenue pour lui une charge odieuse.

— Vous n'avez pas fait ça, dit John, hagard. Vous
n'avez pas touché à...

— Attendez... Il faut vivre mon histoire d'un bout à
l'autre. Si je sautais un détail, un mot, vous ne pourriez plus me comprendre. Voulez-vous que je continue ?

— Continuez », souffla-t-il. Il devait serrer les mâ-
choires. Il avait mal.

Ann disparaissait presque dans le grand fauteuil.
Dans son visage blême, ses yeux brillaient. Elle était
secouée aussi de frissons. Quand elle allumait ou
écrasait une cigarette, dans ses courts moments de
silence, elle écoutait son cœur qui battait à un rythme
rapide. Elle reconstituait son passé. Elle errait dans
le labyrinthe de ses erreurs. Jusqu'alors, ce qu'elle

avait pu raconter d'elle-même formait un ensemble
bien arrangé, tout à fait présentable pour le monde
qui l'entourait. Cette histoire-là n'avait rien à voir
avec ce qu'elle avait vraiment vécu. Elle avait décrit
une existence fictive avec l'aisance du joueur de poker
qui ne laisse jamais apparaître, sur son visage, une
expression qui pourrait le trahir. Maintenant, tout
était changé. Au cours de ces jours étranges en Normandie, le temps n'existait plus, les heures passaient et
devenaient des années, les années évoquées disparaissaient en une minute. Comment pouvoir regarder
encore une montre ? Comment rentrer à l'hôtel, prendre
la clef chez le concierge, suivre distraitement le chasseur qui court ouvrir la porte de l'ascenseur ? Comment
entrer dans cette chambre qui représente la vie réelle ?
Comment s'asseoir sur une chaise et dévisser un stylo
pour écrire quelques cartes postales ? « Elle est charmante, Ann; elle ne nous a pas oubliés », diraient
les uns. « C'est une grande voyageuse », admireraient
les autres. Et puis, ces cartes seraient jetées dans les
corbeilles à papier et tomberaient dans l'oubli des
immenses poubelles de New York. A qui dire un mot
qui pourrait ressembler à la vérité ? Là-bas, à New
York, il n'y avait autour d'elle que des êtres assortis
à sa vie inventée. Ni un amant, ni un ami, ni une
relation d'affaires n'entendraient ces mots qu'elle
était en train de prononcer devant John Farrel, le seul
qui la reliait à un passé soudain si proche.

« Vous voyez, John Farrel, si je parle, c'est que je
reconstitue, je ressuscite l'ancien moi-même, je vérifie
les réactions que j'ai eues. Comme ce serait monstrueux

de découvrir que je me suis trompée et que j'aurais
pu vivre différemment ! Jusqu'à ce point de mon récit,
je peux vous dire le cœur ouvert — elle sourit en
pensant à son cœur branlant —, le cœur ouvert, répéta-t-elle avec une certaine satisfaction, que j'aurais
fait tout de la même façon si j'avais eu à recommencer.
Vous pourriez me demander pourquoi, mais vous ne
me dites rien... Vous dormez ou non ?

— Je suis très attentif, affirma John.

— Cela a été l'enfer... continua Ann. Je vous raconterai... Mais il y a une chose que je vous demanderai
en échange. Vous me direz la vérité, vous aussi. Je
voudrais savoir — je vous l'ai dit déjà — comment
était Fred avant le débarquement, quand vous étiez
parqués comme des huîtres, coupés du monde, quand
rien ne comptait plus, ni les relations, ni les amis,
alors qu'il savait qu'après quelques heures sur un
bateau il allait être livré au feu de l'ennemi. A-t-il eu
la force de se dominer ou gémissait-il comme un
rat coincé dans un piège ? C'est vraiment la question
que je me pose. L'arriviste qui a failli arriver, apprend
qu'il n'a qu'une chance sur cent de survivre et de
revenir à New York comme un héros ! C'est payer cher
la direction d'un journal... »

John se tourna vers elle dans la pénombre.

« Vous avez touché à l'enfant ?

— Vous ne voyez donc pas que c'est Fred qui a tout
voulu ? explosa Ann Brandt. Allons donc, votre amitié
n'est qu'une complicité ! Vous allez peut-être admettre
qu'il avait raison... Etes-vous toujours aussi sûr, Farrel,
qu'il n'a jamais parlé de moi ?

— Jamais, répondit John. Jamais.

— Comment aurait-il pu parler en effet d'une trop faible maîtresse, d'une femme à qui il avait pris huit ans de sa jeunesse, sans que vous vous soyez révolté ? Il vous appelait le chevalier du Moyen Age, une montagne de pureté, l'homme en cristal. Il aurait pris de grands risques en parlant de moi... Mais il existait d'autres femmes dans sa vie. Est-ce qu'il y faisait allusion ?

— Vous ne seriez pas jalouse vingt ans après ? dit Farrel.

— Je fermais les yeux sur ses égarements. Il avait besoin de femmes différentes. Il cherchait ses sensations nouvelles. Même dans ses bras, j'avais pris si peu de place... Il était capable, après une étreinte à peine apaisée, de se remettre à parler du journal. Il était aussi passionné par la politique. Il croyait que, si on est bien soutenu par des politiciens, si on a choisi avec adresse le camp le mieux placé, de nouveaux horizons peuvent s'ouvrir avec une extrême facilité. Il était ambitieux jusqu'à la moelle. Il rêvait d'avoir partie liée avec les puissants. Au premier clin d'œil, il serait devenu leur valet, avec l'espoir qu'il les maîtriserait ensuite. Un jour, un secrétaire d'Etat lui a tapé sur l'épaule. Le même homme a perdu sa mère quelques mois plus tard. Eh bien, Fred a annoncé à la une la mort de cette femme inconnue. Il payait trop largement pour le moindre geste. Cela diminuait un peu sa valeur. Combien de fois lui ai-je conseillé d'être plus difficile ! Il lui suffisait de recevoir un coup de téléphone d'un personnage en place; il trem-

blait de bonheur et le servait. Quand il s'est rendu
compte qu'on commençait à exploiter sa serviabilité,
il a élaboré ses plans avec plus de raffinement. Norman
Mills lui avait d'ailleurs fait quelques reproches et
l'avait rappelé à l'ordre plusieurs fois. Dans ces moments, Fred se faisait humble. Il était capable de
demander pardon comme un gosse et promettait une
plus grande prudence dans l'avenir. Mais il lui est
arrivé de me dire qu'une fois parvenu à la tête du
journal, à chaque ligne devrait correspondre une faveur;
chaque virgule, chaque point d'exclamation, chaque
adjectif serviraient un politicien désigné.

« On le considérait comme un excellent et dangereux
journaliste. Incontestablement, il avait sa façon de
parler au public. Il écrivait des articles qui, derrière
des titres prometteurs, ne contenaient rien. « Tu com-
« prends, me disait Fred, il faut qu'ils achètent le
« journal. S'ils ne trouvent pas exactement dans le
« texte ce qu'ils cherchent, tout au plus se croiront-ils
« distraits. On peut les posséder tous les jours avec un
« autre titre. Ils n'ont jamais la certitude d'une vérité.
« Quelle est la vérité pour le public ? Tout dépend
« des commentaires. Les gens sont si paresseux; ils
« adorent qu'on réfléchisse pour eux. Ils peuvent, après,
« répéter les phrases d'autrui à si peu de frais. »

« En tout cas, Fred attendait qu'on le choisisse pour
un rôle à jouer. Il prétendait avoir le tempérament
d'un patron et il était né pour servir... Il n'a jamais
osé me l'avouer, mais je savais qu'il rêvait d'une grande
carrière politique. Il devait se voir gouverneur de New
York, arrivant dans une voiture découverte, sous la

pluie des papiers que les gens jetteraient des fenêtres...

— Je crois que vous exagérez, dit John. Il n'a jamais
prétendu qu'il allait intervenir dans le destin du
monde... »

Ann eut un petit soupir. Elle alluma une cigarette.

« Mon pauvre John Farrel, ce n'est pas le monde
qu'il voulait changer. Le monde était le cadet de ses
soucis. Il voulait accéder à une situation exceptionnelle. Il avait l'ambition d'aller très loin. Il voulait
donner des ordres ouvertement et en recevoir secrètement. Il aurait pu effectivement devenir un homme de
paille de très grande classe... Moi, je me suis contentée
de la parcelle infime qu'il me donnait de son existence. Je suis quand même celle qui a duré le plus
longtemps.

— Vous avez dû beaucoup l'agacer, dit John. On
pouvait l'attacher en l'agaçant ou en le contredisant.
Dès qu'il sentait une sorte d'indépendance chez quelqu'un, il n'avait de cesse qu'il ait réussi à le conquérir,
à le posséder.

— John Farrel, s'exclama Ann Brandt, j'entends
bien ? C'est vous qui dites cela ?

— Pourquoi ? se défendit John. Vous me prenez
pour un imbécile qui aurait vécu les yeux fermés.
Pourtant, je connaissais très bien Fred. Il avait de
multiples visages. Il prenait l'attitude qu'il fallait avec
l'interlocuteur du moment. Il était changeant comme
un caméléon. »

Ann l'interrompit.

« Changeant ? Il était dur comme le fer, cruel,

sans aucune pitié pour quiconque... Quand je suis
partie du journal après ma visite...

— Tenez-vous à me raconter la suite ? Je ne voudrais pas avoir horreur de vous.

— Auriez-vous peur d'être dégoûté par Fred ?
demanda Ann. Je n'ai fait qu'obéir.

— Mais pourquoi, se défendit John, pourquoi serais-
je obligé de connaître des secrets qui ne touchent
que vous ?

— Que moi ! s'écria-t-elle. Je suis devenue un
objet dans les mains de votre meilleur ami, de votre
seul ami. J'ai été une femme téléguidée, manœuvrée.
J'aimerais au moins que vous sachiez pour qui vous
avez donné, vous, tant d'années précieuses. Alors, Farrel ?

— Oui, dit-il, je vous écoute.

— J'ai quitté son bureau, défaite. Mes yeux hagards
ont dû effrayer l'huissier. En bas, dans le hall, j'ai
croisé une grande femme blonde, élégante, qui prenait
le même ascenseur que je venais de quitter. Ayant vu
ses photos dans les journaux mondains, j'ai su que
c'était Patricia Mills. Je me suis attardée un instant
dans le hall. J'imaginais que l'ascenseur allait rester
bloqué entre deux étages et, qu'en se dégageant, elle
toucherait à un câble à haute tension. J'aurais aimé
qu'elle meure soudain. C'est tout. Il n'y avait aucun
espoir; les ascenseurs fonctionnaient impeccablement.
De son passage, il ne me restait qu'un relent de parfum. J'avais reconnu un célèbre parfum français. Elle
allait peut-être chez Fred. J'attendais devant le journal,
je ne savais pas quoi faire. J'ai pensé au père de

Fred, à ce père célibataire. J'ai ouvert mon sac :
j'avais assez d'argent sur moi. Dans une pochette
intérieure, j'avais aussi mon carnet de chèques. J'ai
pris un taxi et je me suis fait conduire à l'aérodrome.
J'ai eu la chance d'obtenir une place dans un avion
qui partait pour Chicago. »

CHAPITRE XIV

« L'avion volait dans un ciel limpide. Nous frôlions, par moments, des parcelles de nuages blancs. J'ai pu alors récapituler pour moi-même l'ensemble des événements. Je me trouvais dans un avion, en plein ciel, entre New York et Chicago. Le vrai visage de l'homme que j'aimais encore m'apparaissait. Je portais dans mon corps un enfant que je voulais garder à n'importe quel prix. Pourquoi m'étais-je précipitée à l'aérodrome ? Il fallait que je sois franche avec moi-même. J'avais pris place dans l'avion à cause de Patricia Mills. Je l'avais aperçue dans le hall. J'avais vu cette grande blonde bien en chair. J'avais noté le rythme de ses pas. J'avais senti son parfum. Elle était trop grande et trop blonde.

« Une idée monstrueuse prit soudain naissance dans mon esprit. Fred savait que j'étais juive. Je n'y avais jamais attaché tellement d'importance. Nous vivions en Amérique, en démocratie, et je ne suivais que de loin les persécutions des juifs en Allemagne. J'avais, certes, été frappée quand étaient arrivés les premiers réfugiés d'Allemagne. J'avais compris que les miens traversaient une terrible épreuve. Je ne m'étais jamais désolidarisée d'eux. Simplement, grâce à l'Amérique et connaissant l'indifférence de Fred à l'égard de l'Europe, n'ayant jamais parlé avec lui des persécutions et de leurs horreurs, tout cela ne m'atteignait pas directement. Quand j'ai aperçu Patricia Mills si blonde, si grande, si aryenne, d'innombrables pensées se sont révélées à moi. Elle était germanique...

« Je ne sais si vous êtes capable de suivre mon raisonnement, John Farrel. Même une femme d'affaires comme moi est faite de sensations, d'impressions, de nervosité à fleur de peau, d'instinct. Dans le hall de l'*Evening Star,* en croisant Patricia Mills, j'avais compris ce que c'était que d'être juive... J'attendais un enfant de Fred. Il ne voulait pas de cet enfant. Pourquoi ? Etait-il capable de me dire la vérité ? Sa peur de se trouver familialement enchaîné, était-ce la vérité ? Ou ne détestait-il pas plutôt le sang juif qui circulait déjà dans le petit corps vivant en moi ? Si je n'étais pas juive, voudrait-il aussi tuer l'enfant ? Pourquoi était-il attiré par cette forte blonde dont l'apparence était à ce point allemande ? Etait-ce pour le contraste si violemment souligné entre nous deux ? Son esprit trouvait-il un refuge auprès de cette blonde molle, en se défendant de la petite juive noiraude ? Serait-il capable de ne pas vouloir qu'un descendant de sang juif porte son nom ? L'homme qui était mon amant depuis huit ans serait-il, inconsciemment ou non, solidaire de ceux qui tuaient les miens en Allemagne et ailleurs ?

« Vous voyez, Farrel, tout ce que je viens de vous

raconter, tous ces éléments se sont reconstitués en
moi-même comme un puzzle monstrueux. D'où le
taxi pour aller à l'aérodrome et l'idée de rendre visite
au père de Fred. Je voulais lui proposer de l'argent
pour qu'il me rende un service. J'avais gardé son
adresse depuis plusieurs années dans un agenda qui
ne quittait jamais mon sac. C'était le nom du bar où
il travaillait. Fred ignorait que j'en avais pris note.
Pourquoi l'avais-je fait ? Qui le sait ?

« A l'aérodrome de Chicago, j'ai pris un autre taxi.
La route, toute droite, qui menait au centre de la
ville, me semblait interminable. Le soleil éclatait sur
l'asphalte. J'ai prié le chauffeur d'arrêter devant un
opticien et j'ai acheté des lunettes noires qui me
cachaient une partie du visage. J'ai continué mon
chemin, presque rassurée; j'étais séparée du monde
par un écran. J'avais moins peur, ou ma peur était
moins visible. J'ai fait attendre le taxi devant l'immeuble.
« Oh ! non, m'a dit un gardien, M. Murray n'est
« plus ici. Il est parti depuis bien longtemps... »
Désespérée, j'ai posé une question, machinalement :
« Vous n'auriez pas, par hasard, son adresse ? » Il
n'y avait aucune raison qu'il la connaisse. « Mais si,
« répondit le gardien. Il m'apporte toujours, à Noël,
« une bouteille de whisky. Il habite près du lac. » Cela
m'étonnait. Habiter là, à Chicago, cela signifie une
réussite sociale. Les appartements en bordure du Michi-
gan sont très chers. J'ai donné cinq dollars au gardien.
J'ai repris le taxi et, quelques minutes plus tard, nous
nous engagions dans une rue perpendiculaire à l'avenue
qui longe le lac. Le père de Fred habitait dans une

petite maison de trois étages. Je suis montée au premier et j'ai sonné à une porte. Une fillette a ouvert. « M. Mur- « ray ? » ai-je demandé. « Troisième étage, porte à « gauche. » J'y suis allée.

« Quand l'homme a ouvert la porte, j'étais sûre que j'étais en face du père de Fred. Ils se ressemblaient. Le père était un peu plus grand; il devait approcher de la soixantaine. Il me regardait avec les yeux de Fred. Seulement, ce regard ne braquait pas sur moi des pointes d'acier; il était indifférent. « Monsieur « Murray ? — Oui. — Pourriez-vous m'accorder quel- « ques minutes, je vous prie ? J'ai à vous parler. « — Entrez. » J'ai traversé un minuscule vestibule et je me suis trouvée dans un étroit living-room, médiocre. « Prenez place. » J'entendais des bruits de pas dans la pièce voisine. « C'est confidentiel, monsieur Murray. « Personne ne peut nous entendre ? — Et quelle « importance, si on nous entendait ? » fit-il. Et il s'assit en face de moi. « Si, cela est très important « pour moi. — Parlez tranquillement, personne ne vous « veut du mal — Si, votre fils. » Il haussa les épaules. « Fred ? Je ne l'ai pas vu depuis des années. Je ne suis « pas responsable de lui. Il est devenu un étranger « pour moi. — Vous vous ressemblez très fort. — Peut- « être physiquement », dit-il. Il me dévisageait. « Vous « êtes la femme de Fred ? — Non, je suis sa maîtresse. « — Donc, vous n'êtes pas riche. Il a toujours voulu « épouser la grosse galette. » Comme sur un petit écran, j'ai revu Patricia traversant le hall du journal. Avec sa taille, ses cheveux blonds, son allure germa- nique... Elle avait incontestablement le type allemand.

Elle se dirigeait vers l'ascenseur. J'aurais aimé que celui-ci s'arrête entre deux étages et qu'elle crève. Je ne la haïssais pas, je voulais simplement qu'elle meure. « Vous vous sentez mal ? » demanda l'homme en face de moi. « J'aimerais avoir un verre d'eau. » Il apporta de la cuisine une carafe et un verre. L'eau avait un goût de désinfectant. « J'arrive de New York, « monsieur Murray. — Comment avez-vous eu mon « adresse ? — Un jour, Fred, en parlant de vous, m'a « dit le nom du bar où vous avez travaillé. J'ai trouvé « là-bas quelqu'un qui m'a envoyée ici. — Que puis-je « pour vous ? » Il se pencha vers moi.

« A l'abri de mes lunettes noires, j'ai donc tout raconté : « — Voici le but de ma visite. J'attends un « enfant de Fred. Il ne veut pas m'épouser, il veut « que je me fasse avorter. J'aime cet enfant; je « n'accepte pas de devenir une criminelle. Il faut que « cet enfant porte le nom de Murray. Je sais que « vous êtes célibataire... » J'ai failli parler d'argent. Heureusement, mon instinct me l'interdit. Je continuai difficilement : « Sachant que vous êtes célibataire, « je suis venue pour vous demander de m'épouser. « Nous divorcerons tout de suite après la naissance. « Mais mon enfant portera le nom de Murray... » Il se taisait. Je cherchais la réponse dans son regard. Il se pencha vers moi. « Comment une femme de votre « qualité a-t-elle pu aimer Fred ? — Je l'aime, répon- « dis-je; c'est un homme passionnant. » Il hocha la tête. De nouveau, il répéta : « Un homme passion- « nant !... » Il ajouta : « Vous savez qu'il ne m'a « jamais envoyé un seul de ses livres. Jamais. » Je

brûlais d'impatience. « Monsieur, vous ne courez aucun
« risque avec moi. Accepteriez-vous de m'épouser ?
« Je vous en supplie. Je vous en serais reconnaissante
« jusqu'à la fin de ma vie. — Je l'aurais fait, dit-il,
« je l'aurais fait. » J'ai crié : « Pourquoi dites-vous :
« je l'aurais fait ? » Il répondit tout simplement : « Je
« me suis marié il y a un an. » Je suis restée muette.
« J'ai cru que vous étiez célibataire. » Il fit un geste
d'excuse. « Je l'étais jusqu'à l'âge de cinquante-huit
« ans. J'ai eu peur de vieillir seul. » Il se leva, il
alla vers la porte et appela : « Veux-tu venir un
« instant, Betty ? » Betty, brune et pâlote, arriva. Elle
avait dû tout écouter de l'autre côté. Je ne lui en
voulais pas.

— Alors ? dit John.

— Je n'ai plus de cigarettes, reprit Ann.

— Il y en a sur le bureau. »

Ann se leva, prit le paquet et, en passant, regarda
la photo agrandie de Fred. Elle avala une bouffée de
fumée. Elle se retourna vers Farrel.

« Betty m'a apporté une orange pour me consoler.
Par politesse, j'ai entamé l'orange. J'avais les mains
poisseuses; je me suis essuyé les doigts avec mon mouchoir. J'avais envie de vomir. « Je ne peux pas, ma-
« dame, ai-je dit, excusez-moi. — Laissez-la », dit-elle.
Elle s'est assise au bord d'une chaise comme un oiseau
timide. Elle devait avoir environ quarante-cinq ans.
Une petite femme qui avait trouvé son havre à côté
d'un homme honnête. « Que pourrions-nous faire
« pour cette dame ? demanda Murray à sa femme.
« — Tu sais que... » Elle rougit. « La cloison est

« mince, on entend tout. » Elle ajouta : « Pauvre
« petit enfant... Vous l'attendez pour quand ? — Il a
« deux mois et demi, ai-je répondu. Il est depuis
« deux mois et demi dans mon corps. — Que pour-
« rions-nous faire ? » répéta Murray. Je me suis levée.
« Merci de m'avoir écoutée. Merci d'avoir dit : « Je
« l'aurais fait. — Voulez-vous que j'écrive à Fred ?
« demanda-t-il. — Non, ai-je répondu en hochant la
« tête, ce serait inutile. »

« Je les ai quittés; je me suis assise sur un banc au
bord du lac. Un criss-craft passait au large. Fred était
aussi loin et aussi inaccessible que cet homme sans
visage dressé sur la surface de l'eau. Je suis retournée
à New York; j'ai repris ma place au magasin. Je
n'aurais jamais pensé toucher à l'enfant. Les nuits
étaient longues; des cauchemars me tourmentaient. Je
me croyais derrière les barbelés d'un camp de concentration et je me réveillais en hurlant. Je voyais mon
enfant écartelé dans un monde dirigé par des monstres.
Je portais donc en moi une future victime, une de
plus à tuer. Je vivais comme une taupe, je fuyais la
lumière.

« Fred me téléphonait deux fois par jour. « As-tu
« pris une décision ? » Il me martelait la tête avec
sa question. « Ne t'inquiète pas, ai-je fini par lui
« répondre. C'est mon affaire personnelle. — C'est
« notre affaire, insista-t-il. J'ai quand même le droit
« de t'expliquer... » J'ai coupé court : « Tu n'as
« aucun droit, aucun. — Je vais venir te voir. — Si
« tu veux. » Il est venu. Je ne l'avais pas vu depuis
deux semaines. Je décelai sur lui d'innombrables

changements — ces changements, ces nuances qui ne
sont perceptibles que pour une femme qui a aimé
ou qui, hélas ! aime encore. Je lui ai même demandé
s'il vous avait vu. « Ce pauvre John, dit-il, je le
« vois tout le temps. Qu'est-ce qu'il deviendrait sans
« moi ? C'est un homme qui manque de chance,
« Farrel ! La réussite le fuira toujours. Je l'envoie
« pour les faits divers. Il a son brin de plume pour
« décrire la souffrance des gens. — J'aimerais enfin
« le connaître », ai-je lancé. Un tic parcourut le visage
de Fred. Il était nouveau, ce tic. « Connaître Farrel,
« quelle idée absurde ! Vous n'auriez rien à vous
« dire. Vous êtes aussi loin l'un de l'autre que deux
« continents séparés par la mer. Farrel ne connaît
« rien de ma vie privée. Il a beau être le meilleur
« des amis, il faut toujours se méfier de tout le monde.
« S'il se dressait contre moi, un jour ! — Aurais-tu
« peur de Farrel ? — Peur ? s'exclama-t-il. Tu me vois
« ayant peur de quelqu'un ? Du tout. Mais je n'aime pas
« me compliquer l'existence en faisant se rencontrer
« des gens qui peuvent très bien vivre sans se connaître.
« C'est tout. »

« Et il revint aussitôt au sujet qui l'avait amené :
« — J'aimerais que tu prennes une décision très
« vite, Ann. Je déteste cette préoccupation inutile que
« représente ton état actuel. Grâce à moi, tu es devenue
« une femme d'affaires. Occupe-toi donc de tes meu-
« bles. Et qu'il n'y ait rien d'autre ! De mon côté,
« je suis en train de prendre une décision très impor-
« tante. — Attends, lui ai-je dit, attends. Toi qui
« t'intéresses tellement à la politique, pourquoi ne

« parles-tu jamais de la guerre en Europe ? — Parce
« qu'elle ne nous concerne pas. Au moins pas encore.
« — Et les Juifs, ils ne te concernent pas non plus ?
« — Je ne suis pas juif, dit-il. — Donc, fis-je, ils
peuvent tous mourir, ça ne te gêne pas. — Oh ! dit-il,
« les peuples ont leurs drames. Chaque siècle a sa
« grande saignée. — Tu as oublié que je suis juive,
« Fred. » Il a posé sur moi un regard impénétrable.
« Et alors, quelle importance ? En Amérique, tu ne
« cours aucun danger. » Comment savoir ses vraies
pensées ? C'était aussi un comédien parfait. Il faisait
croire ce qu'il voulait à qui il voulait. N'était-il pas
injuste de croire qu'il voulait tuer l'enfant à cause de
moi ? Quelle était la vérité ?

« Ses appels téléphoniques devenaient de plus
en plus pressants. Je m'esquivais. Il prétendait avoir
peur pour moi. Je lui répétais tous les jours que je
n'acceptais pas de tuer. Agacé, il protestait que je
devais choisir mieux mes mots. Nous parlions chacun
de notre côté, lui pour me presser et moi pour gagner
du temps. Je pensais que si l'enfant pouvait porter
le nom de Murray, il serait sauvé pour sa vie entière
grâce à ce nom bien américain. Mais, sans cette pro-
tection, nous serions des victimes certaines, l'enfant et
moi. La peur héréditaire que nous, israélites, portons
en nous, me poursuivait. Je prolongeais le sursis pour
mon enfant, d'un jour à l'autre. Je laissais venir les
événements. Pourtant, dans les phrases énervées de
Fred, je décelais des éléments qui me bouleversaient.
Ainsi, il osa me dire que, si l'Europe perdait la guerre,
je ne pourrais jamais plus me rendre à Paris. « Pour-

quoi ? » ai-je demandé. Il hésitait. Je crois qu'il voulait sortir l'argument décisif : « Comme juive, tu « serais en danger avec ton enfant. » J'ai raccroché. Donc, c'était ça ! Il fallait que je meure avec l'enfant.

« L'idée s'est imposée en moi tandis que j'expliquais les qualités d'un meuble. Je répétais les mêmes phrases comme un disque. Je parlais de Directoire et de dossier « à crosse ». Une voix intérieure en même temps me disait : « Tu vas te tuer avec l'enfant. » Le client m'a regardée, étonné. Quel visage avais-je à ce moment-là ? « Voulez-vous me répéter le prix ? » a-t-il dit. J'ai répété le prix. « Il faut que je meure avec l'en-« fant », avait répété de son côté la petite voix. Je me suis recroquevillée sur moi-même. Le client, mécontent, est parti... Un matin, en allant au magasin, j'ai pris, comme d'habitude, le *New York Herald Tribune* déposé par la femme de ménage dans l'arrière-boutique. N'ayant jamais le temps de lire à cette heure-là, je parcourais seulement les échos. Il m'arrivait d'y découvrir les noms dont Fred me parlait; cela m'amusait. Ce jour-là, dans le carnet mondain, l'essentiel faillit m'échapper tant il était noyé au milieu des lignes imprimées en petits caractères. Il était question de Fred, l'*editor-in-chief* de l'*Evening Star,* ami inséparable de Mlle Mills. On ajoutait même que, pour Norman Mills, ce serait un coup de chance de trouver son successeur dans son gendre, « une chance, ajoutait le chroniqueur, qu'on prépare depuis longtemps ». J'ai déposé le journal.

« J'ai traversé le magasin, je n'ai pas refermé la porte. J'ai pris place dans ma Buick. Il fallait surtout

que je ne me laisse pas trop de temps pour réfléchir.
Il fallait que je meure, que je disparaisse avec l'enfant.
Il fallait aussi pouvoir garder mon courage jusqu'au
moment du suicide. Mais il est très difficile de se
suicider, John Farrel. N'ayant jamais tenu une arme
à feu dans les mains, sachant que je ne pourrais
jamais me jeter par une fenêtre, il me restait la voiture.
Il fallait que je trouve un obstacle contre lequel je
pourrais me tuer sans que je représente un danger
quelconque pour autrui. Je suis sortie de New York.
J'ai pris la direction de New-Canaam. Tout était limpide, clair, c'était le printemps. Je connaissais ce
trajet; je l'avais fait plusieurs fois avec Fred. Plusieurs
fois : comme j'exagère, trois fois en huit ans ! Je me
contentais de peu, n'est-ce pas ? Un jour, nous avions
quitté l'autoroute. Nous nous étions engagés sur une
route secondaire qui nous avait menés, à travers un
petit bois, jusqu'à une propriété entourée d'un mur.
Avec Fred, à pied, en nous promenant, nous avions
alors essayé de trouver l'entrée pour savoir qui était
l'homme assez heureux pour avoir une propriété aussi
bien préservée du monde, près de New York. Nous
avions marché peut-être pendant une demi-heure;
le mur interminable continuait à préserver un parc
secret. C'était une sorte de forteresse bâtie par un fou
ou par une grande vedette. Je me suis souvenue du
mur et je l'ai jugé suffisamment solide pour que je
puisse mourir en me heurtant contre lui. Il fallait aussi
que je le retrouve. Ma tâche allait être beaucoup plus
facile que je ne l'aurais cru. Le chemin, dans l'inter-
valle, avait été transformé, élargi. Donc, déjà, de

l'autoroute, de loin, je voyais le mur. J'ai tourné à
droite, j'ai commencé à accélérer. Il paraît qu'avant de
mourir, on revoit sa vie. Je n'ai rien revu du tout.
Je n'apercevais que l'obstacle qui s'approchait, qui
devenait immense. J'ai accéléré encore. Une immense
douleur dans la poitrine m'a pliée en deux. Et je ne
me suis plus souvenu de rien jusqu'au moment où je
me suis réveillée dans un hôpital, immobile, les côtes
défoncées; près de moi, un médecin m'a annoncé que
j'avais perdu mon enfant, un garçon. J'appris bientôt
que, pour me sauver, il avait fallu me vider le ventre
comme on vide le ventre d'un poulet. Je suis sortie
de l'hôpital au bout de deux mois et je n'ai plus jamais
revu Fred...

« Il était nécessaire pourtant que je retourne au
magasin. Il avait été fermé durant quelques semaines
mais, quand mes associés avaient appris que je devais
passer au moins deux mois à l'hôpital, ils avaient pris
une vendeuse. Il est certain qu'ils avaient dû lui parler
de moi. Mon suicide raté avait été très mal camouflé
en accident et mes associés connaissaient mes relations
avec Fred. Le jour où je suis revenue au magasin pour
la première fois, j'ai vu sur son visage la curiosité
impertinente d'une femme qui n'a que vingt-trois ans
et qui a pu se sentir importante pendant quelque
temps. Alors, j'ai commencé à la persécuter. J'étais
plus perfide qu'elle parce que j'avais plus d'expérience
et plus de souffrance derrière moi. Par malchance,
il s'agissait aussi d'une blonde à la poitrine pleine,
avec ces seins un peu mous déjà, mais voluptueux,
comme on les voit sur les beaux tableaux classiques.

Elle était l'image de la fécondité. De bonnes hanches
larges, des jambes légèrement épaisses, une future mère
solide sur ses pattes. Mes associés avaient assurément
voulu me prouver que personne n'est indispensable.
J'avais monté cette affaire et, au bout d'un mois, on
pouvait rouvrir sans moi ! Et la petite n'avait pas fait
l'Ecole du Louvre ni un apprentissage à Paris, rien !
Je ne pouvais pas la mettre dehors sous un prétexte
plausible. Il me fallait aussi cacher ma jalousie
profonde...

« Elle n'était pas personnellement en cause : je
haïssais toutes les femmes que je sentais capables de
mettre des enfants au monde. Elle arrivait, le matin;
je la regardais, froide, condescendante. Je lui expliquais que, dans une boutique de cette qualité, il faut
s'habiller discrètement, qu'on ne met pas un fard bleu
sur les paupières à onze heures du matin. Pourtant,
cette petite tache bleue lui allait si bien. Je lui recom-
mandais des tailleurs stricts; je ne pouvais plus voir
sa poitrine. Je voyais, accrochés sur elle, des enfants
qui tétaient... Je l'humiliais devant les clients; je recti-
fiais tout ce qu'elle disait avec une indulgence morbide. « Ne lui en veuillez' pas, monsieur, elle n'est
« pas tout à fait au courant. Ça viendra, elle est si
« jeune. Elle a failli vous vendre ce meuble ? Oh ! ce
« n'est pas possible. Je connais votre appartement; il
« est bien ce meuble, mais chez vous, je vois une
« commode d'une autre classe... » Au bout de quelques semaines, j'avais réussi à faire en sorte qu'on
l'évite. Les gens préféraient m'attendre. On lui disait :
« Merci, mademoiselle. Veuillez dire à Mme Brandt

« que je repasserai. Non, non, rien de spécial... Vous ne
« pouvez pas m'aider, j'ai besoin de Mme Brandt. »
Elle avait les nerfs solides, cette petite... Je me suis
donné bien du mal pour lui voir apparaître des cernes
sous les yeux. Elle n'était pas plus bête qu'une autre;
donc, elle avait compris que je voulais qu'elle disparaisse. Elle n'a cependant pas voulu céder facilement.
Elle avait son amour-propre, comme tout le monde.
Mais, quand mes associés répétaient que, selon eux,
j'avais besoin d'une aide, je le niais absolument. Quand
j'ai congédié Mlle Smith, je lui ai même souri... Elle
avait des phrases au bout des lèvres; j'attendais qu'elle
les prononce. J'espérais de sa part une tentative de
vouloir me faire mal; je l'aurais déchiquetée. Elle n'a
pas osé parler.

« Libérée d'elle, je me suis jetée dans les affaires.
Comment étais-je à l'époque ? J'avais tendance à
devenir ce qu'on appelle une petite femme des-
séchée. Des enfants m'auraient sauvée. Je me suis
trouvée, à vingt-sept ans, le ventre vide, sans aucun
espoir d'avoir jamais une de ces nausées bénies, un
malaise, ou simplement le tourment, le jeu de l'imagination d'une future mère qui se décrit à elle-même
l'enfant qu'elle porte. Je savais qu'on tuait les
miens par milliers en Europe. A cause de Fred, j'avais
tué ma race en moi. Je n'aurais pas dû survivre. Ma
peau se fanait; je courais les instituts de beauté. Je
luttais avec une activité fébrile contre les rides qui
naissaient, d'un jour à l'autre, sur mon visage. J'ai
découvert que j'avais un regard méchant. J'essayais
de sourire devant un miroir : j'étais ridicule.

« Des fleurs arrivaient périodiquement. Déjà, à l'hôpital, Fred avait assiégé ma chambre avec des bouquets. Je les avais acceptés pour les voir périr; j'interdisais qu'on change l'eau de mes plantes; elles pourrissaient à vue d'œil. Je ne les laissais emporter que décomposées et puantes; c'était pour moi une sorte de satisfaction. Ensuite, chez moi, je refusais tout envoi. Je me donnais simplement la peine de déchirer en deux la carte de Fred; j'en remettais soigneusement les morceaux dans une enveloppe sur laquelle j'inscrivais son adresse et on rapportait les fleurs chez lui. Il voulait m'amadouer. Il était affolé à l'idée que je puisse dire un mot à son patron. C'est la peur qui le poussait, et pas l'affection; j'en étais sûre.

— Vous ne lui avez donné aucune possibilité de s'expliquer ? demanda John d'une voix lointaine.

— Expliquer quoi ? répliqua Ann. Les détails d'un homicide volontaire, la préméditation d'un assassinat, l'échec de la meurtrière téléguidée que j'étais ? Non, il n'y avait plus un mot à prononcer entre nous. J'ai demandé à mes associés de m'éviter désormais tout éventuel contact avec Fred Murray. Je suis devenue l'actionnaire principale. Je n'avais plus personne à craindre. C'est à ce moment que le petit décorateur français qui travaillait avec moi me sentit disponible. Il voulait faire carrière, lui aussi. Il croyait qu'après ma rupture avec Fred je serais une proie facile. Il voulait, bien sûr, épouser la patronne... Je l'observais comme on regarde les fourmis. Afin de savoir quelles pourraient être mes réactions avec un autre homme, j'ai couché avec lui. Pendant ce soi-disant acte d'amour, je le subissais. Je trouvais ses efforts pour me satisfaire assez risibles ou, plutôt, ennuyeux. Désespéré et haletant, il voulait recommencer à m'aimer, comme il disait. Mais je voyais apparaître, derrière son visage, celui de Fred. Une phrase de Fred m'excitait plus qu'une heure passée au lit avec ce petit Français. Il fallait que je sois vicieuse, n'est-ce pas, Farrel ? L'amour intellectuel : être excitée par l'intelligence de quelqu'un, avoir une sensation de volupté à l'écouter parler... Tout cela est anormal, n'est-ce pas ?

— Pourquoi voulez-vous que je dise quoi que ce soit ? murmura Farrel.

— Parce que votre silence me gêne, dit-elle.

— Je ne me sens pas très bien, souffla Farrel.

— Ce sont les femmes qui se réfugient dans les malaises... Un homme ne peut pas se permettre ce luxe ! »

Ann Brandt continua :

« J'ai congédié le petit décorateur; il était anéanti. J'étais ravie de mon pouvoir. J'engageais, je congédiais, je transformais... Mes affaires marchaient. Plus j'avais d'argent, plus j'étais à la mode. Au magasin de meubles, j'avais ajouté une galerie de tableaux. J'étais devenue un des centres de New York où les intellectuels se rencontraient... Je me voyais moi-même comme de l'extérieur : Qui était donc cette Ann Brandt si sûre d'elle, si élégante, marchant à pas posés, un verre à la main, parmi ses invités, et leur expliquant la valeur artistique ou marchande des tableaux ? Qui était cette femme apparemment si

détachée de tout souvenir ? A mon grand étonnement,
je devais bien répondre que cette marionnette-là,
c'était moi. Je suivais avec passion les événements
politiques. Malgré le deuil national, j'avais été heureuse de Pearl-Harbour. Enfin, les Américains étaient
obligés d'agir... Pour être franche, je ne voyais que
le problème juif. En tuant mon enfant et en restant
en vie malgré moi, j'étais devenue tout à fait consciente
de mon origine. Je lançais parfois, dans les conversations : « Je suis juive, et les miens sont en train
« d'être décimés en Europe. Comment pouvez-vous
« vivre tranquilles ici ? » Je cherchais à déceler, sur
le visage des gens, la vraie compassion ou l'ombre
d'un sentiment. A mon tour, je les aurais décimés
pour leur indifférence... J'étais devenu quelqu'un
d'important à New York, quelqu'un dont le nom
apparaissait fréquemment dans les rubriques mondaines. J'avais réussi...

« En 1944, je n'avais pas été frappée par la nouvelle
de la mort de Fred, parce que j'étais incapable d'y
croire ! J'imaginais, de sa part, un coup de publicité
diabolique. Le grand « arrangeur » avait simplement
réussi à se faire passer pour blessé sans avoir eu une
égratignure, et il ressusciterait au bon moment afin
de placer encore mieux ses articles. Je le voyais
accepter le rôle de héros national, rien que pour se
faire photographier avec ses décorations... Pendant
des années, j'ai attendu son retour. J'étais comme celles
qui perdent quelqu'un dans une catastrophe sans
avoir la preuve de la mort. L'espoir persistait. Quel
espoir ? De constater que j'avais raison, qu'il était un

escroc génial ? Ou l'espoir de le revoir ? Je ne sais pas.

« Quand j'ai eu la certitude qu'il était mort, j'ai été déçue. Il n'avait pas vu mon ascension. S'il était resté vivant, il aurait certainement cherché à renouer avec moi parce que j'étais devenue une femme célèbre. Il aurait pris le ton copain : « Dis donc, Ann, oublions le passé. Nous étions si jeunes. Soyons de « bons amis. » Il aurait même critiqué Patricia. Il aurait voulu justifier son mariage avec elle et il aurait cherché une consolation dans mes bras ouverts. Qu'aurais-je fait ? »

Ann s'arrêta, glissa un regard vers John :

« En sortant de l'hôpital, j'avais songé à vous écrire au journal pour vous demander d'intervenir auprès de Fred afin qu'il cesse de me harceler avec ses fleurs. Mais il vous avait décrit d'une façon si décourageante : « Le grand benêt avec qui on peut « tout faire, ce valet chevaleresque, l'ami parfait, « l'imbécile sublime... » Comment aurais-je osé me livrer à vous ? Je ne pouvais pas avoir confiance dans l'ami de Fred. Aurais-je pu deviner que Fred s'était montré à vous sous un visage si différent ? Mais vous l'obligiez à vous mentir...

— C'est à vous qu'il était, par votre faute, obligé de mentir ! Vous vouliez lui imposer une forme de vie qui ne lui convenait pas.

— Ah ! non, cria Ann. Selon vous...

— Ou selon vous... » intervint John.

Ann continua :

« Il aurait été obligé de prendre un visage différent avec chacun de nous pour nous contenter l'un et l'autre tour à tour ? Il n'aurait pas osé être lui-même ! »

John se frottait les yeux. Il lui semblait voir plusieurs minuscules Ann Brandt, comme s'il s'était trouvé
au milieu d'un jardin d'enfants où tous les gosses
auraient ressemblé à Ann.

« Je me sens mal », dit-il.

Ann ne fit pas attention à cette remarque.

« Voulez-vous suggérer que je ne sais peut-être
pas tout de lui ? » demanda-t-elle.

Fiévreuse, elle se pencha vers lui.

« C'est vous qui avez vu ce rat dans son piège...

— Ne parlez pas de rat ni de piège. Vous n'avez
aucune idée des événements qui ont précédé le débarquement. »

La colère envahit Ann.

« Croyez-vous que je pourrais encore éprouver la
moindre surprise au sujet de Fred Murray ? Je pourrais vous le décrire exactement, analyser instant par
instant son comportement au cours de ses derniers
jours... »

Elle s'interrompit.

« Je crois avoir la certitude... »

John hocha la tête.

« Je ne me sens pas très bien, Ann Brandt. Revenez
un autre jour; j'aurai peut-être moins mal à la
tête... Je pourrais vous dire que...

— Vous voulez vous débarrasser de moi, cria-
t-elle. Vous inventez n'importe quoi pour me faire
partir. Savez-vous, au moins, comment Fred a été
mobilisé ?

— Je le sais très bien », répondit John.

La douleur lui tenaillait la tête.

« Nous nous sommes engagés ensemble et, grâce à Norman Mills, nous avons pu obtenir de rester ensemble.

— Pauvre naïf ! Que faut-il encore pour que vous me croyiez ? Je devrais peut-être me jeter contre un autre mur ! »

John répondit. Il avait un débit étonnamment rapide.

« Si vous étiez une folle, je pourrais essayer de vous raisonner, mais vous haïssez. La haine est pire que la folie.

— Et l'orgueil, lança Ann, votre orgueil ? Vous êtes le plus orgueilleux de nous trois. L'orgueil à ce degré est un manque d'intelligence. Vous n'osez plus regarder les événements en face, vous n'osez plus vous voir tel que vous êtes. Vous vivez enfermé dans votre carapace. Vous ne vous sentez en sécurité que dans votre univers rétréci.

— Depuis dix-huit ans, je médite sur les croix... Eux, ils sont morts pour l'Europe, pour le monde libre, pour une cause juste. Ils sont morts pour ceux qui agonisaient dans les camps de concentration. Ils ont fait cesser le massacre des innocents. Ils ont sauvé des patriotes à la veille de leur exécution.

— J'ai eu aussi ma part de la vision d'un monde moribond, dit Ann. J'ai accompli plusieurs pèlerinages dans ces camps d'Allemagne. J'accepte difficilement qu'on ait créé des jardins sur l'emplacement des chambres à gaz; les gens oublient si vite... J'ai tué mon enfant juif en me jetant contre un mur qui n'a même

pas été suffisamment solide pour que je meure aussi...
Une brèche dans votre fameux mur, monsieur Farrel...
A quel prix ! Pour mourir moi-même et non pas
pour saluer quelqu'un de l'autre côté !

— Vous voulez démolir ce qui n'existe plus, dit
John. Il ne peut plus se défendre. Fred à l'époque
n'avait qu'un seul désir : être soldat.

— Lui ! protesta Ann. L'isolationniste ? S'il jouait
la comédie de celui qui aime l'Europe, c'est qu'il
voulait plaire à Norman Mills. Norman Mills, lui,
était vraiment européen. Fred n'avait d'autre but que
d'arriver jusqu'au pouvoir. Devenu patron, soyez sûr
qu'il aurait donné une orientation politique différente
au journal.

— Vous n'avez pas le droit de l'affirmer.

— J'ai tous les droits, l'interrompit Ann. Vous voulez savoir ce qui s'est passé entre Norman Mills et
Fred ? Quand il m'a bien fallu admettre que Fred
était mort, je suis allée rendre visite au patron. Pour
la troisième fois, je suis entrée dans le hall du journal.
Pour la troisième fois en treize ans ! A côté du portier
assis dans sa cage de verre, j'ai aperçu une petite plaque
sur le mur. Je me suis approchée. Avant de lire le
texte, je savais déjà de quoi il s'agissait. Des articles
avaient été publiés lors de la cérémonie d'inauguration de cette plaque commémorative de Fred Murray... J'ai regardé son nom gravé. « En souvenir de
« notre éminent collaborateur Fred Murray, né à
« Chicago en 1914, mort pour la liberté du monde
« en 1944. Que son souvenir vive. » Je m'attardais
devant l'inscription. J'avais envie de toucher les lettres,

de les effleurer de mes doigts. Pourquoi ? Je ne saurais
le dire. Pour obtenir le rendez-vous avec Norman Mills,
j'avais dû téléphoner avec son secrétariat pendant des
jours. N'ayant pas voulu m'annoncer comme l'ex-
maîtresse de Fred Murray, j'avais dit que j'étais une
de ses parentes lointaines. Aucune bonté, aucune
tendance à l'épargner ne m'avaient suggéré cette
invention. J'étais aussi neutre et dure qu'un rocher.
Quand je suis entrée dans son bureau, Norman Mills
s'est levé. Les bras tendus, il est venu vers moi. Il
m'a serrée sur son cœur. Ebahie, je me laissais faire.
« Excusez ce geste, me dit-il, mais vous êtes une
« parente de Fred. Je voudrais que vous vous sentiez
« dans cette maison comme chez vous... Il aurait pu
« parler de vous, mais il était si modeste. Vous êtes
« célèbre, madame Brandt; tout New York vous
« connaît. Vous avez introduit chez nous le goût
« et les meubles français. Depuis que, dans votre
« galerie d'art, vous faites venir de jeunes peintres de
« Paris, nous avons aussi la possibilité de découvrir
« nous-mêmes leur talent. Si j'avais su que... »
J'étais abasourdie, flattée, donc désarmée. Je me suis
assise, docile. « Vous voyez, chère madame, continuait
« Norman Mills, en taisant sa parenté avec vous,
« Fred n'a pas voulu donner l'impression d'être
« soutenu par une relation aussi brillante. Il était
« un solitaire, un scrupuleux. Il voulait faire son
« chemin seul. C'est cela qui m'a plu en lui. Vous
« avez dû éprouver certainement un grand chagrin
« en le perdant. — Nous nous voyions assez peu »,
ai-je dit. Ce mensonge était soudain devenu si fami-

lier que je continuai : « Au fond, nous nous sommes
« très peu vus. Je n'ai connu que certains épisodes de
« la vie de Fred. »

« J'étais maintenant à la source, enfin dans le sanctuaire où Fred ne m'avait fait pénétrer que par des
fragments de conversations ou par de simples allusions.
Il ne me racontait ce qui le concernait que lorsqu'il
avait besoin d'un conseil. Comment aurais-je pu avoir
l'image exacte des relations établies entre lui et Norman Mills ? Fred ne m'avait même jamais fait le
portrait physique du directeur de l'*Evening Star.*
J'avais en face de moi un homme débordant de bien-
veillance. Ses yeux, d'un bleu délavé, un peu fatigués,
me scrutaient. Ses lunettes à fine monture d'or, ses
cheveux tout blancs, son visage légèrement bronzé le
rendaient amical, accessible. Il avait de grandes mains
puissantes. Il les laissait reposer sur la table. Il avait
dû dire qu'on ne le dérange pas pendant ma visite.
J'étais en face d'un homme visiblement bon, bien
disposé à mon égard, d'un directeur de journal qui
n'était pas pressé... Extraordinaire, non ?... Pourquoi
faites-vous semblant de dormir, Farrel ?

— J'ai toujours connu Norman Mills pressé, plutôt brutal, dit celui-ci.

— Vous n'avez donc vraiment rien su des gens qui
vous entouraient !

— Les hommes changent selon les interlocuteurs,
selon les moments, dit John. Vous n'étiez pas sous ses
ordres; vous lui rendiez visite. Vous célébriez ensemble
le souvenir de Fred. Pourquoi voulez-vous qu'il ait
été pressé ?

— Bref, dit Ann, Norman Mills, charmant et disponible, m'a demandé : « En quoi pourrais-je vous « être utile, madame ? Je me mets volontiers à votre « disposition en souvenir de Fred. » J'ai posé la question : « Vous l'aimiez tant ? — Il aurait été mon suc- « cesseur, répondit-il avec une simplicité touchante. « Un jour, je l'ai engagé comme reporter. Il a taillé « seul son chemin jusqu'à moi. Il avait fort à faire, « je vous assure. Je n'aime pas les arrivistes et j'oublie « ceux qui passent inaperçus. Il lui fallait donc trouver « la possibilité de faire signe du fin fond de la rédac- « tion, de retenir mon attention, d'être convoqué, pour « la première fois, à une conférence, de donner mo- « destement le premier avis. J'ai pu me rendre compte « alors qu'il ne vivait que pour le journal. Et puis, « il a aimé ma fille; tous deux se sont fiancés. — J'étais « au courant, ai-je répondu. Je crois que j'avais réussi « à être détachée. »

« Nous nous serions certainement rencontrés lors du mariage de Fred, madame, continua Norman Mills. Il n'aurait pas pu vous cacher lors d'une fête de famille... C'était un homme exceptionnel, un feu d'artifice d'idées insolites. Et l'*Evening Star* était tout pour lui. J'avais même prévenu ma fille; je lui avais dit : « Patricia, tu fais ce que tu veux. Tu « n'aurais pas pu choisir un homme qui puisse me « plaire davantage, mais, je t'aurai averti, il aimera « toujours plus sa profession que sa femme. » A cette époque, Patricia était déjà une jeune fille jolie et assez exigeante. Ce n'est pas que je l'avais trop gâtée, mais forcément, sa situation sociale, son argent,

sa beauté... Patricia m'a répondu : « Tu sais, papa,
« même si je n'avais que des parcelles de la vie de
« Fred, je serais heureuse. Je saurai qu'il m'appartient.
« Avec lui, je vois s'ouvrir les horizons. Tu m'as
« habituée à la puissance, papa. Il sera puissant. A
« côté de lui, je serai une reine. — Et s'il t'épousait
« pour mon journal ? — Fred, a-t-elle répliqué, est
« franc avec moi, papa. Il m'a dit qu'étant ta fille,
« je comprendrais mieux le comportement d'un jour-
« naliste, que je lui laisserais sa liberté de pensée,
« son champ d'action. Selon lui, j'ai le don d'écouter;
« il aime parler. Je m'ennuie avec tout le monde; je
« suis passionnée avec lui. » C'est le véritable amour,
« conclut Norman Mills et, se penchant vers moi :
« Il vous a parlé de Patricia ?

« — Nous nous voyions si peu », ai-je répété
comme une automate.

« — Vous devinez, reprit Norman Mills, qu'après
« la mort de Fred, ma fille s'est mariée à contrecœur.
« J'ai insisté; je voulais qu'elle guérisse de son chagrin.
« Elle a épousé un industriel, le patron des désodo-
« risants Brown. Elle a divorcé. Elle m'a expliqué :
« Que veux-tu que je fasse avec mon mari ? Il ne
« m'intéresse plus physiquement et il ne m'a jamais
« intéressée moralement. Il m'ennuie à mourir... »
Patricia, là-dessus, il y a un an et demi, au mois de
mai, est allée au cimetière américain de Saint-Laurent,
en Europe. Il paraît qu'il est très bien situé au bord
de la mer. Elle a exploré l'immense parc. Une peur
incompréhensible lui interdisait de demander où était
l'emplacement de la tombe de Fred. Au bout d'une

heure de recherches, elle a trouvé elle-même la croix sur laquelle le nom était inscrit. Elle n'a pas fait déposer de couronne ni de fleurs. Elle m'a dit : « Fred aurait détesté ce geste. » Elle n'a même pas prié; Fred n'était pas croyant. Elle n'a pas versé une larme; Fred ne supportait pas les femmes qui pleuraient. Elle était là, debout, comme une étrangère, sans vouloir manifester un sentiment quelconque qui aurait pu déplaire à Fred vivant.

« — Vous n'auriez pas pu le soustraire à l'armée ? » ai-je demandé.

« Un immense étonnement apparut sur le visage de l'homme que j'appelais encore, en moi-même, le patron.

« — Le soustraire à l'armée ? Vous imaginez que « j'aurais pu commettre une action aussi indigne et « l'imposer à Fred qui était un patriote américain, un « défenseur de la liberté ? Il était de ces Américains « convaincus que, sans une Europe libre, nous serions « perdus. Dans ce sens-là aussi il m'écoutait reli- « gieusement. Il me respectait. J'avais la certitude « que lorsque j'aurais à lui céder ma place, il ne « trahirait pas la ligne que j'avais donnée au journal « et à laquelle je suis encore rigoureusement fidèle. »

« — Tout cela me surprend, ai-je fait remarquer. « Evidemment, j'ai parlé si peu avec lui. Il venait « surtout pour acheter ses meubles. »

« — Ah ! c'est qu'il était meublé admirablement, « soupira Norman Mills. Nous avons dîné plusieurs « fois chez lui avec ma fille. Combien de fois l'ai-je « félicité pour sa cuisinière française et pour les soins

« raffinés qu'il apportait lui-même à son apparte-
« ment, à sa table ! Etiez-vous au courant de ce qu'il
« avait des revenus confortables en dehors du journal ?
« Ce n'était pas un coureur de dot ! Une miraculeuse
« coïncidence que j'aie pu trouver en lui un des meil-
« leurs journalistes de sa génération et, en même
« temps, un mari pour ma fille.

      « — Et l'armée ? ai-je insisté.

      « — Oh ! fit-il, je n'oublierai jamais le jour où il
« est venu demander la main de Patricia. J'avais
« rendez-vous avec lui au début de l'après-midi. »
Il m'a dit la date. C'était le jour même où j'étais
venue au journal pour annoncer à Fred que j'attendais un enfant. Il m'avait vue le matin et, à trois
heures, il demandait la main de Patricia Mills.

      « — Il est entré dans mon bureau, continua Mills.
« Il donnait l'impression d'un très jeune homme qui a
« dû passer des nuits blanches à réfléchir. Son trac le
« rendait touchant. Je l'ai fait asseoir. Nous avons
« prudemment commencé à échanger quelques phrases
« banales. Il a ensuite attaqué tête baissée. Je crois
« qu'il a fermé les yeux en prononçant le nom de
« Patricia. « J'aimerais épouser votre fille, je l'aime,
« je peux subvenir à ses besoins sans votre aide. »
« La demande ne me surprenait pas; Patricia m'avait
« prévenu. Je savais déjà ce que je répondrais : « Mon
« cher Fred Murray, lui ai-je dit, je suis d'accord;
« mais, avant de vous marier, vous aurez un devoir à
« accomplir. Vous devez pouvoir vous faire respecter
« dans cette maison. Je ne voudrais pas que les gens
« vous accusent d'être un arriviste. Ils seraient bien

« injustes, mais on doit imaginer le pire pour pou-
« voir se défendre. Vous aurez des adversaires, des
« jaloux. Rendez-vous compte : à trente-deux ans,
« vous deviendrez mon gendre et, quand je me retirerai
« de mes fonctions, c'est vous qui dirigerez le journal.
« Je ne voudrais pas qu'on vous attaque derrière votre
« dos. Je sais que vous êtes inattaquable sur le plan
« moral. Pourtant, comment prouver aux autres que
« vous aimez réellement ma fille, que vous l'auriez
« épousée sans son père directeur de journal ? Ecoutez-
« moi, Fred Murray. Chacun s'inclinera devant un
« héros. Nous sommes en guerre. Notre mission est
« de sauver l'Europe. Vous serez l'un de ceux qui la
« sauveront. »

« Norman Mills s'était rapproché de moi pour
continuer son récit.

« Il était si modeste : le mot héros l'avait désorienté.
Il était devenu blanc d'émotion. « Oui, mon cher,
« un héros, ai-je continué. Vous avez l'étoffe d'un
« héros. Je vous vois revenir dans votre bel uniforme,
« décoré, glorieux, accueilli par tout le personnel,
« fêté dans votre bureau. Pour cette fête-là, je don-
« nerai mes bouteilles de champagne français que je
« garde comme un trésor. Vous allez vous engager;
« vous serez volontaire. — Volontaire », avait répété
« Fred. Il tremblait d'émotion. « Oui, et, après, je
« vous ferai envoyer en Angleterre. Vous courrez
« quelques risques : les Allemands les bombardent
« beaucoup. Mais on n'arrive à rien sans risque. »
« Il s'était mis à sourire; il avait cette crânerie.
« Et si je meurs ? » a-t-il demandé sur le ton de la

« farce. Un beau joueur. « Ecartons cette idée, mon
« cher ami, lui ai-je dit : Ne voyons que le résultat...
« Vous reviendrez avec l'auréole de l'Europe. Et vous
« n'aurez couru qu'un risque minime. — Minime,
« a-t-il dit du même ton curieux. — Donc, c'est la
« condition que vous posez à mon mariage avec
« Patricia ? — Ce n'est pas une condition que je
« pose, c'est un ordre que je vous donne. Je vous
« considère déjà comme mon fils. Je n'en ai pas eu.
« Si j'en avais eu un, il serait déjà loin de New York,
« il serait volontaire comme vous le serez à sa
« place. »

« — J'aimais son esprit de contradiction, reprit
« Mills. Lui qui aimait avoir la bride sur le cou,
« il avait compris que je le faisais entrer dans la
« discipline de notre famille. Il voulait encore me
« taquiner. « Et si je refusais, monsieur Norman Mills ? »
« Je me suis mis à rire. « Que vous êtes drôle, mon
« petit Fred, j'aime votre sens de l'humour. » Je
« l'ai embrassé. Il a pris congé. Il s'est engagé comme
« je le voulais. Il l'a fait en compagnie d'un très
« fidèle ami à lui, un brave type qui appartenait
« à notre équipe. Attendez, comment s'appelait-il ?
« Farrel, je crois. Nous avons fêté leur départ. Patricia
« m'a accusé, une fois, d'avoir tué Fred. C'était un
« accès de colère, une crise de chagrin. »

« Norman Mills ajouta : « Fred serait heureux s'il
« voyait la plaque de marbre. »

« J'ai poussé un soupir : « Indiscutablement, ce
« serait pour lui une sorte de bonheur... »

« — Oh ! fit soudain Mills, je n'ai parlé que de

« lui. Mais pourquoi êtes-vous venue me voir ? »

« Je mentais avec une telle facilité que je croyais presque dire la vérité en répondant de la façon la plus naturelle :

« — Pour vous écouter, monsieur, pour que vous « me parliez de lui. J'étais venue pour parler de « lui. »

— Vous m'écoutez, John Farrel ? » s'inquiéta Ann une fois de plus.

John ne répondit pas. Ann s'approcha de lui. Farrel était recroquevillé sur lui-même dans son fauteuil. Elle voyait son visage tendu, blême. Elle toucha le front brûlant de John.

« Farrel, ne plaisantez pas, répondez-moi ! »

Celui-ci se pencha en avant, comme une marionnette. Ann eut besoin de toute sa force pour le redresser. L'Américain était inconscient et brûlant de fièvre.

CHAPITRE XV

Décontenancée, Ann demeura d'abord immobile auprès du fauteuil. Il lui semblait qu'elle bénéficiait soudain d'une liberté sans condition. La curiosité la travaillait depuis qu'elle connaissait John. Elle avait éprouvé un désir violent de fouiller son âme et elle sentait en elle maintenant la tentation de découvrir les secrets de son pavillon.

Elle s'approcha prudemment du petit bureau. En face, Fred, dans son cadre, offrait un visage aimable; les contours de sa photo apparaissaient flous dans le crépuscule. « Serions-nous quittes, à présent ? lui demanda Ann. — Tu m'as tuée, et je suis restée vivante. Et toi, je t'ai tué après ta mort. A qui la victoire ? Tu aurais pu survivre dans l'esprit tourmenté de ton ami. Installé dans cet esprit mystique dont tu te moquais si souvent, tu y avais créé ta petite éternité... C'est fini. Tu n'es plus un objet de culte ni un héros. Pour personne. »

Elle tourna lentement la clef d'un tiroir. Le bruit sec claqua dans le silence. Au-dessus de son sourire inaltérable, Fred regardait. Dans le tiroir, un ordre

rigoureux régnait. Une odeur de papier et d'acajou
s'en échappait. Ann effleura de ses doigts hésitants
quelques feuilles blanches. Elle eut honte et referma
lentement le meuble. Elle se dirigea vers la chambre à
coucher. Elle y découvrit l'armoire dont la porte s'en-
trebâilla avec un grincement. Deux costumes d'homme
s'y trouvaient : un léger pour l'été, l'autre, sombre
et plus épais, pour l'hiver. A droite, sur des planches,
étaient disposés, en ordre militaire, des chemises et des
sous-vêtements et, sur un ruban tendu à l'intérieur
de la porte, pendaient trois cravates usées jusqu'à la
trame.

Elle repoussa la porte de l'armoire. Elle s'aventura
alors vers les bibliothèques qui couvraient les murs.
Elle en parcourut des yeux les rayons. Quelle richesse !
Les auteurs russes, les poètes anglais, d'innombrables
livres dont la guerre était le sujet. Des ouvrages de
philosophie voisinaient avec des écrivains classiques.
Ann aperçut les livres de Fred dont elle connaissait
encore bien des passages par cœur. A l'époque, elle
les avait appris et les récitait à Fred. Ensuite, elle
n'avait pas eu la faculté de les oublier. Son regard
se posa sur un crucifix discrètement placé dans un
coin. Elle contempla le Christ meurtri dont la tête
pendait à droite. Ses pieds et ses mains d'ivoire étaient
transpercés par de minuscules clous d'argent.

Ann sentit alors que son cœur se mettait à battre
à un rythme désordonné. Allait-elle être ici la proie
sans défense d'une crise cardiaque ? Elle se précipita
dans le living-room. Elle prit, dans son sac, deux
pilules et, vite, à la cuisine, les avala avec de l'eau

fade. Enervée, elle ne ferma pas bien le robinet. Elle
revint près de John. A quoi pensait-elle ? Elle entendait les gouttes d'eau tomber régulièrement dans l'évier.
Le rythme monotone de ces gouttelettes, leur ténacité,
créaient en elle une sorte d'état second. C'était comme
la tonalité d'un tambour. Ann se sentait livrée aux
meubles hostiles, aux broderies anciennes. Elle se mit
à chercher un téléphone. Elle avait peur de tous ces
pièges qui l'entouraient, et qui, complices de Fred
toujours souriant, menaçaient de la broyer. Et puis, sa
conscience se réveilla soudain. Il fallait aider Farrel.

Inquiète, elle posa sa main sur celle de John. Poussée par un instinct enfoui, jusqu'à cet instant, dans
les replis de son âme, se transformant, sans même s'en
apercevoir, le temps d'une pensée, en sorcière, elle
la retourna vers la paume pour y regarder les lignes
qui s'y trouvaient inscrites. C'était une effraction
morale; elle était comme un voyeur devant un
miroir sans tain. De grands sillons nets et profonds
étaient coupés, tailladés par d'innombrables traits
minuscules, entrecroisés. Farrel portait la marque, là,
du destin d'un homme dont la vie est bâtie sur des
labyrinthes, dont tout l'être est meurtri par des tortures morales quotidiennes.

Ann lâcha la main de John, cette main vidée,
exploitée, cette main trahie, brûlée de fièvre. Elle se
précipita vers l'entrée, décrocha son manteau et quitta
le pavillon. Elle cala la porte pour qu'elle reste ouverte.
Elle prit place dans sa voiture et démarra. Saisie par
une idée, elle s'arrêta presque aussitôt au bord de la
route, ouvrit son sac et trouva, dans l'une des poches,

l'ordonnance du médecin qui l'avait soignée à Caen lors de sa crise cardiaque. « Le docteur Roger Laffont, ancien interne des hôpitaux de Paris, Médecine générale, Mosles. » Elle redémarra et, conduisant à un train d'enfer, vit à peine le panneau indiquant Mosles. Elle ralentit pourtant dans la rue principale, se pencha par la vitre baissée et interpella un passant : « Où habite le docteur Laffont, s'il vous plaît ? — Première rue à gauche et, après, seconde à droite. Vous verrez, c'est une grande maison au fond d'un jardin », répondit l'homme.

Première à gauche. Il ne fallait pas se tromper. Première à droite. Non. La seconde à droite. Oui. La voilà. Pas de difficulté pour garer la voiture. En traversant le jardin, elle pataugea dans la boue et sentit l'humidité à travers ses semelles trop minces. Elle monta les trois marches du perron, sonna. Personne ne vint. Pourtant, il y avait deux fenêtres éclairées. Elle posa sa main gantée de noir sur le bouton et appuya sans le lâcher. Laffont lui-même ouvrit la porte. Il était en robe de chambre.

« Vous vous souvenez de moi ? » demanda-t-elle.

Laffont reconnut l'accent et la sécheresse du ton. Il tourna le commutateur de l'entrée. Le visage de l'Américaine, ses traits creusés, ses yeux cernés, trahissaient une grande fatigue.

« Je me souviens de vous. Entrez. »

Elle jeta un coup d'œil sur lui.

« Oui, dit-il, je suis en robe de chambre; je sors de mon bain. Je suis seul dans la maison; ma femme de ménage part à sept heures.

— Il est quelle heure ? demanda Ann Brandt.

— Il doit être neuf heures un quart, dit le médecin. Entrez dans mon cabinet. »

Ses grandes pantoufles claquaient sur le lino du couloir.

« Ce n'est pas pour moi, dit Ann, quand ils se trouvèrent dans le cabinet du médecin. Habillez-vous tout de suite, docteur. C'est pour un compatriote que j'ai bien connu à New York...

— Et alors ? » l'interrompit Laffont en s'appuyant sur son bureau.

Le regard expert d'Ann se posa sur le meuble.

« L'œil de l'antiquaire ! lança le médecin. Mais ce n'est pas un placement; mon père était menuisier et il l'a fait pour moi.

— J'ai ici un compatriote... », continua Ann difficilement.

Le regard du médecin était plaqué sur son visage comme une ventouse.

« Habillez-vous, docteur, je vous prie. Il faut que vous alliez voir mon compatriote, sans perdre de temps. Quand je l'ai quitté, il était évanoui.

— Vous avez quitté un homme inconscient ?

— Il n'a pas le téléphone », dit Ann.

Elle se laissa tomber sur une chaise.

« Il n'a pas le téléphone, reprit-elle. Il est gardien au cimetière américain de Saint-Laurent. »

Un sentiment d'agacement montait en Laffont comme une bouffée de chaleur.

« Vous ne voulez pas me parler de John Farrel ?

— Si, dit-elle.

— Je le connais. Il m'a eu une fois et, encore, je suis modeste : j'aurais pu dire deux fois. Je ne marche plus.

— Je vous dis qu'il était inconscient, docteur, insista Ann.

— Que savez-vous de l'inconscience, madame ? Quand quelqu'un ferme les yeux et ne vous répond pas, vous le croyez inconscient ?

— Il est inconscient », répéta Ann.

Il fallait convaincre le médecin.

« Je ne savais pas que vous le connaissiez... Vous ne pouvez pas être dirigé par vos sympathies ou vos antipathies. John Farrel est malade. Et c'est un peu à cause de moi. »

« Tous des cinglés, pensa le médecin, des dingues en voyage. » Il éternua.

« Je suis sorti de mon bain et j'ai eu à peine le temps de m'essuyer. Vous sonniez comme une folle. Pour rien. Je connais M. Farrel et je lui ai expliqué déjà que je n'étais pas psychiatre. Vous avez tous besoin de psychiatres ! De vous coucher sur le dos, de fermer les yeux et de parler.

— Votre esprit est aussi étroit que le couloir qui mène à votre cabinet, cria Ann. Vous êtes injuste. Laissez-moi téléphoner d'ici pour appeler un médecin de Caen. Je vous paierai la communication. Mais j'aurai une bonne opinion des Français !

— Et si je vous disais mon opinion des Américains ? dit Laffont.

— Vous n'avez pas honte ? dit Ann.

— Quelle est la preuve qu'il est inconscient, qu'il

ne va pas nous recevoir en rigolant et en nous montrant son dos ?

— Je n'ai pas vu son dos, mais j'ai vu l'intérieur de son pavillon. Comme une voleuse, j'ai ouvert ses tiroirs, son armoire. J'ai feuilleté ses livres. J'ai touché à tout ce qui est le plus sacré pour lui. J'ai souillé sa solitude. Croyez-vous, ou non, qu'il était inconscient pour me laisser faire ?

— Calmez-vous, dit le docteur. Avalez un verre d'eau; il y a un lavabo derrière le paravent. Je vais m'habiller. »

En attendant le docteur, Ann regarda l'austère cabinet médical. Il ne s'y trouvait que l'indispensable, comme dans une cellule de couvent. Le médecin qui recevait ici n'avait pas besoin d'un décor pour guérir. Il tolérait à peine la carcasse sans grâce de la table de gynécologie et le divan miteux couvert d'une toile cirée. « Ce n'est pas ici que je voudrais mourir », pensa-t-elle. Où aimerait-on mourir ? Elle s'imaginait, moribonde, dans le lit moelleux du Malherbe, ou dans son appartement somptueux de New York, ou dans le fauteuil Louis XV, derrière sa table décorée de bronze doré, dans son magasin. Aucune de ces éventualités ne lui convenait. Un petit sourire effleura son visage. « Donc, marmonna-t-elle, je voudrais vivre. » Elle avait si souvent déclaré, avec son détachement apparent, que la vie ne signifiait rien pour elle... Elle alluma une cigarette. « Je dois avoir l'instinct de survivre, se dit-elle à mi-voix, de survivre aux catastrophes, aux drames, aux joies malsaines.

— Vous parlez seule ? »

La voix du médecin la saisit. Piquée au vif, elle se leva.

« Je parle depuis un temps infini à quelqu'un qui me répond à peine. Je continue mon dialogue de sourd... Nous partons ?

— Vous êtes venue pour que nous partions, non ? » lui lança le médecin.

Ils traversèrent le jardin noir. Quand la grille se referma derrière eux, elle se tourna vers Laffont.

« Faut-il que j'y aille ?

— Seriez-vous le premier criminel qui ne voudrait pas revoir le lieu du crime ? Bien sûr, vous venez.

— Et je laisse ma voiture ? Je l'ai louée ce matin.

— Venez. »

Elle prit place à côté du docteur à contrecœur. Laffont démarra. Ann alluma une cigarette.

« Je parierais que vous préféreriez avoir un cancer du poumon plutôt que votre maladie de cœur, dit Laffont. Vous fumez comme on s'ouvre les veines : avec rage et désespoir. Quand vous vous blessez, c'est de la fumée qui s'échappe de la blessure et pas du sang, n'est-ce pas ? »

Elle se taisait. La voiture déboucha sur la route de Saint-Laurent.

« Vous connaissiez Farrel à New York ? »

Elle tenait sa cigarette comme on s'accroche à une ceinture de sauvetage.

« Oui.

— Il paraît qu'il était journaliste ?

— C'est vrai.

— Etiez-vous amoureuse de lui ?

— Moi ? dit Ann, étonnée. Moi ? Quelle idée...

— Pourtant, vous êtes venue le relancer. Préfère-t-on les anciens ennemis ou les vieux amants ?

— Vous dites n'importe quoi, fit Ann.

— Il est temps que je sache la vérité. Pourquoi avez-vous repris contact avec Farrel ?

— Nous nous sommes rencontrés par hasard.

— Je ne vous crois pas. Vous mentez comme on respire.

— J'ai l'habitude... dit Ann. C'était cependant un hasard. Je suis venue sur la tombe de Fred Murray, son meilleur ami...

— Pour vous recueillir ?

— Pour me réjouir.

— Alors ? dit Laffont.

— Alors, j'ai découvert que le gardien était Farrel.

— Vous étiez en relations avec Murray ?

— Il était mon amant.

— Il vous a abandonnée ?

— Comment le savez-vous ?

— On ne se réjouit pas gratuitement sur une tombe. Mais allons au fait. Je veux savoir avant d'arriver là-bas pourquoi Farrel est malade.

— Ils étaient très amis, dit-elle. Farrel lui était dévoué.

— Alors », la pressa le docteur. Et il appuya en même temps sur l'accélérateur.

« Alors, j'ai ouvert les yeux de M. Farrel.

— En lui disant quoi ?

— La vérité.

— Quelle vérité ?

— Il n'y en a qu'une... Je lui ai expliqué que Fred Murray l'avait dupé, que Fred Murray était un salaud... Je lui ai fait comprendre qu'il avait perdu dix-huit ans de sa vie pour la fiction d'une amitié... »

Laffont poussa un soupir.

« Vous les aviez souvent vus ensemble à New York ?

— Jamais.

— Que saviez-vous donc de leur amitié ?

— Tout ce que Fred m'en avait dit lui-même.

— Ah ! fit-il, satisfait. On approche de la source. Comment Murray considérait-il Farrel ?

— Il l'appelait « le pauvre imbécile ».

— Et vous avez raconté cela à Farrel ?

— C'était mon devoir, dit-elle. Je voulais le libérer de Fred.

— C'est votre façon d'être altruiste ? »

Ann se recroquevilla dans son fauteuil.

« J'ai démoli son faux héros. Farrel n'est plus l'esclave d'une idée.

— Il est seulement inconscient, dit Laffont calmement. C'est une forme de liberté... »

Il ajouta plus tard :

« J'ai horreur des destructrices.

— Farrel avait besoin d'une rupture avec son passé; le hasard m'a amenée, dit-elle.

— Vous avez vu Farrel combien de fois ? demanda le docteur.

— Depuis des jours, pendant des heures, je lui ai parlé. Je lui ai raconté ce qui s'était passé entre Fred et moi. J'ai démonté chacun des mensonges de Fred.

— Et quel est votre profit ? demanda Laffont. Une

femme d'affaires doit faire son bilan. Faites-le. A quoi cela vous a-t-il servi ? »

Elle haussa les épaules.

« C'est un homme qui vivait, avant votre arrivée, à l'extrême limite de sa résistance nerveuse, expliqua sèchement Laffont. Il considérait sa présence auprès de cette tombe comme une mission...

— Vous avez dû avoir une vie bien paisible, docteur, pour ne pas connaître la haine.

— Une vie paisible ? Figurez-vous, j'ai remplacé la haine par le dégoût.

— Le dégoût n'est que le refuge des lâches, dit Ann. Sous prétexte d'être dégoûtés, ils laissent tout passer autour d'eux.

— Et vous, dit Laffont en se tournant vers elle, vous vous croyez supérieure ? Farrel s'endormait, chaque soir, dans sa cathédrale intérieure et vous l'avez rejeté dans une tanière ! »

Les grilles du cimetière apparurent dans le clair de lune. La voiture s'arrêta sur la place réservée aux autos. Laffont quitta la voiture et ordonna à Ann : « Venez. »

Ann le suivit. Les fenêtres d'un pavillon étaient éclairées. Au loin, on entendait une chanson dont le refrain revenait : « L'école est finie, l'école est finie. » Ils entrèrent par la porte entrebâillée dans le pavillon de Farrel. Ann tourna le commutateur.

Dans la lumière, ils aperçurent Farrel par terre, le visage tourné contre le vieux tapis d'Orient. Laffont se précipita près du corps, le retourna et le prit dans ses bras.

« Vous avez pu le laisser par terre ? »

Ann eut peur de la voix du médecin.

« Quand je l'ai quitté, il était assis dans son fauteuil, la tête appuyée sur le dossier. Il a dû glisser. »

Laffont souleva les paupières de Farrel. Il déboutonna sa veste, effectua un rapide examen. John, toujours inconscient, était dans ses bras comme une marionnette.

« Qu'est-ce que vous attendez ? Allez, courez, appelez une ambulance.

— A qui m'adresser ? demanda Ann.

— Soudain perdue, n'est-ce pas ? dit le docteur. Je m'arrangerai... En attendant, apportez les couvertures de son lit, un oreiller et installez-le convenablement ici, par terre. »

Il sortit en courant. Ann exécuta les ordres du médecin. Elle enveloppa Farrel dans une couverture et elle resta auprès de lui, accroupie, vidée de toutes pensées. Entre-temps, le docteur avait, dans un autre pavillon, trouvé un téléphone et appelé l'hôpital de Caen.

« Merci, dit-il, après avoir raccroché l'appareil. Merci. Je suis venu rendre visite à M. Farrel. Je l'ai trouvé fort malade. Merci. »

L'autre gardien proposa de l'accompagner.

« Non, dit le docteur. Il y aura deux infirmiers dans l'ambulance. Prévenez seulement le bureau central et dites que le docteur Laffont, de Mosles, a emmené John Farrel à l'hôpital de Caen. »

Quand elle entendit la porte claquer, Ann ne broncha pas.

L'attente lui avait paru interminable.

« Qu'est-ce qu'il a ? souffla-t-elle.

— Je n'accepte pas d'avoir à vous donner d'explications, répondit le docteur.

— Il risque de mourir ? demanda Ann.

— Cela ne vous regarde pas.

— Si, ça me regarde, dit-elle.

— Auriez-vous des remords ? »

Elle ne voulait pas se rendre encore.

« Je suis curieuse », lança-t-elle, désespérée.

D'un mouvement rapide, le docteur se déplaça, la prit par les épaules et la mit debout.

« Ecoutez-moi bien, lui siffla-t-il au visage. Ou vous vous déciderez à avoir un comportement normal, je ne dis pas humain, ce serait trop demander, ou vous quitterez ce pavillon. Je vous garantis qu'on ne vous donnera aucun renseignement à l'hôpital; vous ne saurez plus rien de John Farrel.

— Je ferai téléphoner quelqu'un d'autre, répliqua-t-elle. Voulez-vous me lâcher ?

— J'aurais plutôt envie de vous tordre le cou.

— Un jour, dit-elle, d'une voix sans timbre, on m'a vidé le ventre et l'âme. Depuis, je ne suis plus rien. »

Le médecin la lâcha. Elle perdit l'équilibre. Retenue par les mains de fer du docteur, elle éprouva une sensation de souffrance heureuse. Pour la première fois depuis la mort de Fred, elle avait trouvé quelqu'un qui semblait plus fort qu'elle. La sirène de l'ambulance se faisait entendre déjà. Le son lancinant était un appel. Laffont accueillit, devant le pavillon, les infirmiers. Ils entrèrent avec un brancard sur lequel ils étendirent John Farrel enroulé dans ses couvertures.

« Ramenez la voiture devant ma maison, dit Laffont à Ann, et il jeta ses clefs sur la table. Vous la fermerez et vous me rapporterez les clefs à l'hôpital; vous les donnerez au portier. »

Les phares de l'ambulance balayaient la route. Le crachin tendait un voile humide sur le pare-brise. Assis près du brancard, Laffont chercha le pouls de Farrel. « Si vous pouviez me supprimer un jour, docteur. » Avait-il vraiment dit ces mots ? « Personne ne veut vraiment mourir et ceux qui prétendent le vouloir capitulent au dernier instant », pensa-t-il. Des spasmes secouaient Farrel. Il repoussait ses couvertures. Comme s'il était couché sur un lit de braises, il paraissait vouloir se détacher et fuir. Par moments, il fallait le tenir. Laffont essayait de chasser de son esprit toute phrase qui l'aurait agacé sur les lèvres d'autrui. Il avait horreur de cette situation qui l'obligeait à s'occuper de Farrel. Il aurait aimé le confier à un autre médecin et disparaître. Pourtant, il sentait obscurément que, pour garder Farrel, malgré lui, en vie, il fallait le connaître. Comment expliquer à un autre les fantasmagories, les hallucinations, les rêves de l'Américain ? Comment expliquer à quelqu'un qu'il supposait une méningite hystériforme ? Il n'y avait pas de temps à perdre. Ne pourrait-il être lui-même le frère de cet apôtre illuminé, un frère dans le paradoxe ? Dans sa jeunesse, lui aussi, il eût aimé sauver le monde. Avec son tempérament excessif, il n'y avait pas de murs qu'il n'aurait souhaité ébranler; il hurlait ses propres vérités au visage des gens. Per-

sonne n'avait voulu de lui. Qui voudrait de Farrel ? La
mort était assise dans cette ambulance. Elle tenait
déjà l'autre main de l'Américain. Cette idée agaçait
Laffont. Matérialiste, il était obligé de se pencher sur
quelqu'un qui luttait avec des ombres. De toute sa
volonté, il voulait comprendre Farrel. Il ne fallait pas
qu'il s'engage dans cette bataille avec la moindre
arrière-pensée de victoire personnelle. Tandis que
la voiture avançait, il se dégageait peu à peu de la
dure carapace formée au cours des années. Il finit par
frapper sur la vitre qui le séparait du conducteur.

« Ne dépassez pas Mosles; je ramène le malade
chez moi. »

L'infirmier acquiesça de la tête. Ils amenèrent ainsi
John Farrel dans la maison de Laffont. Celui-ci fit
monter le malade dans sa chambre, au premier étage.
Il sortit de l'armoire un de ses pyjamas. Les infirmiers
déshabillèrent l'Américain.

Les infirmiers partis, Laffont réveilla un de ses
amis, patron d'un laboratoire.

« Excuse-moi de te déranger si tard. C'est Laffont
à l'appareil. J'ai un malade à la maison, son état me
semble grave. Il me faudrait tout de suite une ponction lombaire.

— J'arrive, Roger, répondit une voix ensommeillée
à l'autre bout du fil. Je m'habille et j'arrive. »

Le docteur s'approcha de Farrel. Il couvrit d'une
serviette l'abat-jour de la lampe posée sur la table de
chevet. Il fallait l'obscurité. Puis il composa le numéro
d'Elisabeth. La sonnerie retentit longuement. Enfin,
elle décrocha :

« Tu dormais profondément, dit-il.

— Je dormais, oui.

— Tu ne devines pas pourquoi je t'appelle ?

— Je ne devine pas, répéta Elisabeth.

— Ah ! dit Laffont, je... Je voudrais...

— Quoi ? »

Il hésita.

« J'ai une nouvelle à t'annoncer. John Farrel se trouve ici, dans mon lit. Il est très malade. Si tu veux le voir...

— Je viens à l'instant même », dit Elisabeth.

Elle raccrocha. Laffont contempla l'écouteur et le remit en place. Il alla près du lit. Le médecin du laboratoire arriva. Il monta au premier étage en courant.

« Merci, lui dit Laffont. On peut toujours compter sur toi. »

Le docteur Frénet était un petit rouquin bienveillant à qui l'obligeance et le savoir avaient mérité, depuis longtemps, une réputation solide. Installé près du malade, avec l'aide de Laffont, il fit la ponction lombaire. Il opérait avec des gestes vifs et précis.

« Pourquoi ne l'as-tu pas emmené à l'hôpital ? demanda Frénet plus tard, en rangeant ses affaires.

— C'est un ami, répondit Laffont. Je désire le soigner moi-même.

— Tu auras besoin d'une infirmière, dit Frénet. Veux-tu que je t'envoie Mme Truffé ?

— Oui, bonne idée. Merci d'y avoir pensé.

— Je vais me mettre au travail, dit Frénet. Je te téléphonerai les résultats. Compte sur moi. »

Il partit. Laffont revint vers John. La porte d'une autre voiture claqua dans la nuit silencieuse. Des pas furtifs crissèrent sur le gravier du jardin. « Elisabeth », pensa Laffont. Elle montait déjà l'escalier. Elle entra dans la pièce sans frapper. Elle déboutonna son manteau et ôta son écharpe.

« Bonsoir, lui dit Laffont.

— Bonsoir », répondit Elisabeth.

Et, le regard attaché sur le visage de John, elle s'approcha de lui.

« N'y touche pas, dit Laffont. Assieds-toi sur une chaise. Il ressent chaque mouvement autour de lui. Tout lui fait mal. »

Elle obéit, se croisa les mains et observa les traits creusés de Farrel. Elle réussit à garder les yeux secs. Elle n'osait pourtant pas poser de questions.

« Pour te renseigner... commença Laffont.

— Oui, dit-elle, tendue à l'extrême.

— ... Je crois qu'il a une méningite hystériforme due à un choc psychique. S'il en est ainsi, il imite inconsciemment les symptômes d'une vraie méningite. Il souffre de la même façon. Il est dans une sorte de coma. Je saurai après l'analyse de la ponction lombaire si je peux le tirer d'affaire.

— Oui, dit Elisabeth machinalement. Oui, je comprends. »

Elle ne comprenait rien, sauf que Farrel était pour elle l'univers.

« J'attends l'infirmière, dit Laffont.

— Tu n'en as pas besoin, protesta Elisabeth, je le soignerai.

— Que le Dieu des croyants nous garde des amateurs ! Reste comme spectatrice, comme pleureuse, ça
m'est égal, mais, lui, il aura une infirmière, une
vraie.

— Tu as raison, dit Elisabeth. Tu as toujours eu
raison.

— Quand ai-je eu raison ?

— Tu as su avant moi que je l'aimais.

— Il est dans le coma, et tu penses à l'amour !

— Ne te moque pas de moi; je le supporterais
très mal, dit Elisabeth. Je voudrais qu'il vive pour
que je puisse le servir, ou simplement pour savoir
qu'il existe. Il n'y a aucun désir obscur en moi.

— Il est facile de faire des promesses auprès de
quelqu'un qui est dans le coma, dit-il.

— Je te suis reconnaissante de m'avoir appelée, dit
Elisabeth. Pourquoi l'as-tu couché dans ton propre
lit ?

— Parce que, dit Laffont, lorsque j'étais jeune, j'ai
souvent éprouvé l'envie de coucher dans mon lit des
malades qui n'avaient le secours de personne et de me
consacrer à eux. C'est une pensée que tu ne peux
saisir. »

Elisabeth le dévisageait.

« Tu ne me crois pas et je te comprends à peine.
Où en sommes-nous, nous-mêmes, Roger ?

— Oublions-nous, dit Laffont. Je me consacrerai
à lui. Si le cas est celui que je présume, il n'y a que
l'acte gratuit qui puisse lui donner une chance de
vaincre. Je vais faire ce que je déteste le plus : de la
psychothérapie. Il faut que je sois sûr de toi. »

Elisabeth ne détachait plus son regard de Farrel.

« Je voudrais simplement qu'il vive.

— Simplement ! Tu ne te rends pas compte. Il peut rester dans cet état pendant des mois. Nous serons associés dans la lutte, conclut Laffont. Si l'analyse est négative, si Frénet ne trouve pas la moindre trace d'une infection, tu auras ton rôle à jouer. De temps en temps, quand je te le dirai, tu poseras ta main sur son front et tu prononceras ces mots : « Ann Brandt est une menteuse, Fred était votre ami. »

— Qui est Ann Brandt ?

— Je t'expliquerai plus tard. Je vais voir si ma voiture est arrivée.

— Si tu pouvais m'expliquer un peu...

— Tu te souviens de cette Américaine qui a interrompu notre dernier dîner au Rabelais ? C'est elle, Ann Brandt.

— Oui », fit-elle, soudain glacée.

Laffont se retourna dans la porte.

« L'antiquaire américaine Ann Brandt a été la maîtresse déçue de Fred Murray. Fred Murray a été le meilleur ami de Farrel.

— Et puis ? interrogea Elisabeth.

— Et puis, elle est venue, elle a démoli Farrel en lui expliquant la vraie nature de Fred. C'est elle qui a provoqué ce choc. J'ai ramassé Farrel inconscient dans le pavillon. »

Laffont referma la porte derrière lui. Il traversa le jardin en frissonnant. Il sortit dans la rue. Il aperçut sa voiture. Une ombre se détacha auprès d'un arbre. C'était Ann Brandt.

« Comment va-t-il ? demanda-t-elle.

— Pourquoi êtes-vous revenue ici ? Vous deviez donner les clefs au portier de l'hôpital.

— Le portier m'a affirmé qu'il n'y avait pas eu d'admission ce soir. Je suis donc revenue ici...

— Pour savourer votre victoire, dit Laffont. N'est-ce pas ? Donnez-moi les clefs. »

Elle les lui tendit.

« J'aurais désiré une autre victoire.

— Rentrez à l'hôtel, couchez-vous. Si vous avez une crise, inutile de m'appeler. Adressez-vous à un médecin de Caen. Ils sont excellents et plus polis que moi. Bonsoir.

— Je ne m'en irai pas, dit Ann. Laissez-moi entrer dans votre salle d'attente.

— Vous m'offrez d'ouvrir ma maison à une vipère, dit le docteur.

— Laissez-moi m'asseoir dans votre salle d'attente...

— Votre place est au Malherbe.

— Je ne pourrai pas rester seule.

— Vous le serez en tout cas; et je n'ai plus de temps à perdre. J'ai un grand malade dans la maison. »

Ann ne répondit pas, s'emmitoufla dans son manteau et prit place dans sa voiture. Elle baissa la vitre.

« Je resterai ici, même si je devais en crever, dit-elle.

— A votre guise, répondit le docteur. Vous avez droit à une parcelle de trottoir, comme tout le monde. »

Il retourna chez lui. Ann Brandt s'installa dans l'attente.

Laffont dès lors transforma sa maison en une forteresse silencieuse. Les appels téléphoniques furent dirigés vers deux de ses collègues qui avaient accepté de le remplacer pour un temps indéterminé. L'infirmière s'était installée. Vêtue d'une blouse blanche, chaussée de pantoufles aux semelles de caoutchouc, elle avait pris son service comme un sacerdoce. Laffont l'appréciait surtout pour la sécurité qui émanait d'elle. Il avait besoin de son habileté réservée, de son endurance. Les résultats fournis par Frénet avaient permis de conclure effectivement au diagnostic qu'avait formulé Laffont. Comme relié à un fil à haute tension, le corps de Farrel, parcouru de spasmes douloureux, se cabrait souvent; dans ces moments, il fallait le tenir pour qu'il ne retombe pas hors du lit.

Depuis son arrivée, Elisabeth ne quittait pas le chevet du malade. Les mains croisées, immobile, elle regardait celui-ci lorsque, sans prononcer un mot, Laffont lui fit un signe. Elle le suivit dans une pièce communicante.

« Il souffre ? interrogea-t-elle.

— Il rêve. Dans l'état où il est, il doit revivre les étapes importantes de son existence. Il est engagé dans une course monstrueuse. Les ombres qui l'entourent le bouleversent, l'anéantissent. Elles veulent l'avoir !

— Les ombres ? répéta Elisabeth. Tu n'as jamais cru à une vie de l'au-delà.

— Si je veux l'aider, dit Laffont, il faut bien que je me mette à sa place. Lui, il croit à l'au-delà. Solidaire, je dois y croire aussi.

— Tu me fais peur, dit Elisabeth.

— Moi ? dit-il. C'est Farrel qui devrait te faire peur. »

Il reprit :

« On ne peut le guérir qu'en le comprenant. Descends, prends un café. Je vais avoir besoin de toi. Quand je t'appellerai, tu viendras et tu lui diras : « Fred était le meilleur des amis. »

— Ma voix n'y suffira pas, dit Elisabeth. Ce sont les mots d'Ann Brandt qui sont en lui.

— Il doit avoir en horreur la voix d'Ann Brandt.

— Comment pourrais-je imiter sa voix sans l'avoir entendue ? Il faudrait que ce soit elle qui prononce la phrase.

— Elle ne nous rendra pas ce service, dit Laffont. Elle fait partie des ombres qui veulent la mort de Farrel.

— A-t-elle une voix particulière ? demanda Elisabeth. Crois-tu que je puisse l'imiter ?... Mais crois-tu qu'on puisse tricher avec l'au-delà ? »

Elisabeth sortit dans le petit couloir qui menait vers l'escalier recouvert de lino. Sur la pointe des pieds, elle descendit à la cuisine où Anna, la femme de ménage, préparait le café. Celle-ci connaissait bien Elisabeth. C'était elle qui l'avait engagée. Avide de renseignements, Anna l'accueillit avec un large sourire.

« Que se passe-t-il, mademoiselle ?

— Oh ! Anna, fit Elisabeth, si je pouvais vous raconter... »

Anna versa du café dans un bol qu'elle plaça sur la table. Elisabeth s'assit et but une gorgée.

« Alors ? dit Anna.

— Le docteur ne vous a rien dit ?

— Je ne l'ai vu qu'un instant. Il m'a dit qu'il y avait un grand malade dans la maison et m'a interdit de faire du bruit. C'est tout... Voulez-vous que je vous fasse du café plus fort ?

— Plus tard, dit Elisabeth.

— Qui est ce malade ? reprit Anna.

— Un ami américain.

— Il ne serait pas mieux à l'hôpital ? »

Elisabeth hocha la tête.

« Je ne crois pas. Il est seul au monde. Nous sommes ses amis, le docteur et moi. Il restera ici.

— J'espère que ce n'est pas contagieux, s'inquiéta Anna. J'ai deux enfants.

— Non, l'interrompit Elisabeth, vous ne courez aucun danger.

— Pourquoi est-ce que je dois rester silencieuse, mademoiselle ? Il faudrait que je lave l'escalier et le couloir.

— Ne faites rien ce matin.

— Vous déjeunez ici, mademoiselle ? demanda Anna et elle passa les bols sous le robinet d'eau chaude.

— Déjeuner ? répéta Elisabeth. Je ne sais pas. En tout cas, je resterai ici. »

Un sourire inonda le visage d'Anna.

« Et vous vous marierez bientôt. Le docteur a besoin de vous, mademoiselle. Je n'ose pas me mêler de vos affaires, mais, depuis qu'il vous voit moins, il est si triste. Il me répondait à peine.

— Nous n'allons pas nous marier », dit Elisabeth.

Une petite cuillère s'échappa des mains d'Anna et tomba sur le carrelage.

« Vous n'allez pas vous marier ? Que fera-t-il sans vous ?

— Ne me posez pas de questions, Anna, je vous prie. Je ne suis ici que pour remplacer, de temps en temps, l'infirmière.

— Excusez-moi si j'ai... », dit Anna, confuse.

Elle ajouta à mi-voix :

« Devant la grille, dans une voiture noire, une femme attend. Qui est-ce ?

— Une femme ?

— Oui, allez près de la grille, vous la verrez. »

Elisabeth quitta la cuisine. Quand elle se trouva sur le perron, elle respira profondément l'air du petit matin. Frissonnante, elle remonta son col. Elle contemplait le grand jardin. Elle descendit lentement les marches et avança sur le gravier. Elle évita les flaques d'eau. Elle arriva à la grille, l'ouvrit et sortit. Elle aperçut, au bord du trottoir, la grande voiture. Elle s'approcha prudemment. A travers la vitre embuée, elle devinait une forme incertaine. Lentement, la vitre se mit à descendre. Elisabeth aperçut une femme décoiffée qui portait des lunettes noires. De ce visage, il ne restait, accessible aux regards, que le front large. Elisabeth essaya de découvrir les yeux derrière les lunettes foncées. Elle n'y parvint pas.

« C'est le docteur qui vous envoie ? demanda la femme.

— Non », fit Elisabeth.

L'autre s'étira sur le siège.

« Pourquoi attendez-vous là ? demanda Elisabeth.

— Qui êtes-vous ? demanda Ann. La femme de ménage du docteur ? »

Elisabeth hocha la tête.

« Non, une de ses amies. Et vous êtes l'antiquaire de New York ?

— C'est exact.

— Qu'attendez-vous ici ? »

Ann ôta ses lunettes comme, d'un geste sec, on détache un sparadrap. Le visage meurtri, le blanc des yeux sillonné de veines rouges, les paupières vidées, firent reculer d'un pas Elisabeth.

« Je vous fais peur ?

— Peur ? murmura Elisabeth. Non. Mais qu'attendez-vous là ?

— Des nouvelles de John Farrel.

— Pourquoi vous intéresse-t-il encore ?

— Donc, vous êtes au courant », dit-elle. Et son regard ne quitta pas Elisabeth.

En tâtonnant, elle trouva une cigarette, la porta à ses lèvres et fit fonctionner le briquet entre ses doigts jaunis.

« Le docteur Laffont a prétendu qu'il était tombé malade à cause de moi. Le docteur me déteste. J'ai l'intention de parler à John Farrel dès qu'il ira mieux. J'ai une question importante à lui poser.

— Pour qu'on puisse lui poser encore une question, il faudrait qu'il reprenne conscience, dit Elisabeth.

— On dirait que vous l'aimez », constata Ann.

Elisabeth rougit.

« Je le connais seulement depuis quelques semaines. »

Ann esquissa un sourire.

« Ici, en province, le moindre événement prend une dimension extravagante. C'est un raté comme nous tous.

— Je ne suis pas une ratée, dit Elisabeth.

— Oh ! si ! »

Ann avala une grande bouffée de fumée et continua :

« Ceux qui ont réussi dorment à cette heure-ci. Et vous, vous attendez, comme moi, au petit jour, des nouvelles d'un malade. Ceux qui ont réussi n'attendent rien de personne.

— Vous devez avoir froid, dit Elisabeth.

— J'ai froid, répondit Ann. J'ai mal à la gorge, j'ai les pieds mouillés, je me sens sale, je me dégoûte. Je donnerais mon manteau de vison pour une tasse de café.

— On n'a pas besoin de vison à Mosles, répliqua Elisabeth. Et vous aurez votre café. Entrez à la maison. »

Engourdie, Ann sortit difficilement de la voiture.

« Une nuit blanche abîme une femme », dit-elle. Elle dévisageait Elisabeth.

« Vous, vous pouvez vous permettre encore des insomnies. Moi, je dois avoir une mine de déterrée. »

Une pensée précise prit forme dans l'esprit d'Elisabeth.

« Venez », dit-elle.

Elle marchait devant Ann. Elle poussa avec douceur la porte, attendit qu'Ann entre et referma le battant avec un soin infini. Ann voulut dire un mot, mais

Elisabeth mit son doigt devant ses lèvres. Elles se trouvèrent à la cuisine. Anna les accueillit, étonnée.

« Faites-nous un bon café, bien fort, commanda Elisabeth. Deux grandes tasses. »

Elles s'assirent près de la table. La femme de ménage, muette, s'affairait autour de la cuisinière. Une légère vapeur couvrit les vitres.

« Je n'ai plus de cigarettes », dit Ann.

Elisabeth tira de la poche de son imperméable un paquet de Gauloises.

« Tenez. »

Ann en prit une et lança :

« Pourquoi ? Solidarité féminine ? »

Bouillonnant, le café montait dans la cafetière. L'odeur les effleura. La femme de ménage posa délicatement deux bols devant elles, les servit et quitta la cuisine. Ann but avidement. Elles restèrent assises, face à face.

« On lui a fait une ponction lombaire, dit Elisabeth. Cela fait très mal.

— Inconscient, il n'a rien senti, répliqua l'autre.

— Aucun de nous ne sait comment est son enfer. »

Elles retombèrent dans le silence. Soudain, la porte s'ouvrit; Laffont entra. Il devint pâle de colère. Elisabeth leva la main.

« Ne crie pas. »

Il dit d'une voix lasse :

« Pourquoi l'as-tu laissée entrer ? Elle traîne la mort dans son sillage. »

Ann le dévisagea.

« Vous me donnez trop d'importance, docteur. »

Elisabeth se leva.

« Roger, j'ai prié Mme Brandt d'entrer. Je ne voulais pas lui parler sans te consulter.

— Que veux-tu d'elle ? demanda Laffont.

— Qu'elle dise elle-même à Farrel qu'elle a menti.

— A quoi bon ? dit l'Américaine. S'il n'a pas la force de survivre sans un pieux mensonge, il vaut mieux qu'il cesse d'exister !

— Et vous, coupa sèchement Elisabeth, vous seriez peut-être plus heureuse morte ? Pourquoi offrez-vous ce bonheur à quelqu'un d'autre ?

— Une seule chose m'intéresse, répondit Ann Brandt.

— Quoi ? demanda Elisabeth.

— Savoir ce qu'a été le comportement de Fred Murray au cours des jours qui précédèrent le débarquement. Quelle revanche pour moi si quelqu'un pouvait me raconter comment il s'est senti coincé comme un rat, dans l'isolement total, dans le secret absolu, tandis qu'il n'y avait plus de communication possible avec quiconque au-dehors, plus de relations, plus rien, rien que la mort qui l'attendait sur la côte française ! Si quelqu'un pouvait me dire combien il avait peur !

— Eh bien, dit Elisabeth, aidez-nous à ramener Farrel dans le monde des vivants et il parlera. »

Laffont jeta un coup d'œil sur Elisabeth. Il venait de comprendre son plan.

« C'est vrai, dit Ann Brandt. La clef est Farrel.

— Alors, dit le docteur, sauvons-le.

— Je n'ai certes rien à perdre à vous écouter, dit Ann.

— Madame Brandt, reprit le docteur, vous allez venir près de Farrel et vous lui direz, de temps en temps, d'une voix haute et perceptible, de la même voix que vous aviez en lui parlant dans son pavillon, que vous avez menti.

— Autant me cracher dans la figure, protesta-t-elle. Rien n'est plus vrai que ma vérité.

— Il ne s'agit pas d'orgueil maintenant, dit le docteur, ni d'amour-propre. Il s'agit de la vie d'un homme.

— Pourrais-je avoir encore une tasse de café ? » demanda Ann.

Elisabeth la servit. Ils attendirent en silence.

« D'accord, lança Ann à la fin. D'accord. »

CHAPITRE XVI

L'HUILE épaisse, d'une odeur âcre, pénétrait dans les poumons de Farrel. Il se débattait dans les profondeurs de cet océan d'huile. Il respirait et avalait l'huile. Il voulait remonter à la surface; des plombs géants, attachés à ses pieds, le retenaient au fond. Par moments, il croyait recevoir de l'air par deux tubes monstrueux reliés à ses narines. Les bulles d'air arrivaient huileuses. Ses poumons se transformaient en une éponge saturée de matières grasses.

Il voyait, au loin, une caravane interminable de camions militaires conduits par des scaphandriers. L'huile formait des courants noirs qui le paralysaient. Comment soulever ses semelles de plomb ? Pourtant, il fallait arriver jusqu'à la caravane et prendre place dans un des camions. Il essayait de leur faire signe. Son bras droit n'existait plus, remplacé par une branche que terminait une étoile de mer gluante.

Les camions se déplaçaient lentement. Leurs phares phosphorescents projetaient des faisceaux verdâtres dans le noir. Des larmes d'huile coulaient sur le visage de Farrel. Il humectait ses lèvres et vomissait de l'huile.

Il avançait, terrorisé à l'idée que la file des voitures puisse passer sans l'apercevoir. Enfin, il arriva au bord de ce chemin lumineux. Les camions passaient maintenant si près qu'il aurait pu les toucher de ses bras transformés en branches humides. Pourtant, il aurait préféré cacher l'étoile de mer qui remplaçait ses mains, et il avait honte de cette infirmité.

Les camions aux bâches baissées transportaient des scaphandriers assis. Par moment, l'un d'eux ouvrait le hublot de son casque, et un crâne aux orbites creuses apparaissait. « Serait-ce possible qu'ils soient tous morts ? se demandait John. Fred, lui, devait vivre. Parmi ces milliers de scaphandriers morts, se trouvait Fred vivant. Il est leur prisonnier. Aurait-il la force de me faire signe ? »

Un des conducteurs s'arrêta et, derrière, toutes les voitures s'immobilisèrent. Il y avait une place libre à côté de ce conducteur. John voulait dire un mot, mais il n'osait pas entrouvrir la bouche. Il avait peur d'avaler de l'huile. Il faisait des gestes avec son bras-branche. Comme obéissant à un ordre, le conducteur relevait la fermeture de son casque, et le visage de Fred, souriant, accueillait Farrel.

Un immense bonheur emplissait le cœur de John. Peu importait de n'avoir que des branches au lieu de bras. Enfin, il allait pouvoir prendre place. Pourtant, il ne pouvait avancer d'un pas. Fred, continuant à sourire, ne pouvait pas descendre pour l'aider. Il était attaché au dossier de son siège par trois larges ceintures de cuir. L'une passait autour de ses épaules, une autre autour des hanches et la troisième enserrait ses pieds.

Il n'avait que ses bras libres pour conduire. « Où donc a-t-il pu mettre son manuscrit ? pensait John. Rien n'est plus précieux que ce manuscrit. » Il se tranquillisait en imaginant que Fred avait dû le cacher. Fred souriait toujours. Mais ses yeux restaient sans expression. John était saisi d'horreur à l'idée que Fred pouvait être mort comme les autres, que son visage humain n'était qu'un masque. Il joignait les deux étoiles de mer qui remplaçaient ses mains; il suppliait son ami. Celui-ci dégageait sa main droite d'un énorme gant noir et poussait un bouton. Les scaphandriers descendaient par grappes des camions. Ils flottaient. Ils avançaient l'un après l'autre; ils entouraient Farrel qui espérait un secours. Il savait que ces manœuvres aboutiraient à le libérer des poids attachés à ses pieds. Une scie électrique était avancée. Farrel se trouvait sur un plateau, comme une planche de bois sur le plateau qui glisse vers l'immense scie ronde en mouvement. La scie tournait, tournait... « Ah ! se disait-il, joyeux, on va scier mes chaînes. » Mais la scie lui coupait les jambes à la hauteur des genoux. Il n'en ressentait aucune douleur. Enfin libre, il était pourtant gêné par son sang qui coulait. Il flottait maintenant dans une tache rouge et il imaginait que les requins spongieux de cette mer épaisse viendraient, attirés par le sang, et le déchireraient avant qu'il puisse arriver au camion.

Les scaphandriers l'encerclaient, le saisissaient de leurs mains qui se resserraient sur lui comme des pinces de fer. Ils le plaçaient à côté de Fred qui avait refermé son hublot. John n'était plus certain d'être

auprès de Fred. Il regardait ce qu'il était lui-même
devenu. Les moignons de ses cuisses arrivaient juste au
bord du siège. Il posait ses deux étoiles de mer sur
ses deux blessures afin de ne pas tacher l'intérieur du
camion. Il constatait avec satisfaction qu'il ne saignait
plus.

Les camions démarraient. John découvrait sur lui un
vêtement de scaphandrier. De nouveau, il avait des
jambes. Il se sentait en sécurité et une immense gra-
titude le poussait vers celui qui était assis à côté de lui.
Fred ? Dès qu'il se rapprochait de lui, un courant électrique passait dans sa tête et la douleur le faisait
hurler. Il n'osait plus bouger. Il comprenait que le
moindre geste vers son ami déclencherait une douleur
intolérable.

Il disposait d'air dans le casque de son scaphandre.
Il ne respirait plus d'huile. La caravane s'engouffrait
dans un tunnel. Des lumières étincelantes passaient
devant les yeux de John. Les parois éclairées du tunnel
ressemblaient aux murs de lumière de Broadway. Les
néons s'allumaient et s'éteignaient à un rythme mécanique. Ces néons avaient d'étranges formes, celles
d'éclatants poissons violets, de silhouettes militaires
en vêtements rouges, d'une tête de mort. Dans les
orbites vides de celle-ci, deux ampoules clignotaient.
John commençait à manquer d'air. Après un tournant,
il découvrait l'enseigne d'un bar : « Le sac à dos. »
Il était sûr qu'il pourrait, là, se commander un masque
à oxygène. Il proposait à Fred de descendre. L'autre
devait vraiment être Fred parce qu'il était d'accord.

Ils quittaient le camion. Celui-ci repartait et disparaissait. John se sentait léger. Il entrouvrait difficilement la porte en fer du petit bar. Une très jolie fille, entièrement nue, une étoile d'or accrochée à son sexe, leur demandait leurs casques de scaphandrier pour les mettre au vestiaire. John lui faisait comprendre qu'il ne pourrait plus respirer sans celui-ci. La fille, condescendante, acquiesçait et se mettait à sourire. Sa bouche s'ouvrait comme une caverne noire; elle n'avait pas de dents. Les deux soldats s'engageaient dans un escalier en colimaçon qui descendait vers un lieu souterrain. Au lieu de trouver un bar intime, ils découvraient une salle de bal. D'innombrables béquilles décoraient les murs. Sur la piste, des éclopés dansaient; ils évoluaient avec aisance sur une seule jambe. Les mesures d'une valse viennoise perlaient sur les murs comme une rosée. La musique sortait par les fentes de ces murailles de rochers. Joyeux, John levait la tête et découvrait que les parois, en haut, se terminaient par une galerie au long de laquelle des mitrailleuses, dirigées vers les danseurs, étaient installées. Il apercevait une échelle de corde qui pendait. Il supposait qu'en montant il lui serait possible de désarmer les ombres jaunes qui s'apprêtaient à servir les mitrailleuses.

« Non, disait soudain Fred, je dois d'abord interviewer ceux qui dansent. Je ne vais pas rater le plus grand reportage de ma vie. Tu n'imagines pas que j'aurai peur des mitrailleuses... »

Il disparaissait. Une des mitrailleuses devait se mettre à crépiter. On ne l'entendait pas. Une vague cotonneuse se fixait sur les armes comme un silencieux. Les danseurs tombaient au fur et à mesure que les balles les atteignaient. Allongés, les bras en croix, et une fleur sur le cœur, ils peuplaient maintenant la piste. C'étaient des cadavres jeunes, élégants dans leur uniforme américain.

Il fallait retrouver Fred parmi ces morts. John restait seul debout. Il espérait être touché. Il ressentait une douleur déchirante dans le dos, mais il avait encore la force d'aller de l'un à autre. Ils portaient tous sur leur visage l'empreinte de l'avenir. La pureté planait sur eux comme une aura. Les traits apaisés témoignaient de la paix conclue avec Dieu. Où était Fred ? John s'agenouillait à côté de chacun. Il ne les effleurait que du regard. C'était toujours le même masque de la mort. Jusque dans sa mort, Fred aurait assurément refusé de porter un masque... John apercevait alors une porte dans le mur. Un espoir foudroyant l'envahissait : peut-être Fred se trouvait-il derrière. Il se précipitait. Il était désormais vêtu d'un uniforme impeccable et découvrait une fleur à sa boutonnière. « Pourtant, se disait-il, si je bouge c'est que je suis vivant. » De très loin, comme un écho, une voix qui lui semblait connue, arrivait vers lui.

« Je vous ai menti. »

Ce n'était pas une voix étrangère. Mais quelle importance aurait pu avoir un mensonge alors qu'il fallait chercher Fred parmi les morts ?

« Je vous ai menti », répétait la voix inlassable et désespérée.

Il ouvrait la porte et se trouvait dans un couloir. Il courait à perdre haleine pour retrouver Fred. Le couloir s'allongeait. Il courait maintenant sur un tapis roulant qui lui donnait l'impression d'avancer et qui le maintenait à la même place. « Il faut couper le courant qui actionne le tapis roulant », pensait-il. Des fils électriques brillants couvraient les murs comme des toiles d'araignées. Il s'accrochait à l'un d'eux. Une décharge électrique le faisait hurler, comme, quelques instants plus tôt, dans le camion. Quelques instants ? Ou quelques années ? Le temps, qu'est devenu le temps ? Cependant, le tapis s'arrêtait et il pouvait, lui, avancer. Le sentiment l'emplissait qu'avec sa douleur, il venait de se racheter. Il espérait arriver au bout du tunnel. Il se heurtait à une porte en fer. Celle-ci s'entrouvrait d'elle-même. Derrière, se tenait Ann Brandt, debout dans un cercueil ouvert. Elle portait des lunettes noires, un manteau noir. Malgré sa tête de mort, John avait bien reconnu Ann Brandt. Elle lui disait, d'un ton péremptoire :

« C'est maintenant que vous allez me raconter comment Fred s'est comporté à la veille du débarquement. Il a dû être coincé comme un rat ! Plus de contacts avec le monde extérieur, plus de coups de téléphone à donner; et les relations ne servaient plus à rien ! Racontez, parlez; dites-moi la vérité. Il était coincé comme un rat... »

Elle avançait le bras, ouvrait la main comme peut faire un prestidigitateur. Avec un dégoût profond, Farrel y apercevait effectivement un rat. Il poussait un cri.

« Refermez la porte et reprenez un autre couloir », entendait-il.

« Fred est votre ami sincère », recommençait une autre voix.

« Mon ami »... se répétait-il à lui-même. La voix disparaissait.

Il s'égarait dans un labyrinthe. Il poursuivait sa propre ombre. Les miroirs reflétaient son image. Il croyait découvrir partout des militaires. Comment retrouver Fred dans ce palais des mirages où sa silhouette dans l'uniforme américain se multipliait. Des centaines et des centaines de soldats qui portaient tous le visage de Fred couraient dans une seule direction. Il les suivait, il les interpellait. Etaient-ils sourds ? Personne ne lui répondait. Il se heurtait à un rocher; une mitrailleuse se mettait à crépiter. Il ressentait une douleur violente dans le dos. « Je suis atteint », pensait-il. Il sentait couler son sang. Il tâtait son dos. En grimpant par l'échelle de corde, il arrivait sur la plate-forme et, derrière la plaque de métal qui entourait la mitrailleuse comme un pare-feu, il découvrait Laffont.

« Quelle chance, criait-il, un médecin ! Merci d'être là, docteur. Je saigne. Est-ce un cauchemar, docteur ? Ce n'est pas un cauchemar, je saigne. Savez-vous que c'est le débarquement ? Pourquoi êtes-vous là ? Pourquoi tirez-vous sur nous ? Seriez-vous allemand ?

— Ce n'est pas le débarquement, disait Laffont d'une voix sèche. C'est une consultation. Nous sommes assis sur le mur de Berlin. Je l'ai trouvé assez large pour y ouvrir mon cabinet médical. Et j'ai du monde à soigner...

— Oh ! criait John, joyeux. Vous soignerez tous ceux qui seront blessés ici ?

— Non, disait Laffont, irrité. J'ai horreur des

malades imaginaires. Ils se croient tous blessés et ils
n'ont rien. Je suis en chômage, j'attends. Par moments,
je blesse moi-même quelqu'un afin de pouvoir le soigner.

— Vous serez donc satisfait de moi, docteur, repre-
nait-il avec ardeur, car je suis un vrai malade : je
saigne. Regardez mes mains, elles sont pleines de
sang. »

Laffont lui tendait un mouchoir en papier.

« Essuyez vos mains. Je n'aime pas voir le sang sur
les doigts. Montrez-moi vos blessures. »

John lui tournait le dos.

« Ce ne sont pas des blessures, disait le docteur avec
un mauvais sourire. Vous aimez le simulacre, monsieur
Farrel. Vous avez imaginé que vous étiez blessé.

— Vous connaissez mon nom ?

— Mais vous me l'avez dit.

— Peut-être, faisait John. Mais le sang sur mes
mains ne vous convainc pas ?

— Ce n'est pas du sang, disait le docteur, c'est une
illusion.

— Si je meurs devant vous, docteur, me croirez-
vous ?

— Vous n'avez aucune chance de mourir, répliquait
Laffont. Ce serait trop facile. On vous attend dans la
salle d'audience; le tribunal est réuni. Je suis juge.

— Je ne suis pas coupable, je ne veux pas aller
devant un tribunal.

— Vous êtes un criminel. Vous aimez trop la paix
pour qu'on vous laisse vivant. D'ailleurs, vous qui
aimez le simulacre, vous aurez un faux procès. Nous

allons vous condamner à mort, mais, d'abord, vous allez subir un interrogatoire. Dans le jury, se trouvent deux femmes. J'aime les femmes dans un jury; elles sont plus cruelles que les hommes. On peut toujours compter sur elles.

— Je n'irai pas à ce procès », disait John.

Le docteur hochait la tête.

« Comme vous êtes buté ! Vous pouvez essayer de vous engager sur n'importe quel chemin, vous arriverez forcément à la salle du tribunal. On vous y attend.

— Vous ne m'y verrez jamais », criait John et il replongeait dans le labyrinthe.

Il se heurtait aux portes.

« Je vous ai menti », disait une voix sans conviction.

Il connaissait pourtant cette voix, mais il ne pouvait pas la situer. Dès qu'il entrouvrait une porte, il butait contre Laffont ou Ann Brandt. A la fin, dans une course épuisante, il arrivait dans une petite pièce où Elisabeth l'attendait. Elle lui tendait une grande boîte.

« Des marrons glacés », disait-elle d'une voix cristalline.

Epuisé, il s'asseyait. Il voulait prendre un des marrons. Celui-ci se transformait en une petite souris amicale. Tous les marrons glacés se transformaient en souris. Ces souris couraient maintenant dans la direction d'Elisabeth, trottaient le long de ses jambes et se cachaient dans les plis de sa jupe.

« Je n'aime pas les souris, disait Elisabeth, mais j'aime les marrons glacés.

— Etes-vous aussi mon ennemi ? demandait Farrel.

— Non, répondait Elisabeth. Pourtant, je dois faire partie du jury pour être sûre qu'ils ne vous condamneront pas à mort.

— Vous ne pourrez pas me défendre, insistait John, vous êtes seule contre deux.

— Je vous défendrai, insistait Elisabeth. Je voudrais qu'un jour vous m'aimiez. Moi, je vous aime.

— Pour vous rendre service, je vais tuer les souris, disait Farrel, mais ne m'aimez pas. Je ne pourrais pas supporter la charge d'un sentiment de plus. Je dois retrouver Fred, rejoindre mon unité. Le débarquement, c'est peut-être demain, peut-être après-demain.

— Tout cela est déjà dépassé, disait Elisabeth. Vous ne vous souvenez pas du bal ? J'avais une robe blanche, j'ai dansé avec vous. Il y avait une forêt de béquilles autour de nous. Nous dansions dans une forêt de béquilles.

— Non, disait John, je ne me souviens pas. » Mais il ajoutait : « C'est là-bas que j'ai perdu Fred, il faut que je le retrouve... Voulez-vous mettre un instant votre main sur mon front ? »

Il sentait la main fraîche et apaisante d'Elisabeth.

« Si vous pouviez me prêter votre main, mademoiselle Lemercier, elle me protégerait des douleurs. J'ai des douleurs qui m'attaquent, qui me tenaillent.

— Laissez-moi courir avec vous, disait-elle. Nous pourrions courir ensemble et je garderais ma main sur votre front.

— Pour trouver Fred, raisonnait-il, il faut que je coure seul. Ne croyez-vous pas qu'on pourrait peut-être couper votre main ? Ça repousse très vite, une

main. On m'a sectionné deux jambes et me voilà sur
pieds, vous voyez.

— Je préférerais vous donner mon cœur, lançait-elle.

— Oh ! non, refusait-il. Si vous me donniez votre
cœur vivant, si vous l'arrachiez de vous-même, vous
seriez morte. Après, que ferais-je avec ce seul cœur
vivant ? Il battrait, mais je ne pourrais pas lui parler.

— Je ne peux pas vous laisser partir avec une
main morte sur votre front. Il n'y a qu'une main
vivante qui puisse vous soulager. Laissez-moi aller
avec vous, je vous en prie.

— Non, reprenait John, impossible. Merci quand
même pour votre aide. »

John se dirigeait de nouveau vers un des couloirs.
Il se mettait à courir après avoir franchi une porte
en métal. Il arrivait dans la grande salle des Hommes
Heureux. Un bonheur jamais connu l'envahissait. Fred
était là. Il l'embrassait, il le serrait sur sa poitrine. Il
était beau dans son uniforme. John ne se souvenait
pas que son ami était aussi beau.

« Voilà, disait Fred; enfin, tu es là, mon ami, mon
unique ami, mon sûr ami. Toi qui es pour moi plus
qu'un frère de sang. Toi, le seul qui pénètres mon
âme, qui me connaisses avec mes défauts, qui acceptes
de moi le meilleur et le pire... Si j'étais croyant, je te
considérerais comme un envoyé de Dieu. La lumière
de ta pureté éclate autour de moi comme un feu.
J'ai besoin de me confesser à toi. Moi, homme sans
religion, très faible ou très fort, il faut que je parle.

Depuis des années, je t'écoute et je n'ai presque rien
dit. Je voudrais avoir le temps de t'avouer tout ce
que je n'ai pas exprimé depuis que nous nous connaissons. Je ne suis pas foncièrement mauvais, je suis simplement humain. Mes faiblesses ont dépassé souvent
mes forces. Je voulais être à tes yeux celui qui est
digne de toi. Tu m'inspirais un sentiment d'infériorité.
Comment raconter à un glacier éblouissant qui brille
dans le soleil, les éclats minuscules, les étincelles
aussitôt éteintes, les petites chaleurs malsaines qui
réchauffent si bien un pauvre être terrestre ? Comment
t'expliquer que, après avoir aimé, on puisse haïr ?
Une femme m'a aimé et son amour s'est transformé
en haine... Au fond, je considérais le monde comme
un immense terrain qui se prête ou non à une réussite. Mais pour moi, John, le monde a changé... Pardonne-moi. Je n'ai jamais voulu être militaire. Je
t'ai menti quand je t'ai entraîné au bureau de recru-
tement. Il fallait que tu imagines que j'étais un apprenti
héros, que j'étais nourri de grands sentiments... Toi,
tu me suivais, diminué par ton infirmité, ces lourds
siècles hongrois que tu traînes dans ton sillage. Tu
étais riche de passé. J'étais rempli de riches promesses.
Tu espérais enfin devenir un véritable Américain. Moi,
je voyais la possession du journal... Nous croyions
trouver le salut en endossant l'uniforme. Nous sommes
entrés dans ce bureau des engagements comme dans
l'antichambre d'un paradis. Te souviens-tu comme je
t'ai affirmé, jusqu'au dernier instant, mon courage ?
Pourtant, John, j'avais peur. Je suis arrivé ici éperdu
d'angoisse, épuisé de terreur. Je ne cessais de me répéter

que l'enjeu ne valait pas le sacrifice, que le journal ne
valait pas le risque de mourir. Eh bien, depuis que
nous sommes là, dans ce camp sur la terre anglaise,
avec tous nos frères, avec tous ceux qui sont destinés
à sauver l'Europe et la liberté, il est vrai que nous
nous sentons meilleurs, que nous sommes devenus la
fleur d'une génération.

— Tu as toujours pensé ainsi, disait John. Tu n'as
pas changé.

— Mais non ! criait Fred. Je suis, bien sûr, resté
un égoïste absolu. Seulement, j'ai compris que le
monde existe autour de moi. L'Amérique existe, John.
Je n'ai jamais vu tant de jeunesse, tant de beauté, tant
de projets. Nous sommes entrés dans l'éternité quand
nous avons franchi les portes de ce campement. Le
temps nous oublie et nous ne sommes plus les mêmes. »

Fred reprenait :

« Le temps nous guette aussi, et nous sommes sa
proie... Nous sommes livrés aux minutes, aux instants
qui passent. Nous prolongeons notre vie d'une nuit
à l'autre. Il y aura beaucoup de morts, John. Mais je
leur élèverai le plus grand monument qu'on ait jamais
édifié aux soldats d'une guerre. Regarde. »

Il brandissait une liasse de feuilles de papier devant
John. Ces feuilles se détachaient et tombaient par
terre. John se mettait à les ramasser avec Fred. Chaque
page portait un nom et un numéro.

« Dis, John, tu te souviens qu'on m'appelait « le
type sans carnet », le « maître de l'improvisation ».
J'étais celui qui aurait pu bâtir un building sur un
fil de fer ! Depuis que nous sommes là, j'écris. Le

temps nous oblige à attendre ; j'attends le succès. J'attends l'événement. J'écris. Regarde ces soldats. Je passe de l'un à l'autre, je leur parle, je les questionne. Au début, tu te souviens, je ne cherchais qu'à quitter le camp ; j'aurais voulu en forcer les barrières, sortir par les égouts ou par les cheminées, m'évader, quitter cette couveuse de morts. Pour la première fois de ma vie, je me suis heurté à une volonté plus forte que la mienne, à la rigueur militaire plus dure qu'une plaque d'acier. Il y avait un temps où je répétais qu'on s'arrange toujours, qu'on s'en sort toujours... Te souviens-tu, John ? J'ai compris ici qu'on ne pouvait plus s'arranger ni s'en sortir. J'ai cessé de combattre contre mon propre destin. J'ai décidé de saisir l'occasion unique, celle qu'un journaliste ne doit pas manquer. Quel titre extraordinaire, et vécu ! Tu sais, John, comme j'ai aimé les titres. Pour un beau titre, il m'est arrivé de maquiller les faits ; je savais faire vendre le journal. Mais celui-là : « Le débarquement », pas besoin de l'inventer, puisque c'est la vérité. Nous nous trouvons, actuellement, dans le plus sensationnel des faits divers de l'Histoire. Il pourrait apparaître comme le mensonge né d'un cerveau dément. Pas dans le mien, John. Je n'oserais quand même pas aller aussi loin. Le débarquement : cette vérité invraisemblable est vraie. Je serai avec toi sur un de ces bateaux fantômes qui s'approcheront de la côte, fantôme moi-même. Mais je ne serai ni préoccupé par des pensées héroïques, ni paralysé par la peur de mourir. Je chercherai un téléphone, j'emprunterai des vêtements civils uniquement afin de pouvoir téléphoner. Moi, Fred Murray, je téléphonerai à ma rédaction et je leur raconterai l'événement par téléphone. Je serai le premier. Je déserterai pour pouvoir téléphoner à New York !

— Qu'as-tu déjà écrit ici ? » demandait John.

Il se mettait à lire les pages éparpillées. Il se débattait contre cette liasse de feuilles. Elle représentait un poids impressionnant !

Ils étaient entourés de jeunes soldats. Les lits superposés couvraient les murs comme de curieuses bibliothèques où chaque volume aurait été un homme dont le jeune visage tendu se tournait vers John et vers Fred. Des échelles reliaient ces étages de lits. Leurs têtes, auréolées d'une lumière jamais connue, semblaient immatérielles. Fred les désignait de sa main.

« Ils m'ont tout dit, criait-il.

— Que leur as-tu demandé ?

— Tout, disait Fred. Je suis allé de l'un à l'autre, je leur ai posé des questions. Regarde. »

Il tirait une feuille de la liasse tenue par John.

« Regarde : des noms. Celui-ci est mécano près de Cleveland. Il n'a que vingt-deux ans. Il voudrait revoir sa petite voisine.

— Ton écriture est devenue lisible, remarquait John. Elle paraît aussi proche et grande qu'à travers une loupe.

— J'ai fait attention, soufflait Fred. Très attention. » John lisait le récit.

« ...Il est en face de moi, ce mécano tout blond, tout jeune; il a les yeux bleus. Il a pu chasser la peur de ses pupilles, au moins pour quelques instants.

« — Monsieur Murray, me dit-il d'une voix au

« débit précipité, vous êtes un célèbre journaliste.
« Quel honneur pour moi que vous vouliez m'inter-
« viewer. Je ne voudrais pas mourir, monsieur Murray.
« Si vous pouviez intervenir auprès de Dieu; vous
« avez tant de relations... J'ai des projets, monsieur
« Murray. Je voudrais reprendre le garage de mes
« parents; je leur assurerais leur avenir, ils ne travail-
« leraient plus. Je crois que j'épouserai la petite
« voisine; elle est gentille avec ma mère. C'est impor-
« tant quand on habite ensemble. Ma mère voudrait
« que je me marie. Avez-vous vu souvent des mères
« qui veulent que leur garçon se marie ? Quelle
« abnégation, n'est-ce pas ? Monsieur Murray, j'aime-
« rais avoir ce garage. Au début, je pleurais de peur.
« Vous êtes si célèbre et si sûr de vous-même. Vous ne
« devez pas connaître la peur. Mais moi, j'ai pleuré
« de peur. Pourtant, l'attente, je crois, m'a rendu
« meilleur que je n'étais. Je vivrai pour mes parents,
« j'épouserai la petite voisine. Nous fêterions en
« famille le Thanks Giving Day... »

Dans le texte, Murray lui posait la question :

« — Vous qui avez tant de projets, vous n'avez pas
« l'impression que la guerre a abîmé votre vie ? Au
« lieu de songer tranquillement à la petite voisine, ne
« vous demandez-vous pas ce que vous êtes venu
« chercher ici, avec le risque de mourir pour des
« inconnus, et même pas pour les vôtres ? »

Le récit continuait :

« Les yeux bleus de l'Américain étaient devenus
comme des étoiles.

« — Il faut penser aux autres, monsieur Murray.

« Je ne regrette rien. Il faut rendre service aux voisins.
« L'Europe, la pauvre Europe, elle est notre voisine. »

« — Attention, disait John. Conserve l'ordre des
« pages. Tu les as bien numérotées ? »

« Fred s'exclamait :

« — Je n'ai jamais été aussi précis dans ma vie. Je
« ne sais pas où tu étais, John; je n'ai pas pu te
« raconter avec quelle peine j'ai pu obtenir du papier.
« Comment expliquer que je voulais écrire ? Pendant
« deux jours, je suis allé de bureau en bureau. J'ai
« dû raconter quasiment l'histoire de ma vie, et, dans
« chaque bureau, il m'a fallu répéter que je souhaitais
« écrire mes souvenirs pour ma mère... Je n'ai pas dit
« que j'étais sur le plus grand reportage du siècle.

« — Tu leur as menti ? »

La voix de John résonnait dans la salle.

« Est-ce mentir, criait Fred, lorsqu'il s'agit d'une
bonne cause ? On ne m'aurait jamais donné de papier
si j'avais dit la vérité... John, je veux gagner le prix
Pulitzer. J'ai compris, dans un camp, la puissance
du crayon et du papier, le bonheur de pouvoir s'exprimer, le bonheur que représente cette exceptionnelle
rencontre avec l'Amérique. J'ai pu vaincre ma peur.
Je suis devenu Américain, un vrai. Et eux, ajoutait-il,
ardent, ceux que j'ai questionnés, ils n'osent rien me
cacher. Personne n'ose tricher quand la vie est en
balance. Donc, tu vois la valeur de chaque confession.
Ces êtres ont tout donné d'eux-mêmes; ils ont livré
leurs secrets. Regarde. »

Il tirait, comme une carte, une autre feuille du
paquet. John lisait un autre nom.

« ...J'étais un joueur. Rien ne m'intéressait que le jeu. La guerre, je l'ai considérée aussi comme un jeu. Je ne suis plus joueur. Depuis que j'ai compris que les dés jouaient ma vie, j'ai cessé de parier. Si je perdais... Je prie du matin au soir. Le jeu, pour moi, maintenant, c'est Dieu. Au lieu de jouer, je prie. Si j'avais une chance de survivre, je serais un autre. Je ne jouerais plus jamais. Monsieur Murray, nous nous trouvons, actuellement, au purgatoire. Quel chemin nous mènera à l'enfer ou au paradis ? »

— Regarde, criait Fred. Aurais-tu pu imaginer qu'un bookmaker parle ainsi ? Nous sommes entourés d'anges.

— Tu les idéalises, disait John calmement. Tu donnes dans l'autre extrême.

— Mais non, protestait Fred. Ils sont réellement ainsi; c'est cela qu'on n'a jamais vu... La peur les rend dignes, honnêtes, propres. Lis donc...

« ...J'ai pu commettre, il y a cinq ans, ce qu'on appelle le crime parfait. Personne n'a jamais su comment cet homme, au bord d'un chemin perdu dans les montagnes, a été tué. Personne. Je l'ai attiré là-bas. Sans laisser la moindre trace écrite ni verbale. Un guet-apens par téléphone. Je téléphonais des cabines publiques, dans la rue. Aucune possibilité de repérer l'origine des appels. Oui, monsieur Murray, le crime parfait... Je vous autorise à publier, dans votre journal, ma confession, et si je survis, j'accepterai le châtiment. Je crois que je sortirais de prison la tête haute, parce que, même si j'ai tué un homme, ensuite j'aurai lutté pour l'Europe. Au début, je ne

voulais pas vous raconter cette histoire. Mais a-t-on
le droit de mentir en un tel moment ? Il faudrait
être audacieux pour tenter d'abuser des puissances
occultes. Très vite, quand vous m'avez parlé, monsieur
Murray, j'ai su qu'il fallait que je vous avoue la vérité...

« — Etes-vous sûr de ne pas le regretter après ? »
avait demandé Fred.

« — Tout à fait sûr, monsieur Murray. Si je ne vous
« avais pas avoué mon crime, j'aurais eu la certitude
« de mourir sur la côte française. »

— Voilà, disait Fred. Je tiens le plus extraordinaire
témoignage humain. Ce livre saisira l'Amérique comme
un trait de feu. Il faut donner au lecteur, dans un
récit, la sensation qu'il y participe lui-même, qu'il
aurait pu être dans la même situation, qu'il aurait été
alors aussi remarquable et bon... Je veux gagner le
prix Pulitzer, John !

— Je crois que tu l'auras », répondit John.

Un soldat venait vers eux.

« Le commandant vous attend.

— Quel commandant ? chuchotait Fred à l'oreille
de John.

— Tu ne sais pas que nous avons rendez-vous avec
Dieu ? disait John. Tu l'as oublié ?

— Oh ! non, gémissait Fred. J'ai toujours vécu dans
l'idée qu'il n'existait pas. Pourquoi viendrait-on me
mettre devant un fait accompli ? C'est trop facile
de m'amener devant un commandant et d'affirmer
qu'il est Dieu. »

Le soldat passait devant eux. Le regard des autres

les suivait. Un Homme en civil, fatigué, les traits creusés, assis derrière un bureau, les accueillait.

« Venez.

— Tu vois, ce n'est pas Dieu », disait Fred à John.

John avançait, hypnotisé, vers l'Homme assis derrière la table. Un regard de celui-ci les arrêtait. Ils restaient figés au milieu de la pièce.

« Vous êtes de très bons amis, n'est-ce pas ? » disait l'Homme.

Ils faisaient oui de la tête.

« Qui suis-je ? » demandait l'Homme.

Pour la première fois de leur existence, depuis qu'ils se connaissaient, c'est John qui prenait la parole :

« J'ai la certitude que vous êtes Dieu.

— Qui vous donne cette certitude ?

— Ma foi héréditaire.

— Est-elle héréditaire, la foi ? Avez-vous accepté de croire sans raisonner ?

— J'ai accepté de croire sans raisonner.

— Avez-vous éprouvé des doutes à mon sujet ?

— Si cela m'arrivait, je vous écartais de mes pensées, répondait John.

— Et quand on me critiquait ?

— Je vous enfermais au contraire dans le plus secret de moi-même.

— Serait-ce de l'humilité ? » demandait l'Homme.

Et il reprenait :

« Qui suis-je ?

— L'Univers qui nous entoure.

— Avez-vous confiance en moi ?

— Involontairement, disait John, j'ai toujours participé à vos souffrances. Avant d'arriver ici, dans cette salle, on m'a menacé d'un tribunal. Mon dos écorché saignait. Je pensais à vous.

— Quelle interview ! s'exclamait Fred. Je vais pouvoir dire que j'ai interviewé Dieu !

— Vous êtes volubile, constatait l'Homme.

— La parole, c'est la vie, monsieur, ajoutait Fred. Les morts se taisent. Si vous pouviez me dire... Oh ! je n'ai ni crayon ni papier; il va falloir que j'enregistre, que je n'oublie pas un mot. Monsieur, disait-il, supposons que vous soyez Dieu, répondez à la question que tous les croyants vous posent depuis des siècles : pourquoi acceptez-vous les guerres ?

— Monsieur Farrel, disait l'Homme en se tournant vers John, poseriez-vous la même question ?

— Non, disait Farrel. Depuis que j'existe, je sais qu'il faut accepter...

— Je ne te croyais pas si paresseux, insistait Fred. Profite de ce reportage...

— La gloire, monsieur Farrel, demandait l'Homme, aimez-vous la gloire ?

— Oui, criait Fred, il devrait l'aimer ! Mais il n'a jamais voulu se l'avouer. Même pas à moi. Et je suis son meilleur ami.

— Qu'est-ce que la gloire pour vous ? demandait l'Homme en fixant son regard sur Farrel.

— La gloire, pour moi, c'est la paix avec moi-même, disait John. Les nuits tranquilles. La conscience calme. Et c'est la paix des hommes.

— Dis-lui, le poussait Fred, que tu n'aimes pas les murs qui séparent les êtres.

— Avez-vous pu avoir, avec ceux qui vous entouraient, autant de contacts que vous auriez voulu, monsieur Farrel, demandait l'Homme. Ont-ils compris que vous aviez besoin d'amitié, de franchise ?

— Trop souvent, je n'ai pas osé les aborder; j'attendais tout de vous. Mais comment imaginer que le commandant de cette gigantesque armée qu'est l'humanité puisse être préoccupé par les simples pensées d'un soldat ?

— Oh ! disait Fred, demande, demande si nous allons vivre; c'est l'occasion !

— Vous pouvez partir, disait l'Homme. J'ai tous les autres à voir encore.

— Demande pourquoi il semble si fatigué, insistait Fred.

— Parce que je perds mon sang », disait l'Homme.

Il levait les mains et on y voyait les traces de clous. Fred et John se retrouvaient dans un couloir.

« Formidable, répétait Fred. Formidable. Ce sera mon dernier chapitre : l'entrevue avec Dieu.

— Je crois maintenant que tu auras le prix Pulitzer, disait John. Tu seras célèbre. Tu vas vivre. »

Fred poussait un hurlement et se pliait en deux.

« Tu viens de me tuer, John. Tu m'as tué avec cette phrase. Comment as-tu osé prononcer ces mots porte-malheur, affirmer que je vais vivre ? »

Les larmes coulaient de ses yeux. Il était là, par terre, près de ses papiers. Il sanglotait comme un enfant.

« Mon meilleur ami m'a tué; John Farrel m'a tué. Tu sais comme je suis superstitieux. Tu m'as tué.

— Tu pleures comme un enfant, disait John. Tu es en train d'écrire le récit du siècle et tu pleures comme un gosse.

— Je ne veux pas qu'il soit publié, si je meurs, sanglotait Fred. Je ressusciterais de jalousie, je ne pourrais pas supporter ma propre gloire sans être présent... Dis que je suis un égoïste, un imbécile, n'importe quoi ! Mais retire la phrase que tu viens de prononcer. Dis même que je vais mourir... J'écris depuis que nous sommes là. Regarde comme les lignes sont serrées; cela va faire un gros bouquin. Mais que serait-ce sans moi, si je devais disparaître ? Je veux recevoir le prix Pulitzer et être vivant quand on me le décernera. Souvent, je t'ai pris tes idées, John. C'était seulement parce que tu n'aurais pu les réaliser. Cette fois-ci, pourtant, c'est à moi qu'ils ont parlé; c'est mon œuvre. J'ai ici, dans ces papiers, toute l'Amérique. Et toute l'Amérique achètera mon livre. Tu sais, John, combien j'ai obtenu difficilement deux pochettes imperméables. Je vais partager le manuscrit et l'enfermer hermétiquement dans ces deux sachets que je m'attacherai sous les aisselles. Je veux sortir en vie de cette guerre avec mon manuscrit intact.

— Tu vas vivre, j'en suis sûr, continuait John.

— On dirait que tu veux me perdre ! hurlait Fred. Je t'en supplie : cesse de me dire que je vais vivre.

— Te perdre ? disait John avec pitié. Je donnerais ma vie pour toi, à l'instant même. Tu le sais. Ton manuscrit te sauvegardera ! »

Plus tard, dans l'infini du temps, les bateaux avançaient sur une mer noire. John et Fred se trouvaient dans la même embarcation. Des hommes, la tête cachée par un casque de scaphandrier, ramaient. Ils étaient attachés à leur siège par des chaînes en cuivre.

« J'ai horreur de l'eau, disait Fred. J'ai mis trois ans pour oser nager. Je n'aimais pas ce contact visqueux avec la mer. Quand nous étions ensemble à Santa-Monica, — tu te souviens ? — tu nageais comme un poisson et moi, je préférais me griller au soleil. Le soleil ! Où est le soleil ? L'intervention de Norman Mills nous a aidés, n'est-ce pas ? Nous avons pu rester ensemble. Nous avons pu prendre place dans la même barque. Ferais-tu tout pour moi, John ?

— Oui, répondait Farrel.

— N'importe quel sacrifice ?

— Oui, répétait Farrel.

— Et pourquoi ? demandait Fred. Pourquoi m'aimes-tu à ce point ? Crois-tu que j'en vaille la peine ? Je t'ai si peu raconté de ma vie. Nous étions souvent ensemble et, pourtant, j'ai gardé mes secrets...

— L'amitié, disait John, n'est pas un échange obligatoire de confidences. Tu m'as délivré de ma solitude. Nous étions faits pour être amis. Tu as été pour moi le premier et le seul ami, Fred.

— Pourquoi cette mer est-elle si noire ? demandait Fred. La côte française n'est qu'une brume phosphorescente. Le moment va venir où nous descendrons de ce bateau. Nous devrons tous nous jeter dans l'encre glaciale. Personne ne pourra plus rien pour nous.

— Dieu nous surveille, disait John.

— Tu ne te rends pas compte, disait Fred, de l'administration qu'il doit avoir ! Canaliser toutes ces prières qui viennent vers lui ! Et tous les Allemands prient en même temps; tous nos adversaires demandent en même temps la même grâce que nous ! Tu as bien vu qu'il était fatigué... »

John répondait :

« Il perdait son sang; mais il était bon avec nous. Compréhensif.

— John, continuait Fred, fièvreux, si jamais tu mourais... »

John l'interrompait :

« Tu avais si peur de cette phrase, pourquoi la prononces-tu ?

— Je la prononce, disait l'autre, parce qu'elle te concerne et que toi, tu n'es pas superstitieux. Si tu disparaissais, John, je garderais ta tombe.

— Ne fais pas de promesse, Fred. Rien ne paralyse plus qu'une promesse... Tu seras sauvegardé par ces pages remplies de confessions humaines, que tu portes sur toi.

— Elles sont dans mon paquetage, précisait Fred.

— Tu ne les as pas cousues dans ta veste ?

— Non, disait l'autre, non.

— Je suis persuadé que ce manuscrit te sauvegardera, continuait John.

— Et si j'étais persuadé du contraire ! » lançait Fred.

John se tournait vers lui.

« Ces confessions devraient te protéger comme une

armure céleste. Aie confiance en ce manuscrit. Tout
ce qu'il y a de noble, de pur, de vrai, dans les hommes
avec qui tu as parlé, se trouve condensé dans ces
feuillets. Pourrait-on demander de Dieu une plus
grande faveur que de préserver ce trésor ? Tu possèdes
la preuve que les hommes ont été créés à l'image de
Dieu et que, s'ils sont capables du pire, ils peuvent
être aussi à la hauteur du plus grand sacrifice.

— Tu es toujours romantique ! fit Fred. Il haletait.
Mon chevalier du Moyen Age ! Pourquoi n'as-tu pas
une épée au côté, et une croix dans ta main droite ?
Et si j'imaginais, moi, que tous ces gens qui m'ont
parlé, regrettent maintenant ce qu'ils ont dit ? S'ils
espéraient de toutes leurs forces que je meure ? S'ils
se disaient tous en eux-mêmes : « Pourvu que ce
« journaliste, qui a profité d'un moment de faiblesse,
« disparaisse et que la mer l'emporte avec nos confes-
« sions ? » Prends plutôt sur toi ce manuscrit puisque
tu crois à la bonté humaine, à la pureté des âmes. Tu
ne peux pas avoir peur de lui. Je dirais même que je
t'en fais cadeau. J'ai vécu de tes idées pendant des
années. Je pourrais t'offrir ces pages si tu acceptais
de les prendre...

— Tu es complètement fou, disait John. Un fou
généreux.

— L'encre noire va nous arriver jusqu'aux narines,
bégayait Fred. Je suis un très mauvais nageur.

— Nous n'aurons pas à nager », disait John.

Fred s'agrippait à lui.

« Le manuscrit est dans mon paquetage. Je le conserve avec moi; tu m'as dit qu'il me protégerait. Je

te crois; il n'y a pas de raison que je doute de tes
paroles. Tu es mon meilleur ami.

— Enfin, tu deviens raisonnable », disait John.

Fred le tenait maintenant par la main.

« Je te demanderai une seule chose, John, en signe
d'amitié. Pour que je puisse sentir sur ma peau ta
chaleur, pour que j'aie ta présence aussi comme une
sauvegarde, échangeons nos vestes. Ce n'est qu'un
pauvre petit symbole, John, rien de plus. Nous
garderons chacun nos affaires; mais nous pouvons
changer de veste : nous avons le même grade et la
même taille.

— Echangeons nos montres, disait John. Ce serait
plus simple.

— Tu ne me comprends pas, criait Fred. J'ai froid,
j'ai besoin de sentir ta veste sur moi. Avec ta veste,
j'aurai le courage d'affronter ce qui nous attend. Ne
m'abandonne pas; aide-moi à franchir la dernière
étape avec dignité. »

Dans les lumières étranges de l'aube, dans la barque
secouée par les vagues d'encre, ils faisaient l'échange
de leurs vestes. Le visage de Fred s'épanouissait maintenant.

« Attends, je vais t'aider à remettre tout ton harna-
chement... Voilà. »

Il soupirait.

« Grâce à toi, je me sens plus à l'abri, John. Je te
resterai toujours fidèle. Tu m'as souvent dit que j'étais
destiné à accomplir une œuvre... N'est-ce pas, tu me
l'as toujours dit ? C'est toi qui as voulu...

— Quoi ?

— Que je fasse tout pour accomplir mon œuvre.

— Evidemment, disait John. Calme-toi, la terre est là. »

Les lumières phosphorescentes se transformaient. Elles clapotaient au rythme des crépitements de mitrailleuses. Les hommes descendaient en même temps dans la mer qui se transformait, à son tour, en une huile épaisse, à l'odeur âcre. La brume recouvrait les scaphandriers. Les soldats avançaient dans une matière qui ressemblait à du goudron humide, visqueux. John sentait le sable sous ses pieds. Il marchait difficilement. Sur la côte, il tombait à genoux et embrassait la terre française.

Il avait une seconde de bonheur absolu. « L'Europe ! se disait-il, l'Europe ! » Soudain, il se rendait compte que Fred n'était plus auprès de lui. Il se retournait pour le chercher et les balles transperçaient son dos. La douleur le faisait hurler.

CHAPITRE XVII

Jaunes de nicotine, les doigts d'Ann Brandt reposaient, inertes, sur ses genoux.

« Peut-on mentir dans le délire ? demanda-t-elle.

— Non, fit le docteur à voix basse. On peut transposer un détail, mais, en fait, on se remémore le passé et on le revoit avec exactitude. »

Depuis longtemps ils étaient là, tous les trois. Ils écoutaient le récit de bataille que faisait John Farrel. Les mots sortaient par bribes de ses lèvres desséchées par la fièvre. Elisabeth ne détachait pas son regard de ce visage qui représentait à peine plus qu'un souvenir. L'infirmière entra. Elle était avenante sous sa coiffe amidonnée. Elle apportait une odeur de propreté. Elle reprit sa place près de Farrel.

« Quel jour sommes-nous ? demanda Elisabeth.

— Il est sept heures du matin, dit l'infirmière.

— Quel jour sommes-nous ? » répéta Elisabeth.

Laffont haussa les épaules.

« Ils ont perdu eux aussi la notion du temps avant le débarquement.

— C'est aujourd'hui l'anniversaire de mon petit

neveu. Je suis aussi sa marraine », dit l'infirmière.

John soupira. Il cherchait à ouvrir ses paupières collées. Il fit un effort. Il voulait voir. Laffont, Elisabeth et Ann se levèrent et se penchèrent sur le malade. Celui-ci les aperçut. Et, soudain, ses traits, parcourus par un rictus, s'altérèrent davantage encore. Il gémit longuement et referma les yeux.

« Nous l'accompagnons dans les terreurs qui l'habitent, dit Laffont. Il se croit encore dans son cauchemar. Sortons. »

D'un geste machinal, l'infirmière posa sa main fraîche sur le front de Farrel. Aurait-elle le temps, cet après-midi, d'acheter ce petit camion militaire pour son neveu ? L'enfant en rêvait.

Laffont, Elisabeth et Ann se retrouvèrent en bas, dans la cuisine. Fatigué, le médecin s'assit.

« Ce cri, dit-il, signifie la naissance d'un être. Combien de fois ai-je été émerveillé par le cri désespéré, par les pleurs, pourtant si joyeux, d'un nouveau-né. John vient de renaître aujourd'hui. Il a quarante-huit ans et cinq minutes.

— Un café ? » demanda Elisabeth.

Elle se dirigea vers la cuisinière à gaz.

« Oh ! oui, fit Ann, un grand bol plein. »

Comme une somnambule, Elisabeth s'affairait. Ils entendirent le bruit du moulin électrique.

« Elles sont bien, ces cafetières, dit Ann. L'eau monte vite; on a l'odeur d'abord, le café après.

— Que peut-on demander de plus de la vie, n'est-ce pas ? » demanda Laffont en se tournant vers elle.

Ils se penchèrent sur leur café. Il se mit à pleuvoir.

« Il pleut souvent en Normandie », dit Ann.

Les deux autres ne répondirent pas.

« Alors, continua Ann, il est sauvé ? Vous êtes un excellent médecin, docteur Laffont. Pourtant, il ne voulait pas vivre. Il s'était réfugié dans l'inconscience, dans l'hallucination.

— Vous l'avez aidé considérablement », dit Laffont.

Ann haussa les épaules.

« Chaque fois que j'ai dû prononcer, comme devant une camera sur l'ordre d'un metteur en scène, la phrase : « J'ai menti », je me suis sentie humiliée.

— Vis-à-vis de qui ? demanda Laffont.

— De moi. Qui peut être encore mon juge, sinon moi-même ?... Et c'était plus qu'un compromis, docteur, c'était la plus triste des concessions... Croyez-vous que ce manuscrit ait existé ? » reprit Ann d'une voix différente.

Laffont hocha la tête.

« Il a dû être pulvérisé avec tout l'équipement de Fred. D'ailleurs, celui-ci a-t-il vraiment écrit ou a-t-il seulement parlé d'un projet à Farrel ? Cela reste obscur.

— Et s'il y en avait un ? demanda Elisabeth. Quelle importance cela aurait-il ?

— Une très grande importance, dit Ann. Comment pourrais-je savoir s'il a effectivement écrit pendant ces jours d'attente ?

— Quand Farrel ira mieux, vous lui poserez la question, dit Laffont.

— Vous me le permettrez ?

— Vous avez tenu votre promesse. Vous lui confirmerez en même temps que vous avez menti, c'est tout.

— Ah ! non, s'exclama-t-elle. Répéter à un homme inconscient que j'avais menti, c'était encore possible. Mais dire cela à un homme à qui, auparavant, j'ai affirmé le contraire...

— Vous le ferez, dit Laffont.

— Qu'en savez-vous ?

— Je le présume. Je ne vous laisserai pas lui parler si vous ne me promettez pas de lui redire que vous avez menti.

— Vous l'aimez bien, votre Farrel ! » lança Ann.

Le docteur se mit à sourire.

« Mon Farrel ?

— Mais sera-t-il reconnaissant, poursuivit Ann, parce que vous l'aurez sauvé ? N'aurait-il pas trouvé une meilleure issue en mourant ?

— Vous offrez la mort comme un bonbon, dit Laffont. Ce n'est pas vrai qu'on est plus heureux, étant mort. Je connais les malades; je sais leur peur. Je les vois quand ils redoutent l'idée d'une grave maladie. J'ai lu souvent, sur leur visage, l'épanouissement, le bonheur insensé si la radio est bonne ou lorsque l'analyse prouve qu'ils peuvent continuer à vivre. Les êtres humains veulent vivre, madame Brandt.

— Que va-t-il faire ? demanda Ann. Il retournera dans son cimetière ?

— Non, dit Elisabeth, très vite. Il a le droit, maintenant, d'avoir une vie comme tout le monde.

— Fred a-t-il écrit pendant ses derniers jours ? recommença Ann.

— Si oui, fit le docteur, vous changeriez d'avis ?

— Non, dit Ann. Mais je voudrais savoir s'il a pu vaincre sa peur. Fred Murray serait-il devenu supérieur à lui-même, ne fût-ce que quelques instants ? »

Ann dut attendre pendant une semaine à l'hôtel Malherbe avant de revoir John Farrel. Elle visitait Caen. Elle marchait dans les rues comme un automate. Elle avait acheté quelques paires de chaussures, des pull-over; elle s'était attardée devant un chapeau. Il fallait passer le temps. Elle avait presque peur de revoir Farrel. Elle craignait ses reproches, une hostilité violente. Elle sortait et rentrait à l'hôtel comme une ombre.

« Pas de message pour moi ? demandait-elle.

— Pas de message, madame », répondait-on.

Enfin, elle eut la permission de retourner à Mosles. Dans l'entrée, Laffont lui fit retirer ses lunettes noires.

« Enlevez ce déguisement, madame Brandt.

— Vous ne craignez pas qu'il ait peur de moi ? » dit-elle.

Laffont la dévisageait.

« Vous avez l'air de ce que vous êtes : une femme fatiguée par la vie, c'est tout. Pas la peine de jouer à cache-cache. »

Elle entra sur la pointe des pieds dans la chambre de Farrel. Celui-ci, assis dans son lit, soutenu par des oreillers gonflés derrière son dos, des revues éparpillées sur la couverture, l'attendait. Elle tendit la main à Farrel et vit que les cheveux de l'Américain étaient devenus presque blancs.

« Asseyez-vous, dit Farrel.

— Merci, répondit-elle. Je viens vous dire au revoir. Je vais continuer mon voyage en Europe. Je voulais vous demander pardon.

— Pardon ? » interrogea Farrel.

Ann baissa la tête et avala sa salive.

« Je vous ai fait du mal.

— Croyez-vous ? dit Farrel.

— Si, si », affirma-t-elle.

Puis, elle continua :

« Vous savez, Fred ne m'avait jamais rien promis. C'est moi qui ai bâti autour de lui tout un monde. Je vous ai menti méthodiquement, mais il faut me comprendre... Je revenais, au bout de dix-huit ans, pour revivre mon passé auprès de sa tombe. »

Elle n'avait plus de souffle. Il fallait qu'elle s'arrête. Au prix d'un effort, elle reprit :

« J'ai tout inventé, John Farrel. Je ne suis qu'une femme délaissée et pleine de rancune. »

John ne la quittait pas des yeux.

« Ne vous tourmentez pas... Je vous ai écoutée, mais je ne vous ai jamais crue.

— John Farrel, demanda Ann, je voudrais vous poser une question au sujet du manuscrit.

— Quel manuscrit ? »

Ann se rappela que Laffont lui avait interdit de dire à Farrel que son délire avait été écouté.

« Oh ! fit Ann, je me lance dans des suppositions. Fred écrivait toujours. Il saisissait chaque occasion. J'imagine qu'il n'a pas attendu le débarquement les mains croisées. On a toujours dit qu'il était un jour-

naliste né. Je pense qu'il a tenu à saisir les faits brûlants, à noter les événements mêmes qu'il était en
train de vivre avec les autres... »

Un faible sourire éclaira le visage de John.

« Vous commencez à comprendre. Vous reconnaissez
son talent. Fred... »

Il ferma les paupières.

« Vous vous sentez mal ? s'inquiéta Ann. Voulez-
vous que je sonne l'infirmière ?

— Non, répondit l'Américain. Mais on a dû vous
dire que j'ai été très malade.

— Oui, acquiesça Ann.

— Je suis très faible, continua Farrel. Quand j'évoque
les souvenirs qui concernent Fred, l'émotion m'épuise.

— Donc, insista Ann, Fred avait...

— Il avait conçu le livre du siècle dans ces semaines
d'attente avant le débarquement. Il m'avait montré
la masse des feuillets qu'il avait déjà rédigés. J'avais
lu quelques pages. Plus que jamais, il avait su y
mettre ce ton direct par lequel il saisissait les lecteurs.

— Oui », lui dit Ann. Elle avait hâte de savoir.
« Et alors ?

— Et alors, dit John, il est mort.

— Mais avant ?

— Il écrivait. Il écrivait un livre comme on n'en a
jamais écrit. Il était en train de créer le chef-d'œuvre
d'une époque.

— Les circonstances s'y prêtaient, insinua Ann.

— Et tous les autres, dit Farrel, pourquoi n'auraient-
ils pas voulu saisir les circonstances, eux aussi ? Il
fallait le génie de Fred pour écrire dans l'ombre de

la mort... Les feuilles, remplies d'une écriture serrée, il m'avait dit les avoir placées dans l'équipement que tout soldat en guerre doit porter avec lui. En fait, il les avait mises dans deux pochettes cousues dans sa veste, mais je l'ignorais. Sans le vouloir, avant que l'alerte soit déclenchée, il se trouve que j'ai été maladroit. Il était superstitieux. Je lui ai dit qu'il allait vivre et il a eu peur de moi. J'entends encore sa phrase : « Mon meilleur ami m'a tué. »

Ann retint son souffle.

« Eh bien.

— Eh bien, je l'ai persuadé que ce manuscrit lui serait une sauvegarde. Je le croyais. Il contenait toute la pureté d'une jeunesse condamnée à mort.

— Et puis ? répéta Ann. Et puis ?

— Il m'a cru. »

Ann avait peur qu'il s'évanouisse.

« Voulez-vous que je vous apporte un verre d'eau ?

— Non, merci. Il m'a cru si bien qu'il a voulu sauver ma vie, la mienne, celle qui ne valait rien.

— Comment ? demanda Ann.

— J'ai compris cela après, à l'hôpital militaire. On avait gardé ce qui restait de ma veste. Avant que je quitte l'hôpital, on me l'a apportée. Avez-vous déjà vu une veste militaire avec le dos complètement troué par les balles, tachée de sang, un amas de chiffons brûlés ? Les deux côtés étaient restés intacts. J'ai été blessé dans le dos. Dans l'instant, au débarquement, où, ayant perdu Fred de vue, je m'étais retourné.

— Oui, je sais, dit Ann.

— Personne ne le sait, l'interrompit Farrel.

— Evidemment, se rattrapa Ann, mais je le devine.

— J'ai regardé ma veste, dit Farrel. L'infirmière a attiré mon attention sur le fait qu'elle était bien lourde. Nous avons découvert, ensemble, les deux pochettes imperméables cousues dans la doublure; elles contenaient le manuscrit de Fred. »

Le soupir qu'Ann poussa était presque un cri.

« Oh ! dit-elle. Donc le manuscrit n'était pas avec ses autres affaires ! »

Un sourire tendre effleura le visage vieilli de Farrel.

« Sur le bateau, il avait insisté pour que nous échangions nos vestes. En me passant la sienne qui contenait le manuscrit, il voulait me sauver la vie. Il a réussi. Vous comprenez que je n'ai pas pu ensuite le quitter... »

Ann, réduite au silence par sa promesse, ne pouvait rien dire. Ses ongles aigus lui entraient dans la peau. Elle avait envie de hurler.

« Où se trouve le manuscrit ? demanda-t-elle. Vous m'avez dit qu'il était resté intact.

— C'est vrai, dit John. Il l'était. Quand la dépouille de Fred a été définitivement inhumée, j'ai enlevé le manuscrit des poches imperméables qui auraient pu le préserver pour l'éternité, et je l'ai placé à même le cercueil de Fred. Je voulais que le livre périsse avec le corps de l'homme qui était mon frère. Son âme a dû être heureuse à ce moment-là. Il n'aurait pas supporté que ce manuscrit fût imprimé sans lui... Le reportage du siècle n'est que poussière à présent. Il n'y en a peut-être même plus de trace. Plus la moindre. »

Ann se leva.

« Merci pour ces renseignements, Farrel. »

Elle toucha la main de John. Celle-ci reposait sur la couverture.

« Merci encore. Et pas de rancune, n'est-ce pas ?

— Non, dit-il. Rien n'a changé.

— Rien ? demanda Ann d'une voix aiguë.

— Rien. »

« Alors », dit Laffont.

Elisabeth était près de lui, dans le cabinet médical.

« Vous avez mauvaise mine. L'entrevue avec Farrel a dû vous éprouver vous aussi. »

Ann s'assit, inerte, sur une chaise.

« Que dire, docteur ? Je suis le témoin d'une machination parfaite.

— De quoi parlez-vous ? l'interrompit Laffont.

— Mais de Fred, de Fred Murray ! Moi, je le connaissais. Je le savais superstitieux, maladivement superstitieux. Notre brave Farrel a eu la maladresse de lui dire que le manuscrit lui sauverait la vie. Je vois Fred d'ici, moi ! Je sais que, dès cet instant, le manuscrit est pour lui devenu comme la peste. Il lui a fallu s'en débarrasser. Il n'a pas voulu le brûler, ni le laisser au camp. Il avait au moins l'espoir qu'il le retrouverait intact sur le cadavre de Farrel !

— Quoi ? dit Laffont. De quoi parlez-vous ?

— Le manuscrit, s'exclama Ann, n'était pas là où il avait dit. Si Fred a demandé qu'ils échangent leurs vestes, c'était à cause de ces feuilles cousues dans la doublure. Il a voulu passer la mort à John ! »

Elisabeth, tendue vers Ann, demanda :

« Farrel ne savait pas où était le manuscrit ?

— Mais non, fit Ann, croyez-moi ! Persuadé que le manuscrit allait tuer celui qui le portait, Fred l'a, par ce moyen, transmis à John. Et John, qui voyait au contraire en lui une sorte de talisman, croit maintenant que son ami le lui a donné pour le garder en vie !... C'est à cause de ce manuscrit qu'il est resté pendant dix-huit ans auprès de sa tombe... Fred, continua-t-elle, a voulu faire mourir John à sa place. Il n'a pas réussi. Mais il a quand même gardé prisonnier le survivant !

— Et il l'a sauvé, répliqua Elisabeth.

— Mademoiselle Lemercier, reprit Ann, vous êtes une femme, vous êtes donc plus sensible, plus perspicace qu'un homme. Vous devez bien voir ce qui s'est passé !

— Je n'oserais pas condamner Murray, dit Elisabeth. Nous ne pouvons pas savoir tout ce qui a traversé son esprit pendant ce trajet sur la mer.

— Pourtant, c'est si clair », dit Ann, calmement.

Elle se leva.

« Je quitterai Caen cet après-midi. Je vous dis merci pour votre accueil; vous avez été indulgents. Vous m'avez fait mentir pour une cause qui vous semblait bonne. Vous croyez que ça vaut la peine de vivre dans le mensonge. Vous avez voulu nourrir, dans Farrel inconscient, l'idée de cette amitié éternelle...

— Il vit », l'interrompit Elisabeth.

Ann fit un geste.

« Vous avez gagné. Tout va bien. »

Elle serra la main d'Elisabeth et, ensuite, celle du docteur.

« Au revoir. Ce que j'ai consommé, comme café et comme cigarettes chez vous !... »

Elle se tut.

« Je vais rendre ma voiture; elle était petite et agréable. C'était ma première voiture de location... J'irai à Paris par le train.

— Ne peut-on rien d'autre pour vous ? demanda Elisabeth. Vous ne voulez pas déjeuner ici ?

— Vous savez bien que je vis de café et de fumée ! » lui répondit Ann en partant.

Elle referma la porte avec douceur. Elle avait pris l'habitude du silence pendant la maladie de Farrel.

« Je me sens vieille, décrépite, vidée de toute substance, dit Elisabeth, une fois seule avec Laffont. Que vais-je lui dire maintenant ?

— Il n'a besoin que d'une indifférence bienveillante, d'un amour qui soit maternel sans être abusif, de bonne nourriture et de soleil.

— J'aimerais l'emmener sur l'île.

— Je sais, dit Laffont. Tu l'emmèneras !

— Viendra-t-il ?

— Il ira n'importe où.

— Roger, dit Elisabeth, je suis exigeante avec le Ciel. J'aurais pensé pouvoir te dire que c'est toi que j'aime. Depuis qu'il est convalescent, je réfléchis à ce que serait ma vie ici, avec toi, dans cette maison ou à Caen. Je serais incapable de rester...

— Je n'ai plus une seule chemise propre, lança le docteur d'un air faussement distrait. Je n'ai pas voulu adopter le système américain de la chemise unique qu'on lave le soir, qu'on accroche sur un cintre et qu'on remet le lendemain matin. J'ai toujours préféré voir une pile toute fraîche, toute amidonnée, dans mon armoire. Pourrais-tu me rendre le service de me repasser une chemise ?

— Il faut les mouiller d'abord, dit Elisabeth.

— Pleure donc de joie sur mes chemises. J'espère qu'Anna va revenir un de ces jours. Sa mère tombe toujours malade quand j'ai le plus besoin d'elle.

— Il faudrait aussi, dit Elisabeth, que tu reprennes en main tes malades. Tu t'es isolé du monde pendant longtemps. Les Normands sont susceptibles. Il ne faut pas qu'ils croient que tu les as volontiers abandonnés pour un étranger.

— Si tu crois que j'aime les étrangers ! répliqua Laffont. Il faut dire que je me suis habitué de mon côté aux Normands. Mais les gens n'aiment pas les remplaçants, ou ils les aiment trop et ils les gardent. Je crains d'être obligé de plier ma tente et d'aller une fois de plus, comme un vieux nomade, ailleurs.

— Attends, dit Elisabeth. Les Normands sont aussi très fidèles. Je ne sais pas comment ils seront avec toi après ces semaines. Tout le monde sait que tu t'es enfermé avec un Américain pour le sauver. Leur réaction est imprévisible, Roger. Ou bien ils te reprocheront de leur avoir préféré un étranger, ou bien ils t'en aimeront davantage pour avoir sauvé un homme. Je ne sais pas, Roger. »

Il la prit par les épaules.

« Dis-moi, si tu racontais un jour mon histoire, l'histoire de ce médecin plus ou moins raté qui est arrivé, un jour, de Paris, qui s'est installé dans ta

maison, qui est devenu ton amant, comment la racon-
terais-tu, Elisabeth ? Que deviendrais-je sur tes lèvres
si tu me quittais avec un sentiment de rancune ? Malgré toi, tu déformerais tout. Depuis que tu as connu
Farrel, tu n'as plus pu me supporter. Il a suffi d'un
minuscule déclic pour que je change à tes yeux et je
suis resté le même.

— Je te serai toujours reconnaissante d'avoir sauvé
Farrel, fit Elisabeth.

— Il aurait pu mourir, malgré mes efforts, dit Laffont. La chance était avec moi. S'il était mort, aurais-
tu cru que j'aie voulu le sauver ? Ou bien aurais-tu
commencé de nourrir en toi une haine à mon égard
comme celle d'Ann Brandt pour Fred Murray ? Et
une haine encore pire parce que le départ n'en aurait
pas été l'amour, comme chez elle. »

Elle sentait la main de Laffont sur ses épaules.

« Je crois, dit-elle, les yeux fermés, que si tu me
lâchais je m'évanouirais.

— Non, reprit-il, ce n'est pas ton genre. Je continue
de te tenir, parce que c'est la dernière occasion, pour
moi, de te sentir près de moi... Comment raconterais-
tu mon histoire, Elisabeth ?

— Je ne dirais rien... »

Laffont insista.

« Pourquoi l'aimes-tu ?

— Il est entré dans l'auberge et je l'ai aimé à l'instant
même. Je n'y peux rien. »

Laffont la lâcha. Elisabeth tituba.

« Ouvre les yeux et respire profondément, lui dit-il
d'une voix sèche. Tu auras besoin de forces. Tu ne

peux pas emmener un convalescent si tu n'es pas
solide toi-même. Je voulais te dire aussi que tu ne
me retrouveras pas. Je sais : la menace n'est pas
grande, mais je préfère que ce soit très clair. Quand
tu seras allée d'échec en échec avec ton Américain,
ne pense pas que tu pourras te consoler en disant :
« Si ça ne marche pas, je retourne à Caen; je vais
« renouer avec Roger. »

— Pourquoi, soudain, mets-tu entre nous, pour la
vie, un mur aussi définitif ? s'enquit Elisabeth.

— Une question d'amour-propre, ou d'orgueil. »
Elisabeth brûlait d'impatience.

« Si tu permets, je vais monter lui parler.

— Monte. »

Dans la chambre de Farrel, Elisabeth s'assit sur la
même chaise qu'Ann Brandt venait de quitter.

« Bonjour, dit-elle, timidement.

— Bonjour, mademoiselle Lemercier. Vous êtes gentille de me rendre visite.

— Depuis le début de votre maladie, je suis venue
souvent ici. J'ai même remplacé l'infirmière quand
elle avait besoin de se reposer. Vous étiez ainsi dans
un cercle d'amis. » Elle ajouta : « Je crois à l'amitié. »

Il se taisait.

« J'ai une proposition à vous faire, reprit-elle.

— Je vous écoute. »

Farrel avait envie de dormir. Ses paupières lourdes
lui pesaient. Elisabeth se mit à parler très vite :

« Je crois que vous n'avez jamais eu de frère ou de
sœur. Vos parents étaient relativement âgés. Acceptez-
moi comme une sœur adoptive. Pour votre convales-

cence, j'aimerais vous emmener sur une île ensoleillée
du lac de Côme. Je possède, là-bas, une petite maison.
Il y a trois chambres au premier avec vue sur le lac,
et une salle commune en bas. Mon jardin est plein de
fleurs. Il y a quelques pêcheurs sur l'île. J'ai acheté
cette maison pour assez peu de chose, il y a quelques
années. Je la louais à un écrivain anglais qui vient
de la quitter. Venez là-bas avec moi. Je suis aussi
seule que vous. »

Farrel baissa les paupières et répondit d'une voix à
peine audible :

« J'écouterais n'importe qui et j'accepterais n'importe quel projet. J'existe à peine. »

Dans la fièvre, elle énumérait :

« Quand vous irez mieux, vous pourrez jardiner,
nager dans le lac, aller à Bellagio vous promener et
regarder les vitrines, vous pourrez lire...

— Je dois avoir pas mal d'argent, dit John. L'Etat
américain m'a versé mon salaire depuis dix-huit ans
dans la même banque. Je n'ai presque rien dépensé.
Je vous déléguerai ma signature. Et si vous avez une
âme de Samaritaine, si vous acceptez de perdre votre
temps en me traînant avec vous, je vous suivrai.

— Là-bas, dit-elle, le soleil se lève très tôt et se
couche très tard. Les journées sont longues. Les pêcheurs
apportent des poissons tout frais.

— Quand faut-il partir ? demanda John.

— Dès que vous aurez repris assez de forces. »

Elisabeth redescendit un peu plus tard chez Laffont.
Elle frappa légèrement à la porte du cabinet médical.

« Entre, dit le docteur, entre. »

Il la regarda.

« Inutile de t'expliquer. Il fait ce que tu veux, n'est-ce pas ?

— Il vient, dit Elisabeth.

— Sois gaie, dit Laffont. Par gentillesse, tu veux cacher ton bonheur. Eclate de joie. »

Puis, il ajouta :

« Et ma chemise ? »

Il la suivit à la cuisine. Elle prit la planche à repasser, brancha le fer, humecta la chemise et se mit à repasser. Laffont s'assit sur un tabouret et la regarda.

« Ne la brûle pas, s'il te plaît, dit-il. Un souvenir repasse ma chemise... Je te verrai toujours ainsi désormais : mal coiffée, pâle et brûlante de bonheur. Je te verrai penchée sur une infinité de chemises à repasser. »

Elle prononça difficilement :

« Epargne-moi. Pas de phrases de circonstance. »

Il alla vers la fenêtre, la contempla.

« Les vitres sont sales. Tout semble vieux et crasseux au début de l'été. Je vais partir pour quelques jours à Paris, me changer les idées... »

Délicatement, avec une lenteur voulue, Elisabeth plia la chemise. Elle eût tellement aimé donner l'impression qu'elle n'était pas pressée.

CHAPITRE XVIII

Elisabeth n'en finissait pas de se heurter à l'administration. Il lui fallait expliquer dans des bureaux toujours différents qu'elle voulait s'occuper de Farrel sans qu'elle fût sa femme, qu'elle allait utiliser sa signature sans avoir de liens légitimes avec lui. Cela semblait plus difficile qu'elle l'aurait cru. Farrel avait donné son accord pour tout. Mais Elisabeth restait seule au milieu d'un tourbillon de papiers, de démarches, bien que, de leur côté, les autorités américaines l'eussent aidée autant qu'elles l'avaient pu. Elle apportait d'innombrables feuilles à signer à Farrel. Celui-ci les appuyait sur un livre et y apposait son paraphe.

« Vous signeriez votre condamnation à mort, dit Elisabeth. Vous ne voulez rien lire de ce que vous signez ?

— A quoi bon ? Tout cela ne m'intéresse guère. Je ne savais pas pourtant, ajouta-t-il, qu'il fallait autant de papiers pour franchir une frontière. »

Elisabeth lui apporta un jour un carnet de chèques.

« Vous avez beaucoup d'argent à la banque, lui dit-elle. Si vous êtes économe, vous pourrez vivre pendant des années sans aucun souci. Il faudrait placer cet argent.

— Le placer où ? demanda Farrel. Il est déjà à la banque. Où voudriez-vous le mettre ?

— Le placer, répéta Elisabeth, chez un notaire, pour qu'il rapporte, pour que vous ayez des intérêts.

— Quels intérêts ?

— Vous n'avez jamais eu de problèmes d'argent dans votre vie ?

— Non, dit Farrel. Jamais. Je n'ai besoin de rien.

— Si ! Vous avez besoin de deux costumes d'été, d'un imperméable, de chaussettes, de chaussures...

— Je pourrai partir en uniforme, dit-il.

— Non, répliqua-t-elle. Je ne me promènerai pas à côté d'un militaire. Et puis, vous ne faites plus partie de l'armée américaine. Vous êtes congédié.

— Congédié ? s'exclama-t-il.

— Ne vous accrochez pas aux mots, fit-elle. Vous avez un congé de maladie illimité.

— Je ne retournerai pas au cimetière ? demanda Farrel.

— Plus de cimetière, John Farrel. Votre remplaçant est arrivé des Etats-Unis. Il a une femme et trois enfants.

— Et où sont mes meubles, mes affaires, mes tapis, les photos de Fred ?

— J'ai tout déménagé. Vos affaires se trouvent, soigneusement emballées, dans ma petite réserve, au fond de la cour. Vous savez bien, je vous l'ai montrée, un jour.

— Je n'ai plus rien, dit Farrel, plus un objet... Je partirai sans la photo de Fred ?... »

Elisabeth baissa les paupières et essaya de garder son calme.

« Moralement aussi, vous avez besoin de congé. Vous avez été très malade... Demain après-midi, nous irons faire des courses à Caen. »

Son regard se posa sur Farrel.

« Il sera difficile de trouver du prêt-à-porter pour vous; vous êtes si mince ! Je vous achèterai également des pyjamas. J'en ai trouvé deux dans votre armoire, troués et raccommodés par vous : c'était beau à voir !

— Et celui que j'ai sur moi ? demanda Farrel.

— Vous portez ici les pyjamas du docteur Laffont.

— L'infirmière a dit que j'occupais son lit, ajouta Farrel, hésitant.

— Exactement. »

Elisabeth se sentait un peu gênée dans les magasins. Elle devait tout commander elle-même, jusqu'aux sous-vêtements. Elle observait d'un œil critique les vendeuses qui prenaient les mesures de Farrel. Avec lui, jusqu'ici ses relations s'étaient situées sur le plan abstrait des rêves et des légendes; elle se retrouvait en face d'un homme inerte qui ne connaissait même pas la pointure de ses chaussures.

« Ça vous serre ou ça ne vous serre pas ? » demandait-elle, un peu perdue.

Il arpentait la moquette du magasin. La vendeuse se précipitait.

« Voulez-vous voir les chaussures dans la glace, monsieur ? »

Il découvrait avec un étonnement enfantin qu'on pouvait considérer les chaussures dans la glace placée au niveau du sol et que les gens pouvaient être assez curieux pour désirer les voir avant de les acheter...

« Elles vous serrent ou non ? répétait Elisabeth.

— Je ne sais pas, répondait-il. Mais je vous le dirai plus tard.

— Vous ne pourrez pas me le dire plus tard, répliquait Elisabeth, patiente, parce que, dès que les chaussures sont achetées, on ne peut plus les rapporter.

— Donc, c'est grave.

— Oui, c'est grave », reprenait Elisabeth.

Les courses continuaient.

« Je n'avais pas un manteau d'hiver ? interrogeait Farrel.

— Nous sommes au début de mai, disait Elisabeth, et vous avez besoin d'un imperméable. Vous en avez un, mais en quel état ! Je ne parle pas de l'imperméable militaire nettoyé par l'armée américaine; il est impeccable. Mais de l'autre, le civil...

— Il pleut en Italie ? demandait Farrel.

— Il fait très chaud, disait Elisabeth. Pourtant, il faut quand même un manteau de pluie. Qu'avez-vous contre les imperméables ?

— Rien, disait-il. Je trouve qu'on achète beaucoup de choses inutiles. »

Dans ses vêtements neufs, il semblait gêné.

« Est-ce qu'il vous plaît ? » demandait Elisabeth, tandis que Farrel essayait un raglan.

Farrel cherchait les poches.

« Oui, il y a beaucoup de poches, disait-il.

— Je ne parle pas des poches, reprenait Elisabeth, mais de la forme, de la carrure... »

Farrel se mettait à sourire.

« Cela m'est égal, mademoiselle Lemercier. Si vous trouvez que c'est bien, achetez-le. »

Enfin, le moment attendu arriva. Elle put brandir le passeport de Farrel, le lui montrer comme un drapeau qu'on hisse pour fêter une victoire. Dans une petite serviette, elle avait rassemblé tout ce qui concernait l'administration de Farrel, ses papiers, son carnet de chèques et un ancien carnet d'adresses qu'elle avait retrouvé dans un de ses tiroirs. « Si jamais il voulait écrire des cartes postales de l'île. »

Ils prirent le train à Caen pour arriver à Paris à sept heures du soir. Là, ils devaient changer de train, continuer le voyage et arriver, le lendemain matin, à Côme. Leur compartiment était vide. Farrel s'assit près de la fenêtre et regarda attentivement l'employé de chemin de fer qui, longeant le convoi, tapait avec un marteau sur chaque essieu. Le train se mit en marche. Elisabeth tira le rideau. De la serviette, elle prit un assortiment de revues et les plaça sur les genoux de Farrel.

« Merci, dit-il, merci. Vous pensez à tout. »

Il n'y toucha point. Elle fit semblant de lire pour pouvoir l'observer. Elle sentit l'odeur froide des cigares. Elle s'appuya contre le dossier usé.

« Vous ne voulez pas une cigarette ?

— Non, merci, dit-il, je ne fume pas.

— Vous pourriez essayer.

— Pourquoi ?

— J'ai du thé dans un thermos, continua Elisabeth. Il est brûlant. En voulez-vous ? »

Il n'osa pas refuser une deuxième fois. Il dit oui à
contrecœur. Elisabeth dévissa la timbale, la remplit de
thé et la lui tendit. Obéissant, Farrel but à petites
gorgées.

« C'est bon ?

— C'est bon », fit-il, sans conviction.

Silencieux, il se laissait bercer par le rythme du
train. « S'il mourait ! » pensa Elisabeth. Il n'y avait
aucun danger; il était en face d'elle. Enjeu d'une
victoire si difficilement acquise, cet homme aimé
était là... et Elisabeth n'avait rien à lui dire. « Plus
tard, se calma-t-elle. Plus tard ! »

Le compartiment se peupla. Ceux qui arrivaient
posaient leurs valises dans les filets et dévisageaient
ce couple curieux. Les femmes — il y en avait deux —,
selon leur réflexe éternel, cherchaient du regard une alliance sur la main d'Elisabeth. Lentement, comme quelqu'un qui se prépare à descendre, elle mit ses gants.

Ils arrivèrent dans la soirée à la gare Saint-Lazare,
à l'heure de la sortie des bureaux. La foule clapotait
autour d'eux, comme des vagues. Il fallut qu'Elisabeth
tînt Farrel pour ne pas le perdre. Une femme riait
très fort. Une autre la menaça avec son parapluie.

« Si tu continues à rire...

— Il n'a pas plu encore aujourd'hui, cria la première et tu trimbales ton parapluie. Qu'est-ce que tu
peux aimer les objets inutiles !

— Vous vous sentez mal ? demanda Elisabeth à
Farrel qui titubait.

— Non, dit-il. C'est la foule.

— C'est la mauvaise heure », dit Elisabeth.

Un porteur les prit en charge. Il fallait courir après le chariot chargé de valises flambant neuf.

« Où avez-vous mis votre billet ? demanda Elisabeth.

— Quel billet ? questionna Farrel.

— Pour sortir, il faut le billet. Le contrôleur vous l'a rendu.

— Non, dit-il. C'est vous qui avez tout. »

Il avait raison.

« Si vous croyez que j'ai du temps à perdre, bougonna le porteur. On prépare ses billets d'avance pour sortir !

— Oui, dit Elisabeth. Je le sais. Vous ne voyez pas que je voyage avec un malade ? »

Cela lui était complètement égal, au porteur... Ils prirent un taxi. Farrel, raide, se cala dans un coin. Par la vitre, il regardait les voitures.

« Il y a beaucoup d'autos à Paris, n'est-ce pas ? commenta Elisabeth; la circulation devient de plus en plus difficile. On va faire des passages souterrains et interdire le stationnement. »

Elle avait envie de pleurer.

« Mais, si on interdit le stationnement, comment les gens quitteront-ils leur voiture, où la laisseront-ils ? demanda Farrel soudain intéressé.

— Je ne sais pas, dit-elle, je ne sais pas; je ne suis pas le préfet de Police. »

Au rythme des feux rouges et des feux verts, leur taxi avançait péniblement dans ce flot lent.

« N'ayez pas peur, le réconforta Elisabeth, nous ne serons pas en retard. Nous dînerons à la gare de Lyon.

— Je n'ai ni peur, ni faim, dit Farrel.

— Vous mangerez une tranche de jambon avec une salade. »

A la gare de Lyon, ils trouvèrent un porteur joyeux.

« C'est pour l'Italie ? lança-t-il d'une voix guillerette. Quel compartiment, quels lits ?

— Nous avons deux compartiments différents. Dans la voiture 11, les lits onze et treize.

— Onze et treize ! répéta le porteur, comme s'il se réjouissait d'une bonne nouvelle.

— Vous y serez certainement ? demanda Elisabeth.

— Sauf si je prends un train avant vous, madame. Mais vous ne courez guère de risque. Vous avez mon numéro : le treize.

— Vous n'êtes pas superstitieux ? demanda Elisabeth à Farrel.

— Non, dit-il, du tout.

— Un de nos lits porte le chiffre treize, le porteur aussi.

— Et alors ?

— Rien, dit Elisabeth, rien. »

Au buffet de la gare, par politesse, Farrel fit semblant de manger.

« Ce voyage doit vous fatiguer », dit-elle.

Les frites étaient lourdes d'huile. Elisabeth regrettait d'avoir commandé une côte de mouton; celle-ci sentait la laine ! Elle laissa le repas intact sur son assiette.

Elle voulut rassurer Farrel.

« Dès que vous serez dans le wagon-lit, tout changera.

— Pourquoi êtes-vous si inquiète ? Je me sens bien »

Elle esquissa un pauvre sourire.

« Quand nous serons sur l'île, vous verrez...

— Il faudrait, dit Farrel, que ce monde noir, couvert de suie, nous laisse nous échapper. Ce monde couleur de suie, il ressemble...

— Il ressemble à une grande gare, l'interrompit Elisabeth, à une très grande gare. Dans toutes les villes, il y a de grandes gares. Des gens partent, des gens arrivent. Il ne faut comparer une gare qu'à une autre gare, monsieur Farrel. »

Elle continua :

« Vous auriez peut-être préféré l'avion ?

— Je ne crois pas, dit Farrel. L'avion enlève toute possibilité de réflexion au cours d'un voyage. On entre dans l'appareil et, quelques heures plus tard, on descend dans un autre univers. Il n'y a pas de transition. Le train permet de réfléchir.

— Vous ne devez pas trop réfléchir », dit Elisabeth d'une voix sèche.

Elle se tut. Plus tard, le conducteur du wagon-lit les accueillit au bas des marches de son domaine.

« Nous avons deux singles, dit Elisabeth : le onze et le treize. »

Le conducteur biffa les deux chiffres sur son tableau. Un porteur passa leurs valises par une fenêtre ouverte. Tout semblait soudain facile.

« Voulez-vous bien monter ? » demanda Elisabeth.

Farrel hésitait. Le conducteur jeta un coup d'œil sur le couple.

« Si vous vouliez monter », répéta Elisabeth.

Elle tremblait.

« Vous devez être fatigué.

— Oui », dit Farrel.

Il ne savait pas comment il allait pouvoir gravir cet escalier qui menait vers l'inconnu.

« Il n'y a que trois marches, précisa Elisabeth.

— Merci, dit Farrel. S'il n'y a que trois marches... »

Il monta lentement. Il semblait fragile et donnait l'impression d'être un homme déjà âgé. Elisabeth le suivit. Les lits étaient préparés.

« Voilà, dit Elisabeth avec un soupir. Nous y sommes ! Voulez-vous une bouteille d'eau ?

— Volontiers, dit Farrel. Et il s'assit sur son lit.

— Dès que le train sera en marche, dit Elisabeth, vous aurez l'eau. En attendant, je vais remplir les papiers.

— Quels papiers ? demanda Farrel.

— Pour la douane. Vous n'aurez qu'à signer. »

Elle ajouta avec un sourire machinal :

« Comme d'habitude.

— Je n'ai pas tellement voyagé, dit Farrel, sauf d'Amérique en Angleterre et d'Angleterre... »

Elisabeth cria presque :

« Nous allons en Italie ! »

« Ils se disputent ? » se demanda l'homme qui venait de disposer leurs valises dans leurs compartiments respectifs.

« C'est cela seul qui compte, continua-t-elle. Nous allons en Italie... Regardez comme ce lit est accueillant. Il est tout frais, tout beau. Il est si étroit, — elle chercha le mot — si juvénile... Il ne vous laissera pas réfléchir ! Votre voyage va miraculeusement s'accomplir pendant votre sommeil. Vous vous réveillerez sous un ciel inconnu et généreux. Quand on part

avec le désir de s'installer ailleurs, on recommence
la vie. Pour moi aussi, c'est un recommencement.
Je n'ai pas vu depuis longtemps ma maison sur l'île...
Enlevez votre imperméable, s'il vous plaît. »

Farrel se leva et déboutonna maladroitement son
vêtement. Elisabeth le prit et le glissa sur un cintre
qu'elle accrocha au portemanteau le long de la cloison qui séparait leurs deux compartiments.

« Toute une nuit dans un train ! répéta Farrel.
Et s'il y avait une tempête ? »

« Du calme, se disait Elisabeth, du calme. » Elle reprit :

« On ne traverse pas la Manche, monsieur Farrel.
Nous allons en Italie. De toute façon, vous prendrez
une pilule; le docteur Laffont m'a donné tout ce qu'il
fallait pour vous. »

Elle alla chercher l'eau. Quand elle revint avec la
bouteille, elle trouva Farrel assis, immobile.

« Dans la petite valise, dit-elle, vous avez votre
pyjama, votre brosse à dents. Vous devez vous déshabiller et vous coucher.

— Me déshabiller ? dit-il. Nous passions les nuits
habillés...

— Nous partons pour l'Italie, répéta-t-elle, d'une
voix cette fois plus dure. Vous devez vous déshabiller
et vous mettre en pyjama dans ce lit.

— Oh ! dit-il, je sens que vous êtes fâchée. Vous
avez raison, je me déshabillerai. »

Du petit placard au-dessus du lavabo, Elisabeth prit un
verre qu'elle essuya furtivement avec une des serviettes amidonnées et propres. Elle versa l'eau dans le verre
et, sur sa paume ouverte, tendit une pilule à Farrel.

« Si vous vouliez bien l'avaler. »

Alors Elisabeth réunit les feuilles de douane qui se trouvaient sur la tablette. Refermant la porte communicante, elle remplit en hâte les papiers, chercha le numéro de leurs passeports, indiqua les sommes qu'elle avait emportées pour eux deux. Elle frappa. Farrel était déjà dans son lit.

« Voulez-vous signer ces feuilles ? demanda Elisabeth, et elle lui tendit un stylo.

— J'ai sommeil, dit Farrel en signant.

— Bien, fit Elisabeth, vous dormirez tranquillement. Ne fermez pas la porte communicante de votre côté. Si vous avez besoin de moi, vous n'aurez qu'à appeler. Je suis là. »

Elle rangea les feuilles dans les passeports et appela le conducteur.

« Voilà, lui dit-elle. Ce monsieur, dans ce compartiment, est convalescent. Il sort d'une grave maladie. Il ne faudrait pas qu'on le réveille. Si vous avez un problème quelconque avec les douaniers, adressez-vous à moi, je suis son infirmière. »

Elle se coucha tout habillée et s'installa pour lire. Le rythme monotone du train lui proposait le sommeil, mais, à aucun prix, elle ne voulait s'endormir. Elle entrouvrit deux ou trois fois la porte communicante. Farrel dormait profondément. A un moment donné, elle eut peur. Elle se pencha sur lui et sentit sa respiration. Elle poussa un soupir de soulagement. Elle revint dans son compartiment et continua sa lecture.

« Tu auras besoin de beaucoup de patience », lui avait dit Laffont avant le départ.

Le bruit du train lui répétait avec une tendre férocité : « Patience, patience, patience. »

Ils arrivèrent le lendemain matin à Côme. Elisabeth retrouva un Farrel engourdi de sommeil. Il s'était coupé en se rasant. Le ciel était couvert. Farrel grelottait.

« Vous m'aviez dit qu'il faisait chaud en Italie, dit-il, d'une voix égale.

— Il fait chaud en Italie, affirma-t-elle. Laissez seulement au soleil le temps de venir; il n'est que neuf heures du matin. »

Un porteur prit leurs valises. Il les installa dans un taxi.

« Ça saigne encore ? » demanda Farrel. Et il tâta sa joue.

« Non, répondit Elisabeth. Vous sentez l'odeur des fleurs ?

— J'ai un peu froid. J'aimerais bien un café.

— Nous prendrons le petit déjeuner en arrivant à Bellagio, au bord du lac. Il va falloir que je trouve là-bas un marin qui nous emmène en bateau sur l'île.

— Un grand bateau ?

— Non, non, non, se hâta-t-elle de répondre, un petit bateau à moteur. Mes clefs se trouvent chez la patronne du café; j'ai tout organisé. »

La route fut vite parcourue. Ils quittèrent le taxi devant une terrasse de café déserte. Le chauffeur posa leurs valises sur le trottoir. Elisabeth approcha deux chaises.

« Asseyez-vous ici, dit-elle à Farrel, et ne bougez pas. Je vais appeler la patronne. Je vais commander notre café et je prendrai les clefs. »

Farrel remonta le col de son imperméable.

« On ne pourrait pas entrer à l'intérieur ? demanda-t-il; il fait si frais dehors.

— Un peu de patience ! reprit Elisabeth. Je vous réchaufferai avec le café, je vous le promets.

— La signorina Lemercier ! » s'exclama la patronne. Elle frottait le cuivre de son comptoir.

« Vous n'avez pas changé, mademoiselle Lemercier, vous avez seulement l'air un peu fatigué. Pourquoi votre locataire est-il parti ? Il venait une ou deux fois par semaine. C'était un gentil monsieur. Un vrai Anglais. »

Elisabeth serra la main de la patronne.

« Plus tard, je vous parlerai de tout cela. Donnez-nous s'il vous plaît, deux doubles « expresso » avec du lait, du pain et du beurre. Avez-vous mes clefs ?

— Il me les a laissées dans une enveloppe. Il était bien triste de quitter votre maison. Il s'y sentait comme chez lui. Pourquoi deux doubles « expresso » ? Vous n'êtes pas seule ?

— Non, dit Elisabeth. J'ai amené un ami d'enfance. Il a été très malade. Je l'ai invité dans ma maison pour sa convalescence. »

La patronne, curieuse, les servit elle-même. Elle dévisageait Farrel.

« Bonjour, monsieur, l'accueillit-elle.

— Bonjour », lui répondit Farrel, timide.

Elisabeth but avidement son café et beurra un petit pain pour John.

« Non, dit l'Américain. Merci, je ne mangerai pas. Mais si vous pouviez obtenir un autre café.

— Un autre café, dit la patronne qui ne voulait pas les quitter. Il est bon, mon café, n'est-ce pas ? Le meilleur café du monde.

— Avec beaucoup de lait, insista Elisabeth.

— Je n'aime pas le lait, dit Farrel.

— Ça ne fait rien, rétorqua Elisabeth. Je ne veux pas que vous buviez du café trop fort.

— Vous prenez bien soin de lui, dit la patronne.

— Je suis obligée.

— Un parent ?

— Je vous ai dit qu'il était un ami d'enfance », dit Elisabeth impatiente.

On parlait de Farrel comme s'il n'était pas là.

« Qui pourrait nous amener sur l'île ? se renseigna Elisabeth.

— Raphaël n'est plus là, répondit la patronne. Il a vendu son bateau à moteur. Il s'est installé à Milan. Il a quitté sa femme, mais, parce qu'il ne peut pas divorcer, cela ne l'avance pas beaucoup. La moitié de ce qu'il gagne au garage il doit le lui donner, à elle. Elle a la bonne vie : de l'argent chaque mois sans travailler ! Et encore, elle se plaint.

— Qui pourrait nous amener sur l'île ? répéta Elisabeth.

— Il y a bien un petit vieux, Lorenzo. Vous n'avez jamais vu Lorenzo ? demanda la patronne.

— Je ne me souviens pas. »

L'impatience montait en Elisabeth comme une fièvre.

« Lorenzo, répéta la patronne, il venait souvent ici, il buvait beaucoup. Quand Raphaël est parti, il a pris sa place et il fait la navette avec l'île. Le pauvre vieux... A son âge, ramer, tout le temps ramer !

— Nous descendrons les valises nous-mêmes à l'embarcadère », dit Elisabeth.

Elle paya.

« Vous reviendrez, mademoiselle Lemercier, lança la patronne. J'ai des histoires à vous raconter. La vie est intéressante à Bellagio. Savez-vous que votre écrivain a amené un jour ici une jeune femme ravissante. »

Elle hésita un instant.

« Quand votre ami ira mieux, venez me voir...

— Oui, dit Elisabeth. Certainement. Je reviendrai avec lui. »

Elle prit deux valises; elles étaient très lourdes.

« Vous pouvez prendre les deux autres ? demanda-t-elle à Farrel.

— Oui », fit celui-ci.

Il faillit se casser en deux en les soulevant. Soudain son front fut couvert de sueur.

« Je crois que je les porterai l'une après l'autre... »

Elisabeth courait presque le long du quai avec ses valises qui lui tiraient les bras. Mais, pour une fortune, elle ne les aurait pas posées. Elle se sentait surveillée par la patronne. Farrel la rejoignit. Ils trouvèrent Lorenzo.

« Avec votre barque, lui dit Elisabeth, il nous faudra presque trois quarts d'heure pour arriver à l'île.

— Au moins », fit le vieux pêcheur.

Et il cracha dans le lac.

Lorenzo rangea les valises à l'arrière de la grande barque. Farrel et Elisabeth s'assirent sur le banc du milieu, et le pêcheur, en face d'eux, se mit à ramer. Farrel laissa glisser sa main droite dans l'eau.

« Elle est froide aussi », dit-il.

Le pêcheur les dévisageait. Il parlait peu le français. Il avait envie de bavarder.

« Votre mari a l'air bien fatigué, fit-il en s'adressant à Elisabeth.

— Ce monsieur américain n'est pas mon mari, dit Elisabeth, c'est un ami d'enfance. Je suis auprès de lui comme infirmière. Je l'emmène dans ma maison.

— L'air est bon sur l'île, dit le pêcheur. A cette époque, vous n'aurez même pas de touristes. Et ce monsieur, continua le pêcheur, ne parle ni le français ni l'italien ?

— Si, répliqua Elisabeth. M. Farrel parle très bien le français, mais il est fatigué, il n'a pas envie de parler. N'est-ce pas, monsieur Farrel ? Vous n'avez pas envie de parler ?

— J'aimerais ramer un peu, dit l'Américain.

— Elle est lourde, la barque, dit le pêcheur; elle est très lourde. »

Pourtant, les deux hommes changèrent de place. Farrel se mit à ramer. Au bout de deux minutes, couvert de sueur, livide, il abandonna les rames.

« Ce n'est rien, dit Elisabeth. Ce qui compte, c'est que vous ayez voulu essayer.

— C'est dur de ramer, commenta le pêcheur qui avait repris sa place. Un jour, peut-être, j'achèterai un bateau à moteur. Il faut dire qu'il y a des gens qui préfèrent la barque et qui aiment voir comment je rame. On n'est pas pressé ici, on se promène. Et vous n'êtes pas lourds, vous deux. Par contre, vos valises !... » Il fit une grimace.

La barque avançait dans l'éternité bleue.

« Vous croyez, demanda Farrel soudain intéressé, vous croyez qu'un jour je pourrai vraiment ramer ?

— Oui, répondit Elisabeth, je vous le jure. »

Ils gardèrent le silence jusqu'à l'arrivée. L'embarcadère de l'île était un petit espace couvert de sable fin. Deux étroits chemins menaient dans deux directions différentes parmi les pins parasols. Quelques toits apparaissaient au loin.

« Je vous suivrai avec les valises, dit le vieux pêcheur. Je ferai deux ou trois voyages. Il ne faut pas que votre monsieur les porte; il a l'air si fatigué. »

Le visage tourné vers le soleil, Farrel attendait comme un aveugle.

« Venez, lui dit Elisabeth, venez. Vous n'avez qu'à me suivre. »

Elle s'engageait dans l'un des sentiers. La chaleur montait de la terre et se heurtait aux branches déployées.

« J'espère que vous n'avez plus froid », dit-elle en se retournant.

Le chemin longeait maintenant de rares maisons au toit rouge. Une poule effrayée poussa un cri désespéré et disparut derrière un buisson.

« Vous venez ? demanda Elisabeth.

— Vous permettez que je m'arrête un instant ? »

Le visage de Farrel était humide de sueur.

« Il vous faudrait aussi des lunettes noires, dit Elisabeth. J'ai pensé à tout sauf aux lunettes.

— Oh ! non, s'effraya Farrel. J'aime voir le monde dans sa lumière éclatante. »

Péniblement, ils atteignirent une plate-forme. De là, l'île s'offrait à leur vue. Elisabeth d'un geste désigna un toit.

« Là-bas, c'est ma maison. »

Celle-ci se trouvait édifiée sur une pente douce. Elle était entourée d'un mur couvert de lierre. Elisabeth prit les clefs et ouvrit une grille. Ils se trouvèrent dans un jardin. La maison basse, aux volets verts, leur cachait l'horizon.

« Attendez », dit Elisabeth.

Elle se précipita et ouvrit la porte d'entrée. Farrel la suivit. Il s'arrêta, perdu, dans le vestibule noir. Elisabeth lui tendit la main.

« Venez, je vais ouvrir les volets. »

Il la suivit dans une autre pièce qui semblait beaucoup plus grande. Elisabeth le conduisit délicatement vers un fauteuil.

« Asseyez-vous », dit-elle.

Farrel s'assit. Lentement, elle se mit à ouvrir les volets. La maison donnait sur le lac ensoleillé et un jardin en terrasse descendait jusqu'au bord de l'eau. Farrel se releva, traversa le living-room et sortit avec Elisabeth sur la terrasse.

« Voilà dit Elisabeth. Voilà, John Farrel. Ma maison est la vôtre. Vous êtes chez vous. »

Immobile sur la terrasse, il contempla le lac. Au loin, un bateau à voiles hésitait à la limite de l'horizon. Il n'était guère plus grand qu'un papillon qui se serait posé sur l'eau. Le vieux bonhomme arriva avec les valises. Elisabeth le paya. Il partit, satisfait. Elle revint vers Farrel.

« Voilà, répéta-t-elle, nous sommes là, les valises aussi. Je vais vous montrer votre chambre. »

CHAPITRE XIX

« ATTACHEZ vos ceintures, répétait une hôtesse de l'air. Attachez vos ceintures. » A contrecœur, Ann obéit. « Ces hôtesses m'énervent », se dit-elle. Pourquoi ne les supportait-elle pas ? Peut-être parce qu'elles étaient au seuil de la vie, toutes jeunes, aimables ? Selon son habitude, Ann était assise près d'un hublot et regardait l'aérodrome. Celui-ci se rétrécissait à vue d'œil.

« Vous pouvez fumer maintenant, si vous voulez », dit son voisin.

Depuis le départ, elle tenait un paquet de cigarettes dans sa main gauche et, de la main droite, elle jouait avec son briquet. Avant qu'elle ait eu le temps d'actionner celui-ci, son voisin lui tendit le sien.

« Américaine ? demanda-t-il.

— Oui. »

L'autre s'exclama :

« C'était forcé. A cette époque, on ne rencontre que des Américains, partout des Américains. »

Elle le regarda. Il avait un visage qu'on oublie facilement, une tête anodine, plutôt aimable.

« Je m'appelle Brown, je suis avocat, j'habite à Cleveland », dit-il.

Il ne se laissa pas décontenancer par le mutisme d'Ann. Il continua :

« Je n'ai pas un nom original. Je n'y peux rien. Il faut des Brown et des Smith pour peupler un pays. »

Il s'engagea avec bonne humeur dans cette conversation à sens unique.

« A l'agence de voyages, on ne m'avait pas prévenu que c'était la saison des Américains. Du 1er mai au 1er juillet, on ne rencontre qu'eux en Europe. Figurez-vous, madame, que jusque devant la Joconde je me suis heurté à un compatriote. C'était un ami que je n'avais pas vu depuis dix ans. Il admirait aussi la dame souriante, le même jour, à la même heure. Vous ne trouvez pas ça drôle ?

— Non, dit Ann. Pas tellement... »

L'hôtesse de l'air glissait de petits plateaux devant eux. « De nouveau, elle veut m'obliger à manger », pensa Ann. L'hôtesse était blonde, elle avait un sourire franc. Elle sentait l'hostilité de la passagère; elle n'y pouvait rien. Moins bien élevée, elle aurait haussé les épaules. Elle continua à sourire.

« C'est votre premier voyage en Europe, madame ?

— Je viens souvent pour affaires. »

L'homme s'accrocha à ce mot.

« Quelles affaires ?

— Les antiquités », dit-elle d'une voix sèche.

L'homme admira :

« Les antiquités ? Il faut s'y connaître. Vous achetez des meubles en Europe ?

— Cette fois-ci, je n'ai rien acheté, dit-elle. Je suis venue en pèlerinage.

— Vous avez perdu quelqu'un au débarquement ? dit l'homme, soudain triste. Quelle saignée terrible, quel massacre !

— Au débarquement... »

Elle hésita un instant.

« Non, je n'ai perdu personne, ajouta-t-elle. Mais j'ai été à Buchenwald, à Auschwitz, à Mauthausen. J'y vais pour que le souvenir des atrocités reste présent en moi.

— Vous rouvrez les anciennes blessures, dit l'homme timidement. A quoi bon ?

— Pour me faire pardonner d'être vivante. »

A son tour, l'avocat alluma une cigarette.

« Vous devez savoir mieux que personne que, parmi les survivants, il y a beaucoup de victimes. Ceux qui sont restés infirmes, ceux qui se sont retrouvés mutilés, physiquement et moralement. Vous vous faites le reproche d'être vivante et vous souffrez. Pourtant, si vous étiez aux Etats-Unis pendant la guerre, vous ne couriez aucun risque.

— Je suis d'origine allemande, répondit-elle. Ma famille a été décimée, et moi-même...

— Je suis un fervent partisan de l'oubli, l'interrompit l'avocat. Regardez comme le ciel est bleu. Nous volons dans un avion de luxe et nous nous en retournons chez nous.

— Une raison de plus pour ne pas oublier », répéta Ann.

L'homme fit un geste. La cendre de sa cigarette

tomba sur le plateau à côté d'un sandwich soigneusement préparé.

« Il y a tant d'événements à oublier, madame ! Je ne suis pas une victime de la guerre. Je n'ai souffert, dans ma vie, que de l'état civil. J'ai été marié trois fois, j'ai raté trois mariages. Pourtant, je suis avocat. Eh bien, je vous assure, madame, que j'oublie mes ex-femmes ! C'est ma secrétaire qui leur envoie leurs pensions alimentaires pour que je ne sois pas obligé de me souvenir d'elles. En définitive, je leur garde une certaine reconnaissance. Grâce à elles, j'apprécie pleinement ma liberté. Leur départ m'a donné le goût de vivre. Je voyage, je cherche de nouveaux visages, ou même de nouveaux pièges... Je m'attarde devant les tableaux de maîtres, je rêve sur un paysage, je me laisse vivre.

— Comment osez-vous comparer ? interrompit Ann.

— Non, fit Brown, sans attendre, je sais que je n'ai pas le droit de comparer. Je voulais simplement vous dire que l'oubli est apaisant.

— Peut-être pour les hommes, dit Ann. Eux, ils oublient facilement. Mais les femmes !

— Oh ! je sais, dit Brown, les femmes, quand il s'agit de l'amour...

— Ou de la haine », fit Ann.

Elle mit ses lunettes noires et s'enferma dans le silence.

Allongé dans un fauteuil, sur la terrasse, Farrel venait de fermer un livre. En épluchant des pommes de terre, de la cuisine, Elisabeth le surveillait. Au cours d'un moment d'inattention, elle faillit se couper un doigt.

« Alors, ce roman, vous l'avez terminé ? demanda-t-elle.

— La conclusion, répondit-il, c'est que Fred avait raison. Il était contre ces romans d'amour où, à la fin, les gens tombent dans les bras l'un de l'autre. L'épopée humaine, seule, donne de la grandeur à un récit. Si j'écrivais, j'exploiterais l'âme humaine, j'essaierais d'aller très loin dans mes recherches. »

« Si, enfin, il pouvait se décider à écrire », pensa Elisabeth.

« J'aime votre île sans nom, continua John. Son anonymat m'évite toute tentative littéraire. J'ai autrefois été amoureux du *Livre de San Michele* d'Axel Munthe. Vous l'avez lu ?

— Non, dit-elle, tristement, pas encore, mais je le lirai.

— L'idée m'a effleuré d'aller à Capri et d'y voir la maison d'Axel Munthe. J'ai peur pourtant de briser le sortilège... »

Elisabeth déposa la pomme de terre, le couteau, s'essuya les mains et rejoignit Farrel sur la terrasse.

« Vous n'aimez pas mon locataire anglais. C'est pourquoi vous êtes si hostile à l'égard de son roman. »

L'Américain tourna vers elle son visage rajeuni.

« Votre Anglais a décrit dans le cadre même de cette maison une situation complètement fausse. Un homme solitaire vit ici. Sa voisine est amoureuse de lui. Pour faciliter la progression du récit, il faut qu'il tombe malade. Qui viendra le soigner, sinon la voisine généreuse et amoureuse ? Elle n'est qu'abnégation et bonté, et le pauvre homme, secoué par le paludisme, grelotte sans se rendre compte que cette femme l'aime. Ils bavardent pendant trois mois et ils ne prononcent pas une phrase qui compte. Elle aimerait parler de l'amour, et lui, il évoque les souvenirs des années de son enfance qu'il a passées aux colonies. Quel intérêt peut-on éprouver pour ces gens ? L'écrivain a oublié l'essentiel, la politique, Dieu. Il a rétréci son univers pour ne nous montrer qu'un homme, une femme et un lac. »

Elisabeth le regardait, désespérée.

« Il existe beaucoup de gens qui s'aiment sans se poser de questions métaphysiques. Il y a des couples qui ne prétendent pas sauver le monde, mais qui veulent avoir des enfants. Il y a des gens qui s'aiment simplement, sans complication. »

Il haussa les épaules, garda quelques moments le silence, puis il reprit :

« Et le sens de la vie ? Et la mission secrète que chaque être devrait découvrir en lui-même ? Et le geste à accomplir ? Si tout ne se termine que dans un lit, à quoi bon exister ? »

Il s'arrêta.

« Vous me trouvez très injuste, n'est-ce pas ? »

— Oui, dit Elisabeth, vous êtes très injuste. Et vous êtes d'un égoïsme affreux. Vous avez la manie de vous comparer aux gens et de les comparer à vous. Vous parlez comme le ferait une statue du haut de son socle... Vous n'avez pas froid ? coupa-t-elle.

— Le soleil est chaud, répondit-il.

— Et traître aussi, ajouta Elisabeth. Le début d'octobre sur l'île amène de petits vents froids. Il suffit qu'un nuage passe devant le soleil et on frissonne. Vous ne voulez pas une autre couverture ?

— Non, merci, dit John. Je me sens très bien. J'ai seulement été agacé par le livre, c'est tout.

— Moi, je comprends la voisine, dit Elisabeth. Elle a le mérite d'avoir déguisé ses sentiments, qu'elle savait maîtriser; elle ne voulait pas effaroucher l'homme qu'elle aimait.

— Non, dit l'Américain. Votre écrivain a posé un faux problème. Et il a choisi un faux sujet. L'amour est peut-être un accessoire important dans la vie humaine, mais il ne peut être tout. En tous les cas, il s'est arrangé pour qu'à la fin tout le monde soit content.

— Ils s'aimeront à la fin ? demanda Elisabeth.

— Lisez le livre vous-même. Il vous l'a envoyé gentiment. Vous savez suffisamment d'anglais, non ?

— Je regarderai la dernière page, dit-elle. Vous m'avez raconté le début. C'est le dénouement qui m'intéresse.

— Pauvre écrivain ! s'écria Farrel. Vous ne pouvez pas lui faire un affront pareil. Qu'il soit bon ou mauvais, un livre est une œuvre complète pour celui qui l'a écrit. Il s'est penché sur ses pages pendant des mois pour parvenir à faire prononcer à ses personnages l'ultime phrase, la phrase-clef, et vous voulez tout juste lire cette dernière phrase ! Promettez-moi que vous n'agirez jamais plus ainsi. »

Le soleil tournait. John était obligé de fermer les

yeux. Elisabeth, le dos tourné à la lumière, pouvait le regarder à son aise. Comme elle avait peur de lui, au début ! Elle avait amené sur l'île un homme aussi inerte qu'une marionnette...

Le jour de leur arrivée, ils avaient dîné dans la salle commune, à côté de la cuisine. Ecrasé de fatigue, somnolent, Farrel lui avait dit bonsoir et était tout de suite monté dans sa chambre. Le lendemain, Elisabeth s'était réveillée de bonne heure afin de préparer le petit déjeuner. Elle avait disposé sur le plateau un napperon en dentelle, une cafetière dodue, une tasse en faïence anglaise. Dans de petits pots de grès, elle avait mis du beurre et du miel. Elle imaginait Farrel encore étourdi de somnifères, gisant dans son lit. Elle aurait frappé délicatement. Elle aurait ouvert les volets. Elle lui aurait placé des oreillers derrière le dos. Elle lui aurait versé son café... Quand elle avait frappé avec discrétion, il lui avait ouvert la porte, déjà habillé, rasé, net et inaccessible. Elle avait failli en laisser tomber le plateau d'étonnement. Le lit était impeccablement fait; un ordre parfait régnait dans la chambre.

« Vous avez eu la force de vous lever si tôt ? s'inquiéta-t-elle.

— Pourquoi me montez-vous un plateau si lourd ? dit-il. Donnez-le-moi. Nous prendrons, si vous le voulez bien, le petit déjeuner en bas.

— Comment, demanda-t-elle en buvant son café, comment avez-vous pu changer à ce point d'hier à aujourd'hui ? Je ne comprends pas.

— Vous avez eu l'amabilité de m'inviter, dit-il.

Je ne désire pas être un poids. Je peux bien m'habiller, me raser, faire ma chambre et passer aussi inaperçu que possible. Ne croyez-vous pas que tout cela est une question de volonté ?

— Je voulais au contraire que vous vous abandonniez, fit-elle. La volonté fatigue.

— Non, dit-il, la volonté soutient, la volonté aide. La volonté est une sorte de prière. »

Malgré sa présence, il lui échappait. Elle ne put même pas l'empêcher de monter avec le balai et un chiffon pour nettoyer sa chambre.

« J'imaginais que j'allais commander ici, dit-elle, et je fais ce que vous voulez. »

Au fond, elle était ravie. Elle guettait les moments de faiblesse de John pour paraître forte. L'autre se défendait. Il portait une armure de politesse et de gentillesse.

« Mes livres me manquent, répétait-il souvent. Je m'éveille pendant la nuit et je vais en tâtonnant vers la cloison. Je connaissais l'emplacement de chaque livre. Il m'arrive de vouloir prendre un volume et de me heurter à un mur vide.

— Vous voulez que je les fasse venir ? » demanda-t-elle.

Et, mentalement, elle reconstituait les éléments d'une entreprise monstrueusement difficile. Comment sortir les caisses de la réserve ? A qui confier cette tâche ?

« Non, dit-il, pour le temps que je passerai ici ! »

Elle frémissait.

Ils allaient souvent à Bellagio — et parfois à Côme — pour faire les courses. Il n'acceptait jamais qu'Elisabeth payât.

« Vous êtes mon invité », protestait-elle.

Il ne répondait même pas, il se contentait de sourire. Il avait découvert des librairies. Il revenait avec des volumes. Raphaël se plaignait de ce que la barque était toujours lourde.

« Quand il n'y a pas de valises, ronchonnait-il, il y a des livres. »

Un jour, John put prendre les rames. Il rama lentement, avec difficulté, pendant trois quarts d'heure. Raphaël, durant ce temps, somnolait. Elisabeth voulait dire à John de lâcher les rames, de renoncer à l'effort. Mais la rive semblait si proche; il voulait mener la barque jusqu'au bout, seul. Elisabeth le laissait faire. « Pourvu qu'il arrive, priait-elle, c'est si important. Mon Dieu, ne me trouvez pas ridicule, mais c'est si important. Pourvu qu'il arrive. S'il vous plaît, donnez-lui la force. » Raphaël ne s'était réveillé que lorsque la barque avait heurté le sol sablonneux. John était heureux.

Il lui arrivait maintenant de se promener seul. Parfois, Elisabeth avait peur de ne plus le revoir. Quand il réapparaissait sur la terrasse, elle se sentait soulagée. Le doux supplice de leurs conversations la mettait en face d'elle-même. Elle avait l'impression que lui, il savait tout, tandis qu'elle flottait dans le néant...

« Vous devriez d'abord explorer les auteurs russes, lui disait-il, plus tard les Anglais et les Américains. Ne soyez pas effrayée par l'épaisseur d'un volume. Ayez la patience de faire la connaissance des personnages, acceptez-les avec leurs attitudes, leurs tics moraux. Vous qui êtes une si bonne maîtresse de maison, qui êtes si accueillante, sachez accueillir aussi les personnages de ces grands romans, et le monde vous sera ouvert.

« Le monde ? Quel monde, se demandait-elle. Auraient-ils, un jour, la possibilité, tous deux, de vivre dans le même ? »

Elle osa lui dire, dans un moment où il semblait plus accessible :

« Pourquoi n'écrivez-vous pas ?

— Je n'en ai pas l'envergure, répondit-il. Et puis, je ne saurais pas résoudre les difficultés que représente le temps. Le temps me hante. Comment expliquer que dix-huit années de solitude ne sont qu'un instant de l'univers ? Ou qu'un instant peut être l'éternité ?... J'ai toujours pensé aux sujets sur lesquels j'aurais aimé écrire, mais, au moment où j'aurais sans doute pris la plume, Fred m'apparaissait. Il aurait tellement mieux écrit tout ce que je voulais ! Il n'avait pas besoin de réflexion, lui, il improvisait... »

John s'arrêta.

« Tout ce qu'Ann Brandt a dit de lui, questionna Elisabeth, ne vous a-t-il pas blessé ?

— Blessé ? »

Farrel reprit le mot.

« Elle ne m'a pas blessé. Elle m'a permis de comprendre mieux mon ami. Souvent, je cherchais la source de ses inquiétudes. Je le sentais préoccupé, je le voyais impatient.

— Il aurait dû vous parler d'Ann Brandt, dit Elisabeth.

— Pourquoi ? demanda John. Je ne lui ai pas tout dit non plus. L'amitié la plus sacrée, la plus intime, garde, dans ses replis, des secrets. Souvent, on se tait par timidité ou par orgueil.

— Vous ne m'avez jamais raconté tout ce qu'elle vous avait rapporté de Fred, continua Elisabeth.

— Je ne voulais pas prêter à Fred une troisième dimension, dit Farrel. Je l'ai connu, elle l'a connu; pourquoi voudriez-vous que son portrait vous soit fait, à vous; par deux personnes différentes ? Qu'était-il pour vous ? Vous étiez la plus lointaine !

— Donc, dit Elisabeth, j'aurais pu être la plus juste.

— Ou la plus injuste, dit John.

— Vous ne regrettez rien ? demanda-t-elle.

— Si, sa mort.

— Quelle chance il avait, ce Fred ! dit Elisabeth. Il pouvait faire n'importe quoi, vous l'aimiez...

— Nous étions des amis.

— Vous étiez son ami. »

Nerveux, Farrel hocha la tête.

« De quoi voulez-vous me convaincre, mademoiselle Lemercier !

— De rien, dit-elle en se repliant. De rien. »

Elle ajouta :

« Pourtant, Ann Brandt avait certainement raison de son point de vue.

— Qui a raison, quand et pourquoi ? demanda John. On veut toujours trop d'un homme : son nom, sa position sociale, son argent, son corps et ses pensées. Qu'est-ce qui lui reste à l'homme ?... Je me souviens d'une petite brune, en Californie... »

Elisabeth sentit une bouffée de jalousie lui enlever toutes ses forces. Une petite brune ! Elle se
voyait ridiculement blonde, aussi blanche qu'une en-
dive. Elle n'apparaissait plus que comme le négatif
d'une photo. Soudain, elle n'était plus rien.

« Pourquoi pensez-vous à cette petite brune ? demanda-t-elle en soulignant le mot « brune ».

— J'ai passé une nuit avec elle, raconta John.
Je me souviens qu'elle m'a dit : « Ce qui m'intéresse
« dans la vie, c'est l'amour. Rien ne peut donner
« autant. Je me moque des savants, je me moque de
« tous ceux qui n'ont pas aimé. J'aime les hommes. »
J'ai presque eu peur d'elle, dit John, comme si
j'avais tenu un spectre dans mes bras. J'avais aimé
une morte. Sans âme, elle n'était rien d'autre qu'une
morte. »

Elisabeth n'était plus jalouse de la petite brune...

« Ne croyez-vous pas qu'elle pouvait avoir un
peu raison tout de même ? questionna-t-elle. Elle a
osé vous dire qu'elle était simplement une femme qui
voulait être aimée. Je ne vaux guère plus qu'elle.
J'ai rêvé aussi d'une autre existence, d'une famille,
d'enfants, de ce qu'on appelle une vie normale. Et
je me vois déjà, dans vos descriptions, perdue dans
une bibliothèque poussiéreuse ! Quand je mourrai,
quelle sera ma consolation ?

— Il faut savoir choisir, dit-il.

— Avez-vous toujours choisi ? Le hasard n'a-t-il
jamais influencé votre vie ? »

Il ne répondit pas.

« On ne remplacera jamais le sourire d'un enfant

avec un livre, continua-t-elle. Jamais. Vous pouvez mettre en avant le plus grand chef-d'œuvre du siècle; le sourire d'un enfant contient encore plus de richesses.

— Allons nous baigner », dit-il avec une certaine impatience.

« Etait-il agacé ou non ? » se demanda Elisabeth.

Dans l'eau tiède, caressante, elle nageait à côté de Farrel. Elle continuait à avoir peur, pour lui, d'une défaillance.

« Le lac Balaton, dont ma mère m'a tant parlé, devait être aussi chaud que celui-ci. »

Soudain enhardie, elle l'aspergea d'eau en criant :

« Si vous pouviez noyer votre enfance ! »

— Nous vivons de notre enfance », répondit-il. Et il s'allongea sur l'eau pour faire la planche.

Elisabeth ne supporta pas la vision de ce corps qui flottait. Elle l'avait vu trop proche de la mort.

« Remettez-vous à nager », dit-elle, presque autoritaire.

Elle alla près de lui.

« Si vous avez besoin de Fred, de votre enfance, de vos ancêtres, c'est que vous êtes faible, John Farrel. »

Elle parlait si vite qu'elle avala une gorgée d'eau qui la fit tousser. « Pour une fois que je veux lui dire ses vérités, pensa-t-elle, c'est l'eau qui me coupe la parole. »

« Retournons, on est très loin », dit-elle.

Allongés l'un à côté de l'autre sur la plage, Elisabeth attaqua.

« Vous allez abandonner à la fois vos souvenirs d'enfance, ceux qui concernent Fred, et vous allez essayer enfin d'être vous-même, de travailler...

— Que feriez-vous à ma place ? demanda-t-il.

— J'écrirais, dit-elle. J'écrirais... Vous devez exprimer tout ce qu'il y a en vous, et même ce que j'y déteste, parce que...

— Parce que ?

— Parce que vous êtes ligoté encore ! Racontez l'histoire de votre famille, décrivez votre amitié avec Fred, l'arrivée d'Ann Brandt. Consacrez-moi un paragraphe ou une allusion à la fin, si vous voulez.

— Et qui m'éditera ? demanda-t-il.

— Ceux dont c'est le métier, les éditeurs.

— Et qui me lira ? »

Il haussa les épaules.

« Vous m'avez affirmé que vous aviez de la volonté. Ayez la volonté de vous mettre devant une feuille pour tenter de vous libérer. J'adorerai votre livre. »

Elle pensa aux pommes de terre à éplucher.

« Je m'en vais à la cuisine, dit-elle.

— Mademoiselle Lemercier ?

— Nous nous connaissons depuis bientôt huit mois et vous continuez à m'appeler Mlle Lemercier. J'ai un prénom comme tout le monde. Les Américains sont si familiers qu'ils appellent les gens par leur prénom dès leur première ou leur seconde rencontre, et moi, je suis restée pour vous Mlle Lemercier !

— Selon vous, je suis Américain ? demanda-t-il.

— Choisissez, insista Elisabeth. Vous ne pouvez plus continuer à vivre entre deux continents, deux mondes, deux hérédités. Vous ne prétendrez quand même pas que vous êtes Hongrois !

— Non, dit-il, je suis Américain. Mais j'aimerais être

un Américain sans passé. Que faire avec les ombres ?

— Les chasser, dit-elle, désespérée. J'ai encore des pommes de terre à éplucher; je retourne à la cuisine. Quand une Française a le mal du pays, elle fait un steak et des frites.

— Vous voulez rentrer à Caen ? » demanda-t-il. Elle était déjà à la cuisine. Elle épluchait, elle essuyait ses larmes.

« Que ferais-je à Caen ? Je rouvrirais mon magasin et je serais seule. »

Farrel vint à la cuisine.

« Le docteur vous attend, dit-il.

— Nous avons rompu. Pourtant, il m'a écrit. Il m'a dit qu'il avait éprouvé une surprise merveilleuse. Après notre départ, il voulait partir pour Paris afin d'oublier un peu lui aussi. Il traversait, avec sa voiture, la place du Marché. C'était un samedi. Les gens l'ont entouré, lui ont demandé rendez-vous, lui ont répété qu'ils appréciaient ses soins, qu'ils avaient besoin de lui. Il a fait demi-tour et sa salle d'attente était pleine dès l'après-midi.

— Pourquoi ne l'avez-vous pas épousé ? demanda Farrel.

— Un compromis n'est possible que lorsqu'on n'aime pas ailleurs », dit-elle.

Les frites grésillaient dans la graisse.

« Vous aimez quelqu'un d'autre ? demanda-t-il.

— Vous, depuis toujours.

— Je vous crois, dit Farrel. Sans votre amour fraternel, vous n'auriez pas sacrifié des mois de votre vie pour me soigner. »

Elle tremblait.

« Et vous ? » demanda-t-elle.

Farrel s'assit sur une chaise de la cuisine.

« Je peux vous parler, vous êtes intelligente, bonne, mais... »

Elle avait si peur de la fin de la phrase qu'elle l'interrompit.

« Nous mangerons sur la terrasse; la table est déjà mise. Venez. »

Plus tard, pendant qu'ils déjeunaient, elle lui posa la question :

« Qu'avez-vous contre moi ?

— Je n'ai rien pour vous, dit Farrel. Je n'ai rien à vous offrir.

— Je ne demande rien, dit Elisabeth. Nous avons tant de choses à apprendre, vous et moi. Vous prétendez connaître une part des vérités de l'existence, et moi, je devine l'autre.

— Peut-être un jour, dit Farrel, trouverais-je ma place dans une communauté où l'on travaille pour une cause propre, pour une bonne cause.

— Vous ne croyez pas que vous allez pouvoir changer la face du monde ! » répliqua Elisabeth.

Le mot « communauté » lui avait serré la gorge. A ses yeux, la feuille de salade de son assiette semblait aussi grande qu'une feuille de palmier.

« Je crois que j'ai la force maintenant de conduire, dit Farrel. Je voudrais m'en aller. J'aimerais acheter une voiture puissante, aller de ville en ville, de pays en pays. Je découvrirais peut-être un jour l'endroit où je me fixerais.

— Où voulez-vous aller ?

— J'aimerais voir la Hongrie, d'abord.

— Vous ne la trouverez jamais, dit-elle. Vous êtes à la poursuite d'une légende.

— Je voudrais voir le ciel hongrois, continua Farrel. C'est justement l'époque où les cigognes s'en vont. Ma mère m'a souvent raconté que, d'un jour à l'autre, les cigognes partaient toutes ensemble et que les villages, alors, devenaient comme vides. J'aimerais être cigogne, déployer mes ailes.

— Ces cigognes, dit-elle en se maîtrisant, retrouveraient les mêmes cheminées l'année suivante. Installez-vous sur cette île, qu'elle devienne votre quartier général. Sillonnez le monde à votre guise et revenez ici, écrivez ici. Je pourrais vous accompagner dans vos randonnées, je conduis bien. Les grands trajets, on ne peut les faire qu'à deux. Quand l'un est fatigué, l'autre conduit. Avant de vous rendre en Hongrie, venez à Florence. Quel pays peut vous offrir autant de richesses que l'Italie ? Achetez la voiture et allons à Florence.

— J'aimerais voir la Hongrie, dit-il, obstiné.

— Je comprends, reprit-elle, très douce. Mais, avant de vous lancer dans l'inconnu, ouvrez les yeux et regardez le monde proche : la beauté est là autour de vous, partout. Je connais un peu l'Italie. Je suis précise; je ferai un projet de voyage, j'établirai un itinéraire, étape par étape. Nous pourrions aller à Capri : vous verriez la maison d'Axel Munthe. Vous reconnaîtriez son âme présente. Vous sentiriez peut-être, là-bas, que vous avez le devoir d'écrire.

— Le devoir ? » dit-il, distrait.

Il savourait presque le mot en le répétant.

« Le devoir.

— Prouvez que vous existez, insista Elisabeth. Ecrivez. »

Soudain, comme soulagé d'un poids, il se laissa aller; il s'appuya contre le dossier de son fauteuil en osier.

« Je suis contre le roman, dit Farrel. Pourtant, j'ai pensé à un roman, un roman vécu », ajouta-t-il, timide.

Le cœur d'Elisabeth se mit à battre à un rythme accéléré.

« Racontez, dit-elle. Comment commenceriez-vous ce roman ? »

Il jouait avec des miettes. Il évitait le regard d'Elisabeth.

« Je dirais qu'il était sept heures du soir et que le docteur du village accompagnait son dernier malade jusqu'à la porte. Parce qu'il était homme de devoir, il jetait un coup d'œil dans sa salle d'attente. Désagréablement surpris, il voyait un homme qui l'attendait. Celui-ci s'excusait d'être venu si tard. Il avait un accent étranger...

— Et alors ? demanda Elisabeth.

— Alors, il le faisait entrer dans son cabinet médical... Un livre qui commence ainsi vous intéresserait-il ? »

Le bonheur la prit comme un vertige.

« Savez-vous, demanda Farrel, pourquoi je suis allé chez Laffont ? A cause de mon dos. »

Lors des bains, combien de fois elle avait regardé

avec pitié et tendresse ce dos déchiré, boursouflé de cicatrices.

« Oui, dit-elle, votre dos vous faisait mal.

— Mes anciennes blessures saignaient », dit Farrel.

Il ajouta après un moment de silence :

« Vous voyez : maintenant, je me baigne, je m'offre au soleil et mes blessures ne saignent plus. J'ai le dos et l'âme cicatrisés.

— Revenons au roman, pria Elisabeth.

— Tout cela fait partie du récit, dit-il. Pour que je devienne moi-même, il faut que je sache qui je suis. Aurez-vous assez de patience ? »

Il se tut.

« Vous ne m'avez jamais rien demandé, dit Elisabeth. Vous auriez pu mourir de faim, de froid, de maladie, vous ne m'auriez jamais rien demandé.

— Allons, dit-il, le moment est donc venu.

— Oui, fit-elle, je crois.

— Pourriez-vous me donner un verre d'eau ? » dit-il.

Et il ajouta plus bas, lui-même étonné :

« Elisabeth. »

IMPRIMÉ EN FRANCE PAR BRODARD ET TAUPIN
6, place d'Alleray - Paris.
Usine de La Flèche, le 30-01-1973.
6354-5 - Dépôt légal n° 2283, 1er trimestre 1973.
LE LIVRE DE POCHE - 22, avenue Pierre 1er de Serbie - Paris.
30 - 21 - 3452 - 01

◈ 30/3452/7